# TROUBLANTES COÏNCIDENCES

JULIE GARWOOD

# TROUBLANTES COÏNCIDENCES

*Traduit de l'américain*
*par Michel Ganstel*

ÉDITIONS FRANCE LOISIRS

Titre original :
*SLOW BURN*
publié par Ballantine Books, New York.

Édition du Club France Loisirs,
avec l'autorisation des Éditions Belfond

Editions France Loisirs,
123, boulevard de Grenelle, Paris
www.franceloisirs.com

ISBN 978-2-298-00944-6
© Julie Garwood 2005. Tous droits réservés.

Et pour la traduction française
© Belfond, un département de place des éditeurs, 2008.

## 1

Le vieillard acariâtre s'apprêtait à provoquer un scandale et n'avait qu'un seul regret : ne plus être là pour en savourer les conséquences. Il allait tirer le tapis sous les pieds de ses bons à rien de neveux et de nièces et ils allaient prendre une belle bûche ! Il était grand temps que quelqu'un, dans cette lamentable famille, se décide à réparer de flagrantes injustices. Plus que grand temps !

En attendant que les caméras soient installées, il mit un peu d'ordre dans le fouillis qui encombrait son bureau. Ses doigts noueux en caressèrent le bois avec la délicatesse attendrie qu'il réservait jadis à l'épiderme de ses maîtresses. Le meuble était aussi vieux et usé que lui-même. Sa fortune, il l'avait amassée dans cette pièce. Le téléphone à l'oreille, il y avait conclu des affaires plus lucratives les unes que les autres. Combien d'entreprises au bord de la faillite avait-il acquises au cours des trente dernières années ? Combien en avait-il dépecées ?

Il s'arracha à l'évocation de ses innombrables réussites. Ce n'était pas le moment de rêver. Il se leva lourdement, traversa la pièce, se versa un verre d'eau du carafon de cristal offert des années plus tôt par un fournisseur. Après en avoir bu une gorgée, il refit le niveau, emporta le verre, le posa sur son bureau et regarda autour de lui. La pièce lui paraissant trop sombre pour les caméras, il alluma toutes les lampes avant de revenir s'asseoir.

— C'est bientôt prêt ? grommela-t-il avec impatience.

Il se lissa les cheveux, rajusta le col de sa veste, tira sur son nœud de cravate comme si cela suffisait à dénouer sa gorge contractée.

— Maintenant, je vais réfléchir deux minutes à ce que je dirai, reprit-il d'une voix que les années passées à aboyer des ordres et à fumer ses bien-aimés cigares cubains avaient rendue râpeuse.

Il en aurait volontiers allumé un, mais il n'y en avait plus dans la maison depuis qu'il avait arrêté de fumer dix ans plus tôt. L'envie le reprenait quand il était énervé – et c'était le cas en ce moment. Il éprouvait aussi une sorte d'appréhension, sentiment qui lui était pourtant étranger, peut-être parce qu'il était obnubilé par le désir de faire ce qu'il fallait avant sa mort, événement qu'il savait désormais imminent. Ce serait son hommage à l'honneur du nom de MacKenna, il lui devait bien cela.

La caméra VHS était fixée sur un trépied en face de lui et la personne chargée de la mettre en route tenait au-dessus une caméra numérique. Les deux objectifs étaient braqués et mis au point sur lui.

— Vous estimez que la numérique aurait suffi, je sais, commenta-t-il. Vous avez peut-être raison, mais je préfère le bon vieux système des cassettes. Ces nouveaux disques ne m'inspirent pas confiance ; ils serviront de sécurité, c'est tout. Faites-moi signe quand vous allumerez vos machines, je commencerai à parler.

Il but une nouvelle gorgée d'eau. Les pilules que ses maudits médecins le forçaient à avaler lui desséchaient le gosier.

Quelques secondes plus tard, l'enregistrement démarra.

— Je m'appelle Compton Thomas MacKenna. Ceci n'est pas mon testament, j'ai déjà fait le nécessaire et je l'ai d'ailleurs modifié il y a quelque temps. L'original se trouve dans mon coffre-fort, une copie est déposée chez mes hommes de loi et une autre en lieu sûr. Elle sortira, je vous le garantis, si l'original et la copie des avocats devaient être détruits ou égarés pour une raison ou une autre.

» Je n'ai rien dit à personne de mon nouveau testament et des modifications apportées à l'ancien, parce que je ne voulais pas être harcelé pendant mes derniers mois. Mais puisque les docteurs m'assurent que ma fin est proche et qu'ils ne peuvent plus rien y faire, je veux… non, j'ai *besoin* d'expliquer pourquoi je l'ai rectifié – même si aucun de vous ne comprend ni même ne se soucie de mes raisons.

» Je commencerai mes explications par un bref rappel de l'histoire de la famille MacKenna. Mes parents sont nés, ont vécu et sont enterrés dans les Highlands d'Écosse. Mon père y possédait un bon bout de terre. Un sacré bon bout.

Il s'interrompit pour s'éclaircir la voix et boire un peu d'eau.

— À sa mort, la terre est revenue pour moitié à mon frère aîné, Robert Duncan, et pour moitié à moi. Ensuite, Robert et moi sommes partis terminer nos études aux États-Unis et avons tous les deux décidé d'y rester. Quelques années plus tard, Robert m'a vendu sa part de la propriété et, avec le reste de son héritage, se trouvait ainsi plus qu'à son aise. Moi, je devenais seul propriétaire du domaine connu sous le nom de Glen MacKenna.

» Je ne me suis jamais marié, je n'en avais ni le temps ni le goût. Robert a épousé une femme qui ne lui convenait pas du tout, mais, contrairement à mon frère, je n'en ai pas fait tout un plat comme lui ne se serait pas privé de le faire s'il avait été à ma place. Elle s'appelait Caroline. C'était une arriviste qui n'avait épousé Robert que pour son argent, pas par amour en tout cas. Elle a quand même fait son devoir conjugal et lui a donné deux fils, Robert Duncan comme son père – et Conan Thomas.

» Nous arrivons maintenant au cœur de cette leçon d'histoire. Quand mon neveu Conan s'est marié avec une fille sortie de rien, son père Robert l'a déshérité. Marié lui-même à une fille d'un bon milieu, il était furieux de la mésalliance de son fils. Léah, la femme de Conan, n'était rien de moins qu'une mendigote, mais Conan se moquait de voir tout cet argent lui passer sous le nez. Il ne restait donc à Robert que son fils aîné, un béni-oui-oui sans cervelle qui faisait ce qu'on lui disait sans chercher plus loin.

» Avec le temps, j'ai perdu la trace de Conan. J'avais trop de travail... Tout ce que je savais, c'est qu'il s'était installé à Silver Springs, à côté de Charleston. Et puis, j'ai appris qu'il s'était tué dans un accident de voiture. Je me doutais bien que mon frère ne se donnerait pas la peine de se montrer à son enterrement, alors j'y suis allé. Pas par devoir, je l'avoue, plutôt poussé par la curiosité de voir comment Conan s'en était sorti sans un sou. Je n'avais prévenu ni Léah ni personne d'autre ; je suis resté dans l'anonymat. L'église était bondée. Je suis même allé à l'inhumation – c'est là que j'ai pu mieux voir Léah et ses trois filles, dont la dernière était encore un bébé.

Soucieuse de ne pas laisser transparaître l'ombre d'une émotion dans son regard, il détourna un instant les yeux de l'objectif, se redressa dans son fauteuil.

— Bref, j'ai vu ce que j'étais venu voir. La lignée MacKenna se poursuivrait grâce aux enfants de Conan, même si je trouvais dommage qu'il n'y ait que des filles et pas un seul garçon. Quant à l'autre fils de mon frère, Robert, son père l'avait pourri en lui passant tous ses caprices, en ne lui laissant aucune initiative, aucune ambition. En guise de récompense, mon frère a vécu assez longtemps pour voir son fils aîné mourir avant l'âge, rongé par l'alcool.

» La génération suivante a hérité de ces abus coupables. J'ai vu les petits-enfants de mon frère dilapider leur héritage et, pire encore, salir le nom des MacKenna. Bryce, l'aîné, marche sur les traces de son père. Il s'est marié avec une brave femme, Vanessa, qui n'a néanmoins pas réussi à le sauver de ses vices. Comme son père, il est devenu alcoolique au dernier degré. Il a bazardé toutes ses actions et tout son capital, en grande partie dans l'alcool et les femmes. Dieu seul sait ce qu'il a bien pu faire du reste.

» Roger, le deuxième, est le plus instable des trois. Il

disparaissait des semaines entières, mais il n'a pas fallu longtemps à mes informateurs pour découvrir ce qu'il fabriquait pendant ses absences. J'ai donc appris que Roger avait la passion du jeu. Selon les rapports que j'ai reçus, il aurait perdu plus de quatre cent mille dollars pour la seule année dernière. Quatre cent mille ! Pire, il serait en cheville avec des gangsters tels que Johnny Jackman. Rien que l'idée du nom MacKenna associé à celui d'un Jackman me donne la nausée.

» Enfin Ewan, le cadet, est incapable de se contrôler. Sans ses ruineux avocats, il croupirait en prison. Il a failli tuer un homme à coups de poing il y a deux ans. Les uns comme les autres, ils me dégoûtent. Ce sont tous des incapables, des bouches inutiles.

» Alors, quand mes bons à rien de médecins m'ont dit que je n'en avais plus que pour quelques mois, j'ai décidé de réagir.

Il sortit d'un tiroir un épais dossier noir qu'il posa devant lui.

— J'ai chargé un détective de vérifier comment les enfants de Conan avaient évolué. Je ne m'attendais à rien de bon, à vrai dire. Je supposais qu'après la mort de Conan Léah et ses filles mèneraient une existence précaire et que pas une ne serait capable de faire des études. Eh bien j'avais tort. Après l'accident de Conan, Léah a touché assez d'argent de la compagnie d'assurances pour pouvoir rester chez elle avec sa petite famille et elle a pris un emploi de secrétaire dans une école privée. Sa paie était maigre – elle n'était pas capable de trouver mieux, à mon avis – mais il y avait une compensation. Ses trois filles ont pu faire leur scolarité dans cette école sans rien payer. Conan leur avait sans doute vanté les mérites d'une bonne éducation.

Il ouvrit le dossier devant lui.

— D'après ces rapports, elles sont toutes les trois travailleuses. Pas une fainéante dans le lot. Kiera, l'aînée, a obtenu une bourse dans une excellente université, où elle a décroché ses diplômes avec mention avant de recevoir une autre bourse pour entreprendre des études de médecine, qu'elle réussit de façon remarquable. Kate, la deuxième, a l'esprit d'entreprise. Elle aussi a obtenu une bourse dans une des meilleures universités du pays, dont elle est brillamment diplômée. Avant même de finir ses études, elle a fondé une entreprise qui progresse de jour en jour et qui promet une belle réussite. D'après ce que j'en sais, ce serait elle qui me ressemblerait le plus.

» Isabel, la plus jeune, est aussi intelligente que ses sœurs, mais son vrai talent résiderait dans le chant. Elle est très douée et a une voix splendide, paraît-il. Elle veut étudier la musique et l'histoire et projette d'aller un jour en Écosse faire la connaissance de ses lointains cousins, ce qui m'a fait un réel plaisir quand je l'ai appris.

» Venons-en aux changements apportés à mon testament.

Il esquissa un bref sourire.

— Bryce, Roger et Ewan toucheront chacun cent mille dollars en liquide. J'espère qu'ils se serviront de cet argent pour s'amender, mais j'en doute sérieusement. Vanessa recevra elle aussi cent mille dollars et cette maison en plus. Elle mérite au moins cela pour avoir subi Bryce aussi longtemps. Elle a honoré le nom des MacKenna par son dévouement à des œuvres charitables et autres bonnes causes, je ne vois pas de raison de la punir parce qu'elle a fait le mauvais choix en se mariant.

» Les autres, maintenant. Je lègue tous mes bons du Trésor à Kiera – les dates d'échéance sont indiquées dans mon testament. Isabel, comme moi passionnée d'histoire, héritera de Glen MacKenna. Ce legs est assorti d'un certain nombre de conditions, dont elle sera informée en temps utile. C'est tout ce que je leur laisse, mais je crois avoir été plus que généreux.

Sa respiration devenait laborieuse. Il s'interrompit le temps de reprendre haleine et vida son verre d'eau.

— J'en viens enfin à l'ensemble de ma fortune, estimée à quatre-vingts millions de dollars. Elle est le résultat du travail de toute ma vie et je la laisse à ma famille, mais je préférerais me damner plutôt que d'en faire profiter mes neveux oisifs et dépravés. Je la lègue donc à ma petite-nièce Kate MacKenna. Elle est la plus méritante du lot, elle a de l'ambition et connaît comme moi la valeur de l'argent. Si elle accepte la succession, elle sera entièrement à elle. Je crois pouvoir lui faire confiance pour ne pas la dilapider.

## 2

Son Wonderbra allait sauver la vie de Kate MacKenna.

Cinq minutes après l'avoir mis, elle brûlait déjà d'envie de s'en débarrasser. Elle n'aurait jamais dû laisser sa sœur Kiera la convaincre de porter cette horreur. Bien sûr, il lui donnait une silhouette voluptueuse, mais était-ce bien l'image qu'elle voulait renvoyer d'elle ce soir-là ? Elle était une femme d'affaires, bon sang, pas une star du porno ! D'ailleurs, elle n'avait pas besoin d'un soutien-gorge aux bonnets pigeonnants et à l'armature métallique, elle était largement assez pourvue de ce côté-là. Et puis, à quoi rimait l'obsession de Kiera de vouloir à tout prix la rendre sexy ? Sa vie privée était-elle aussi terne et déprimante que paraissaient le croire ses sœurs ?

Quand Kiera, l'aînée et la plus autoritaire, s'était juré de convaincre Kate de porter une petite robe de cocktail ultramoulante, – dût-elle mourir à la tâche –, Isabel, la plus jeune, avait soutenu Kiera. Comme toujours. Kate avait fini par capituler pour mettre fin au harcèlement de ses deux sœurs, qui, une fois liguées contre elle, constituaient une imparable force de frappe.

Devant le miroir de l'entrée, Kate tirait sur les bretelles du maudit soutien-gorge dans l'espoir de l'empêcher de lui scier les côtes, mais ses efforts restaient infructueux. Elle se dit qu'en se dépêchant elle aurait le temps de se changer avant de partir. Elle allait remonter dans sa chambre quand elle vit Kiera descendre l'escalier.

— Tu es superbe, déclara celle-ci en la toisant d'un regard exercé.

— Toi, tu as l'air crevée.

Elle ne faisait que constater une évidence. Les yeux cernés, Kiera sortait de la douche sans même avoir séché ses cheveux blonds, qui lui tombaient sur les épaules. Malgré tout, et sans aucun maquillage, sa sœur était belle, comme leur mère l'avait été.

— Une étudiante en médecine est censée avoir l'air de manquer de sommeil. C'est obligatoire. Si j'avais une mine reposée, on me jetterait dehors.

Ses sœurs avaient beau lui compliquer la vie, Kate était heureuse de les avoir à la maison, ne serait-ce que pour quelques semaines. Elles n'avaient pas pu passer beaucoup de temps ensemble après la mort de leur mère. Kate était retournée à Boston terminer sa maîtrise, Kiera à l'université de Duke pour reprendre ses études de médecine, alors qu'Isabel était restée à la maison avec leur tante Nora.

Kate était maintenant revenue au bercail de façon permanente, mais Kiera devait repartir au terme de ses quinze jours de vacances ; quant à Isabel, elle allait entamer sa première année de faculté. « La vie doit continuer », ainsi se résignait Kate.

— Pendant que tu es ici, suggéra-t-elle, tu pourrais passer une journée à la plage, cela te ferait du bien. Emmène donc aussi Isabel.

— Essai non transformé ! répondit Kiera en riant. Tu ne me la colleras pas sur les bras, même pour une demi-journée. Depuis que je suis arrivée, je passe mon temps à me battre contre les hordes de garçons qui lui courent après. Trop c'est trop ! C'est déjà assez pénible avec les coups de téléphone qui se succèdent en permanence. Il y a surtout un certain Reece. Il me tape sur le système, celui-là. Il se considère comme le petit ami en titre d'Isabel. Elle m'a dit qu'ils sont allés à un ou deux concerts ensemble, qu'ils sont sortis deux ou trois fois, mais qu'il n'y a rien de sérieux entre eux. Elle a même renoncé à le voir depuis qu'il a voulu aller plus loin. Maintenant, il l'appelle sans arrêt, et comme Isabel refuse de lui parler il devient agressif. J'aime bien ma petite sœur mais elle me complique un peu trop la vie. Alors, c'est gentil de me demander de l'emmener à la plage, mais non merci. Pas question.

Kate continuait à tirer sur son soutien-gorge.

— Cet instrument de torture me coupe la respiration, grommela-t-elle.

— Il te rend superbe, cela vaut mieux que de respirer. Fais un effort, c'est pour une bonne cause.

— Une bonne cause ? Laquelle ?

— Toi. Je m'occupe de toi, en ce moment. Isabel aussi. Nous avons décidé de te dérider un peu, tu es beaucoup trop sérieuse. À mon avis, tu souffres du syndrome de « l'enfant du milieu ». Tu sais, celui qui est bourré de complexes d'insécurité et de phobies et qui a toujours besoin de se prouver des choses à lui-même.

Kate préféra ne pas relever et se dirigea vers la penderie.

— Si, je t'assure, insista Kiera. Ton cas est typique.

— Tu me flattes.

— Tu ne m'écoutes même pas !

La sonnerie du téléphone dispensa Kate de répondre. Pendant que Kiera se hâtait d'aller décrocher, elle ouvrit le placard pour y prendre son imperméable. La télévision braillait dans la cuisine. On entendait la voix du présentateur de la météo qui annonçait, avec une sorte de jubilation obscène, que Charleston et sa région étaient plongées dans une vague de chaleur comme elles n'en avaient pas subi depuis trente ans. Si la température s'obstinait deux jours de plus à dépasser les trente degrés, elle battrait même un nouveau record.

L'humidité était encore plus éprouvante que la chaleur. L'air lourd, suffocant, poisseux comme de la glu aggravait la pollution qui pesait sur la ville. Un bon coup de vent aurait suffi à la chasser, mais on ne prévoyait ni vent ni pluie dans un proche avenir. À moins de bénéficier d'une longue expérience de plongée en milieu hostile, respirer exigeait un effort quasi surhumain. L'atmosphère accablante affectait autant les jeunes que les vieux ; la population entière se trouvait dans un état léthargique.

Pourtant, malgré l'épouvantable chaleur, la réunion à laquelle Kate avait promis de se rendre devait avoir lieu à l'extérieur, dans le jardin d'une galerie d'art privée. L'événement était prévu depuis des semaines, la tente blanche qui devait l'abriter avait été montée avant le début de la canicule. Une seule aile du bâtiment de la galerie était terminée et, comme Kate le savait, n'était pas assez vaste pour accueillir la foule des invités.

La jeune femme ne pouvait pas échapper à cette corvée. Le propriétaire de la galerie, son vieil ami Carl Bertolli, serait mortellement vexé si elle lui faisait faux bond. Avec les embouteillages, le trajet de Silver Springs, où elle vivait, jusqu'à l'autre bout de Charleston lui prendrait au moins une heure, mais elle n'avait pas l'intention de rester très longtemps. Elle donnerait à Carl un coup de main pour régler les derniers détails puis, une fois les festivités lancées, elle filerait à l'anglaise. Il serait trop occupé pour s'apercevoir de sa disparition.

Une artiste de Houston exposait ses œuvres, si controversées qu'une avalanche de protestations et de coups de téléphone menaçants avaient déjà déferlé sur la galerie. Carl s'en frottait les mains car il estimait que toute publicité, bonne ou mauvaise, ne pouvait que contribuer au lancement de sa salle d'exposition. L'artiste, qui s'était affublée du pseudonyme de Cinnamon, avait néanmoins de nombreux admirateurs. Comme bien d'autres, Kate se demandait pourquoi car sa peinture était au mieux médiocre. Le réel talent de cette pseudo-artiste prête à tout pour se faire remarquer consistait à attirer l'attention et à faire parler d'elle. Pour le moment, elle se proclamait farouchement opposée à toute forme d'organisation. Quand elle ne jetait pas de la peinture au hasard sur la toile, elle s'évertuait – sans trop de conviction, il est vrai – à renverser le gouvernement. Elle avait pour credo l'amour libre, la liberté d'expression et la gratuité des activités humaines. Mais ses croûtes n'étaient pas gratuites car elle leur appliquait des tarifs exorbitants…

— C'était encore ce Reece, annonça Kiera en revenant dans le vestibule. Il commence à me taper sérieusement sur les nerfs. Mais, dis donc, il ne doit pas pleuvoir ce soir. Pourquoi es-tu emmitouflée dans ton imper ? Il fait près de trente-cinq dehors.

— On n'est jamais trop prudent. Je ne voudrais pas gâter ma robe.

Kiera pouffa de rire.

— Dis plutôt que tu ne veux pas que tante Nora te voies dans cette robe. Tu as peur d'elle, Kate, avoue !

— Elle ne me fait pas peur. J'essaie simplement d'éviter de subir un de ses interminables sermons.

— Ta robe n'a rien d'indécent.

— Pour elle, si.

— Cela nous fera tout drôle de ne plus l'avoir ici pour nous faire marcher à la baguette. Elle me manquera, tu sais.

— À moi aussi.

Nora s'apprêtait à rentrer chez elle à St. Louis. Venue à Silver Springs quand sa sœur était tombée malade, elle était restée après sa mort pour tenir la maison jusqu'à la fin des études d'Isabel au lycée. Maintenant que Kate était revenue et qu'Isabel allait entrer à l'université, Nora n'avait plus de raisons de prolonger son séjour. Et puis elle avait hâte de retrouver sa fille et ses petits-enfants.

Nora avait veillé avec dévouement sur les trois jeunes filles quand elles avaient eu le plus besoin d'elle. Mais elle avait sur les périls du sexe des idées bien arrêtées que les sœurs taxaient d'obsession. Depuis la mort de sa sœur, Nora s'était instituée gardienne de la moralité de ses nièces. Selon elle, les hommes étaient de dangereux satyres n'ayant en tête que « vous savez quoi », et son devoir consistait à tenir les filles à l'écart de leur lubricité diabolique.

Kate jeta un coup d'œil dans la cuisine et constata que Nora en était absente. Elle y entra pour éteindre la télévision, se débarrassa de son imperméable sur le dossier d'une chaise, prit ses clefs et sortit en hâte au garage. Avec un peu de chance, elle serait partie avant le retour de sa tante.

Kiera la suivit jusqu'à la porte de la cuisine.

— Sois prudente, ce soir, lui conseilla-t-elle. Il y a plein de cinglés qui n'aiment pas les opinions de Cinnamon sur la religion et le gouvernement. Elle passe son temps à prêcher l'anarchie.

— C'est le cas ce mois-ci, je crois, mais je n'arrive pas à me tenir au courant de ce qu'elle raconte ni de ce qu'elle fait. Je ne me fais pas de soucis pour ce soir. La sécurité sera renforcée.

— Ça veut dire que Carl s'inquiète, alors ?

— Non, cela fait partie du spectacle. À mon avis, Cinnamon ne croit pas un mot de ce qu'elle débite. Elle ne cherche que la publicité.

— Les gens qu'elle offense ne le savent pas et certains sont des fanatiques qui ne reculent devant rien.

— Arrête de te tracasser, je ne cours aucun danger.

Kate ouvrit la porte. À peine eut-elle mis un pied dans le garage que la chaleur lui coupa le souffle.

— Pourquoi pars-tu d'aussi bonne heure ? s'enquit Kiera. L'invitation dit de vingt heures à minuit.

— L'assistante de Carl m'a laissé un message pour me demander d'arriver vers dix-huit heures.

Kate monta dans sa voiture, aussi accueillante qu'un four chauffé à blanc, et manœuvra la télécommande d'ouverture de la porte.

— Y aura-t-il au moins des paniers-cadeaux Kate MacKenna ? demanda Kiera.

— Bien sûr, Carl y tient. Je crois qu'il me prend sous son aile pour pouvoir dire plus tard qu'il m'a connue à mes débuts. Referme cette porte, tu laisses échapper la climatisation.

— Tu es déjà célèbre. C'est agréable, non ?

Sur quoi, Kiera referma la porte.

Kate roulait à une allure de tortue sur l'autoroute engorgée en pensant qu'en effet la vie lui souriait. Si elle n'était pas encore vraiment célèbre, elle était en bonne voie pour le devenir. Qu'un simple passe-temps puisse évoluer vers une carrière prometteuse ne cessait de l'étonner.

Son entreprise était née presque par inadvertance au cours de sa dernière année de lycée, pendant qu'elle se creusait la tête pour savoir ce qu'elle ferait. Elle essayait de gagner de quoi acheter des cadeaux d'anniversaire à sa famille et à ses amies quand, un jour, elle vit une bougie allumée dans le bureau de son professeur de chimie. L'odeur musquée qui s'en dégageait choqua son odorat sensible et lui donna l'idée de fabriquer elle-même des bougies parfumées aux senteurs agréables. Ce ne devait pas être si difficile.

Elle installa son laboratoire dans la cuisine. Les vacances d'hiver n'étaient pas finies qu'elle avait déjà produit son premier lot de bougies. Un désastre ! Elle avait mêlé au petit bonheur la chance des herbes et des épices dont la combustion rappelait fâcheusement l'odeur des égouts.

Sa mère l'exila donc au sous-sol. Kate ne renonça pas pour autant à poursuivre ses expériences. Cet été-là, elle consacra chaque seconde de ses loisirs au travail. Elle écuma les bibliothèques et les laboratoires jusqu'à ce que, à la fin de sa première année de fac, elle réussisse à formuler une combinaison basilic-pamplemousse qui embaumait.

Kate avait d'abord l'intention d'en faire cadeau, mais sa camarade de chambre, Jordan Buchanan, qui était aussi sa meilleure amie, décréta que sa création avait un réel potentiel. Elle choisit dix bougies dans le lot, leur attribua un prix de vente et les écoula toutes en une seule soirée. Elle persuada ensuite Kate de se servir de son nom en guise de marque sur tous ses produits. Elle l'aida aussi à concevoir un logo et des conditionnements originaux.

Leurs senteurs fraîches et les boîtes octogonales en verre adoptées par Kate assurèrent à ses bougies un succès immédiat. Les commandes affluaient, si bien que Kate, avec l'aide de deux employés à mi-temps, s'efforça de fabriquer et de stocker un maximum de produits pendant ses vacances d'été. Puis le sous-sol de la maison familiale devenant trop étroit Kate installa son entreprise dans un local plus spacieux. Le quartier était horrible mais, de ce fait, le loyer défiait toute concurrence.

À la fin de sa dernière année d'université, la jeune femme enregistrait des commandes en provenance de tout le pays. Consciente que la gestion constituait son point faible, elle retourna compléter ses études à Boston. Pour ne pas compromettre la marche de l'entreprise en son absence, elle prit sa mère comme associée afin qu'elle puisse signer les chèques et effectuer des dépôts à la banque. Kate réinvestissait l'intégralité des bénéfices dans son affaire et, dans le souci de réduire ses dépenses au strict minimum, elle vivait dans l'appartement de Jordan à Boston et passait souvent les week-ends dans la famille de son amie à Nathan's Bay.

Kate parvenait, au prix d'une lutte constante, à assurer la croissance de son affaire en son absence, mais, lorsque sa mère devint trop malade pour continuer à s'en occuper, elle mit ses ambitions de côté et revint s'occuper d'elle. Une longue et triste année s'était écoulée depuis sa mort, mais Kate avait réussi à terminer sa maîtrise et à mettre au point ses projets d'expansion.

Désormais de retour en permanence à Silver Springs et prête à faire passer son entreprise à l'échelon supérieur, elle avait ajouté à ses produits traditionnels une gamme de lotions corporelles et une autre de trois parfums originaux, baptisés des noms de sa mère et de ses sœurs, Léah, Kiera et Isabel. L'espace qu'elle louait se révélant à nouveau trop exigu, elle négocia le bail d'un entrepôt beaucoup plus vaste et, surtout, plus près de chez elle. Elle envisageait aussi d'engager d'autres employés. Anton's, une chaîne de magasins haut de gamme, s'intéressait à la diffusion de ses produits et elle était sur le point de signer avec eux un contrat d'exclusivité extrêmement lucratif.

Bientôt, ses soucis d'argent ne seraient plus qu'un souvenir.

Cette pensée lui tira un sourire. Son premier achat, se promit-elle, serait une voiture moderne pourvue d'une bonne climatisation. Elle rajustait en vain les ouïes de ventilation toutes les deux minutes. L'air qui en sortait était, au mieux, tiède sinon carrément chaud.

Elle était en état de liquéfaction quand elle arriva enfin à Liongate, la prétentieuse propriété de Carl. Il en avait hérité de son père et avait décidé de construire la galerie dans le parc. Deux têtes de lion ornaient les piliers de la grille électrique.

Un garde vérifia si le nom de Kate figurait sur la liste et lui ouvrit le passage. La demeure de Carl se dressait au sommet d'une petite éminence, au bout d'une allée sinueuse, mais la galerie était située à mi-pente. Une vaste tente blanche avait été montée à côté de l'aile déjà terminée.

Un autre agent de sécurité lui indiqua un emplacement de parking. À voir le nombre de gardes et de serveurs qui faisaient la navette entre la tente et la galerie, Carl attendait une foule considérable. Kate mit pied à terre et traversa le gazon détrempé où ses talons aiguilles s'enfonçaient dangereusement. Elle avait presque atteint le cheminement dallé quand son portable sonna.

— Bonjour, ma chérie, fit la voix mélodieuse de Carl dans l'écouteur. Où es-tu ?

— Sur ta pelouse, Carl.

— Ah ! Tant mieux.

— Et toi, où es-tu ?

— Devant ma penderie. J'essaie de me décider entre un complet de lin blanc et un blazer rayé avec un pantalon crème. Dans l'un comme dans l'autre, je crèverai de chaleur, je sais, mais il faut que je sois chic devant les critiques d'art qui viendront en masse.

— Tu seras très élégant, de toute façon, j'en suis sûre.

— Je t'appelais pour te dire que je ne serai pas là avant

22

un bon moment. Il faut que je me dépêche de m'habiller pour aller chercher Cinnamon à son hôtel, la limousine attend. J'ai un grand service à te demander. Peux-tu vérifier si tout est bien en place sous la tente ? Je n'aurai pas le temps d'y passer avant l'arrivée des invités. Tu as un goût parfait, je te fais entière confiance pour que tout soit admirable.

— Avec plaisir, répondit Kate, que le langage volontiers hyperbolique de son ami faisait toujours sourire.

— Tu es un amour. Je ne te remercierai jamais assez, conclut Carl.

Kate s'approcha de la tente et entra. La dizaine de climatiseurs disposés tout autour faisaient de leur mieux, mais, ils avaient beau souffler de l'air frais, les allées et venues des serveurs réduisaient leurs efforts à néant. De longs buffets, ornés de fleurs dans des vases de cristal et de plats d'argent, étaient alignés à un bout de la tente. Des petites tables recouvertes de nappes blanches et flanquées de chaises pliantes étaient réparties dans l'espace libre. Les préparatifs qui touchaient à leur fin semblaient se dérouler sans problèmes.

Kate repéra ses paniers sur une table du fond. Son logo était accroché sur le devant de la nappe blanche qui retombait jusqu'au sol. Elle alla le redresser un peu et disposer les paniers en demi-cercle. L'arrangement est ainsi nettement plus flatteur, pensa-t-elle en reculant d'un pas pour juger de l'effet.

Elle allait tourner autour de la table quand elle se ravisa. Son soutien-gorge la tuait ! Elle prit sur elle pour ne pas arracher séance tenante cet instrument de torture et se dirigea vers les toilettes de la galerie, où elle pourrait enfin libérer ses côtes et jeter l'abominable chose dans une poubelle.

Une mauvaise surprise l'attendait : toutes les toilettes étaient livrées à l'équipe de nettoyage, donc indisponibles. Kate aurait volontiers passé outre si la présence des gardes à proximité ne l'en avait dissuadée.

Que faire ? Elle regarda autour d'elle sans voir la moindre pièce où elle aurait pu s'enfermer quelques minutes. Accablée, elle regagna la tente, où la vue d'un superbe panier de fleurs posé devant sa table lui remonta le moral. Elle devait remercier Carl de cette délicate attention.

Une chaleur étouffante régnait sous la tente. Les serveurs se hâtaient de mettre en batterie des climatiseurs supplémentaires avant l'arrivée des invités, prévue d'ici deux heures. Kate recula jusqu'au fond de la tente pour ne pas les gêner et souleva un pan de la toile dans l'espoir de respirer un peu mieux.

C'est alors qu'elle vit à moins de dix mètres de là un bouquet d'arbres entouré d'une haie. Sauvée ! se dit-elle. Dissimulée par la haie, il ne lui faudrait pas longtemps pour dégrafer le maudit soutien-gorge. Elle regarda à droite, à gauche. Personne en vue, donc personne ne pouvait la suivre jusqu'au bouquet d'arbres.

Une minute plus tard, elle avait accompli sa mission.

— Ouf ! soupira-t-elle. Je peux enfin respirer.

Ce fut sa dernière pensée avant l'explosion.

## 3

La police la trouva recroquevillée au pied d'un noyer centenaire. Son soutien-gorge était pendu dix mètres plus loin à un magnolia déraciné. Personne ne put s'expliquer comment l'explosion lui avait arraché du torse cet article de lingerie sans causer aucun dommage à sa robe. En dehors de la terre et des feuilles dont elle était couverte, celle-ci était en effet intacte.

L'explosion avait creusé un cratère à l'emplacement de la tente et déclenché un incendie qui dévora sur son passage toute la végétation sur un flanc de la colline. Le majestueux noyer centenaire était fendu en deux. Une de ses maîtresses branches était tombée en voûte au-dessus de Kate, la protégeant de la pluie d'éclats de verre et autres débris projetés par le souffle comme autant de projectiles mortels.

Dans un rayon de un kilomètre, la terre trembla et les maisons furent secouées comme par un séisme, selon les affirmations des résidents, dont certains s'étaient réfugiés dans l'encadrement de leurs portes.

Par miracle, il n'y eut ni morts ni blessés graves. Si des membres du personnel ou des invités avaient été présents sous la tente au moment de l'explosion, la police et les médecins n'auraient même pas réussi à les identifier.

Kate aurait à coup sûr été tuée. Sans son irrésistible envie de se débarrasser de son soutien-gorge, elle se serait trouvée au centre même du cratère. Par un autre miracle, elle était parfaitement indemne. Un des mâts métalliques de la tente s'était planté dans le tronc de l'arbre juste au-dessus de Kate, à trois centimètres de son cœur.

L'inspecteur Nate Hallinger, muté depuis peu à la brigade criminelle de Charleston, fut le premier à la repérer. Il arpentait la colline pendant que ses collègues de la police scientifique procédaient aux premiers prélèvements sur les lieux de l'attentat, quand il entendit la sonnerie d'un téléphone portable qui avait cessé lorsqu'il arriva près du noyer. Pensant que l'appareil avait été projeté là par l'explosion, il tenta de le localiser dans l'herbe, mit un genou à terre pour repousser une branche et découvrit une jambe féminine.

Il essaya de s'en approcher et vit au même moment que le tronc de l'arbre n'était pas loin de vaciller. S'il s'écroulait, la malheureuse serait écrasée. Il reculait pour appeler du secours quand il l'entendit pousser un gémissement. Deux brancardiers répondirent à ses signes et arrivèrent en courant.

— Bon Dieu, George ! s'exclama le plus jeune. T'as vu ça ?

George rampait déjà en direction de la victime.

— Vu quoi ? grogna-t-il.

— Le piquet de tente. Un centimètre de plus et elle le prenait en pleine poitrine. Elle a de la veine d'être encore en vie, non ?

— Si elle n'est pas en morceaux, Riley, oui, elle a de la veine, admit George.

George avait quinze ans de plus que son équipier et, à ce titre, était chargé de le former. Riley était sympathique, bien sûr, mais il parlait trop, ce que George n'approuvait pas. Riley souleva une branche avec précaution et rampa à son tour vers la femme inanimée.

— Tu as entendu ce qui se dit ? souffla-t-il à George. Les flics pensent que c'est l'artiste qui était visée et que la bombe a explosé trop tôt. Celui qui a fait le coup a mis le paquet, en tout cas. Les pompiers eux-mêmes sont effarés de l'étendue des dégâts.

Devant l'impossibilité d'atteindre la victime, les deux hommes durent appeler du renfort. Il fallut les efforts conjugués de quatre robustes pompiers pour pousser le tronc branlant afin d'éviter sa chute et dégager les plus grosses branches. Enfin en mesure d'intervenir, les brancardiers soulevèrent la femme toujours inanimée et la déposèrent délicatement sur une civière, en constatant avec stupeur qu'elle n'avait apparemment rien de cassé.

Kate reprit lentement connaissance et s'efforça d'ouvrir les yeux. À travers une sorte de brouillard, elle ne distingua d'abord que trois hommes penchés sur elle. Balancée comme dans un hamac, elle sentit la nausée la gagner. Il régnait dans l'air une odeur de brûlé.

Les trois hommes marchaient lentement, Nate cheminant à hauteur de la civière.

— Elle s'en sortira ? demanda-t-il.

— En principe, oui, déclara Riley.

— C'est aux docteurs de le dire, le corrigea George.

— Peut-elle parler ? demanda Nate.

— Qui êtes-vous ? voulut savoir George.

— Inspecteur Nate Hallinger. Peut-elle parler ? insista-t-il.

— Elle a une bosse plus grosse qu'une balle de tennis derrière la tête, l'informa Riley.

George confirma d'un signe de tête.

— Espérons qu'elle n'a pas de fracture, se borna-t-il à commenter.

— Mais est-elle en état de parler ? répéta Nate. A-t-elle prononcé un mot, dit quelque chose ?

— Rien, répondit Riley, elle est encore dans le cirage.

Dans la tête de Kate, le brouillard commençait à se dissiper, ce qu'elle regrettait presque. Elle avait l'impression d'avoir reçu un coup de marteau sur le crâne et essaya de lever une main pour le tâter.

— Si, murmura-t-elle, elle peut parler. Elle peut aussi marcher.

Sa réaction tira de Nate un sourire approbateur. Cette femme était une dure à cuire, comme il les aimait.

— Pouvez-vous me dire comment vous vous appelez ?

Elle n'osa pas bouger la tête, craignant d'aggraver sa migraine. Il lui fallait de l'aspirine. Au plus vite.

— Kate MacKenna. Qu'est-il arrivé ?

— Une explosion.

— Je ne me souviens pas d'une explosion. Des victimes ?

— Oui, vous, dit Riley.

— Je vais très bien. Remettez-moi debout, s'il vous plaît.

Les hommes dédaignant sa requête, elle redemanda s'il y avait eu d'autres victimes.

— Rien de grave. Des bosses et des égratignures, répondit George.

— Je peux avoir de l'aspirine ?

— Vous avez un bon mal de crâne, n'est-ce pas ? questionna George. Mais nous ne pouvons rien vous donner avant d'arriver à l'hôpital.

— Je n'ai pas besoin d'aller à l'hôpital.

— Votre ange gardien veillait bien sur vous, déclara Riley. Si vous aviez été dans la tente, vous ne seriez pas en train de nous parler.

Arrivés en bas de la colline, ils attendirent qu'un policier ouvre la porte arrière de l'ambulance.

— Je l'accompagne à l'hôpital, annonça Nate.

— Si vous voulez, approuva George. Ses fonctions vitales sont bonnes.

Nate fit signe à un policier qu'il partait avec la victime et monta dans l'ambulance avec les brancardiers.

— Mais je n'ai pas besoin d'aller à l'hôpital ! protesta Kate. Ma voiture est garée ici, quelque part avec mon sac, mon permis de conduire…

— Vous n'êtes pas en état de conduire, déclara George.

Consciente de l'inutilité de ses protestations, elle se tut. L'ambulance démarra.

— Vous croyez que vous pouvez répondre à deux trois questions ? demanda Nate.

Kate trouva sa voix agréable. Pas trop forte, en tout cas.

— Oui, bien sûr.

— Pouvez-vous me dire ce qui s'est passé ?

— Je n'en sais rien, soupira-t-elle.

Pourquoi était-elle incapable de s'en souvenir ? Était-elle plus atteinte qu'elle ne le pensait ? La mémoire lui reviendrait peut-être quand sa migraine serait passée.

— Avez-vous remarqué quelque chose d'inhabituel, ou quelqu'un qui n'aurait pas dû être là ?

— Non, dit-elle en refermant les yeux. Je suis désolée. Cela me reviendra peut-être plus tard. Personne n'a été blessé, vous êtes sûr ?

— Personne. Le personnel du traiteur préparait les plateaux dans la maison et le propriétaire était en route pour aller chercher l'artiste.

— Dieu merci ! murmura-t-elle.

— Si l'explosion s'était produite plus tard, intervint George, elle aurait fait un vrai massacre.

Assis à la hauteur de Kate, l'inspecteur se pencha vers elle.

— Faites un effort, Kate. Vous n'avez vraiment rien remarqué de bizarre, d'inhabituel ?

— Pourquoi ? Vous croyez que ce n'était pas un accident ?

— Nous n'écartons aucune hypothèse.

— Cela aurait pu être un climatiseur, il y avait des fils partout. Une surcharge, un court-circuit, je ne sais pas...

— Cent climatiseurs sautant tous en même temps n'auraient pas pu arracher un pan de la colline.

Pendant ce temps, Riley prenait la tension de Kate.

— Comment va-t-elle ? s'enquit Nate.

— Les chiffres sont bons, le rassura Riley.

— Et ma tête va mieux, ajouta Kate.

C'était un mensonge, mais elle voulait rentrer chez elle.

— Vous devez quand même vous faire examiner à l'hôpital, lui rappela George.

Nate Hallinger referma son calepin. Il avait rarement vu des victimes aussi belles et séduisantes. Gêné de se surprendre à la dévorer du regard, il se détourna en hâte.

— Le vieil arbre vous a sauvé la vie. Si vous n'aviez pas été derrière lui, vous n'auriez pas survécu. Qu'est-ce que vous faisiez là, d'ailleurs ? C'était assez loin de la tente et de la galerie.

Elle voulut tourner la tête et réprima de justesse une grimace de douleur. Il lui fallait d'urgence une, non, deux aspirines.

— J'étais sortie me promener.

Ce n'était pas un mensonge à proprement parler. Elle n'avait simplement pas besoin de dire pourquoi elle était sortie.

— Par cette chaleur ? s'étonna Nate. À votre place, je serais plutôt allé à la galerie ou chez le propriétaire, au pire je serais restée sous la tente devant un climatiseur.

— Vous avez raison, mais je ne l'ai pas fait. J'aime bien marcher et la chaleur ne me dérange pas.

Bon, cette fois elle mentait pour de bon, mais ce n'était qu'un petit mensonge sans gravité.

— Étiez-vous seule pour cette promenade ?

— Oui, seule.

— Vraiment ? dit-il avec une moue sceptique.

— Si quelqu'un avait été avec moi, inspecteur, n'aurait-il (ou elle) pas été assommé en même temps que moi ?

— Oui, s'il était resté près de vous. Depuis combien de temps étiez-vous sortie ? enchaîna-t-il sans lui laisser le temps de réagir.

— Où cela ?

— Derrière les arbres.

— Je ne sais pas. Pas longtemps, en tout cas.

— Vraiment ? demanda-t-il de nouveau avec scepticisme.

— Qu'est-ce qu'il y a, inspecteur ? Un problème ?

— Mes collègues ont découvert quelque chose à une dizaine de mètres de votre corps.

— Qu'est-ce qu'ils ont découvert ?

Elle comprit seulement où il voulait en venir. Son coup sur la tête la rendait décidément idiote !

— Un sous-vêtement, répondit-il. C'est la raison pour laquelle je me demandais si vous étiez seule.

Kate se sentit devenir écarlate.

— Personne n'était dehors avec moi. Vous voulez parler d'un soutien-gorge noir, n'est-ce pas ? Et vous vous demandez s'il est à moi ou à quelqu'un d'autre ? Eh bien, il est à moi. Les toilettes des dames étaient bloquées et il me fallait un endroit discret pour l'enlever. Quand j'ai vu les arbres et la haie, je me suis dit qu'ils feraient l'affaire.

— Pourquoi ?

— Pourquoi quoi ?

— Pourquoi vouliez-vous l'enlever ?

L'inspecteur commençait à dépasser les bornes de l'indiscrétion. Elle allait le lui dire, quand elle se ravisa. Autant être franche.

— Il me tuait.

— Euh... pardon ?

Un silence attentif régnait maintenant dans l'ambulance. George et Riley attendaient eux aussi des explications.

— Le fil de fer... L'armature...

— Oui ?

— Une femme aurait déjà compris ! explosa-t-elle.

— Mais pas un homme ?

Ce type cherche-t-il volontairement à m'embarrasser ou est-il idiot de naissance ?

— Essayez donc de porter un de ces trucs. Au bout d'une heure, vous vous en débarrasseriez aussi, croyez-moi !

— Non merci, dit-il en riant. Je vous crois sur parole.

— Eh bien, vous n'inscrivez pas tout cela dans votre calepin ?

Il éluda la question et sourit.

— Êtes-vous mariée ? Faut-il avertir votre mari de l'accident ?

— Non, je ne suis pas mariée, je vis avec mes sœurs. Il faut que je les appelle, elles doivent s'inquiéter.

— Dès que nous serons à l'hôpital, je leur téléphonerai. Nous sommes bientôt arrivés, d'ailleurs, dit-il en regardant par la vitre.

— Mais je n'ai pas besoin d'aller à l'hôpital ! Je n'ai presque plus mal à la tête.

La moue sceptique de l'inspecteur suffit à faire comprendre à Kate qu'il n'en croyait rien.

— Vous n'habitez pas Charleston même ? demanda-t-il.

Il connaissait déjà sans doute son adresse, son numéro de téléphone et des dizaines d'autres détails la concernant. Un simple coup de fil à un collègue pourvu d'un ordinateur suffisait aux forces de police pour tout savoir sur les plus honnêtes citoyens.

— Non, nous habitons Silver Springs, mais c'est tout près de la ville. Vous êtes nouveau venu dans la région ?

— Oui, je suis arrivé de Savannah il n'y a pas long-temps. C'est nettement plus calme ici, ajouta-t-il en souriant. Enfin, ça l'était jusqu'à aujourd'hui. Il ne se passera sans doute rien de plus excitant d'ici à la fin de l'année.

## 4

Kiera et Isabel franchirent en courant la porte des urgences. En voyant leur sœur sur le brancard, Kiera sourit de soulagement, mais Isabel eut l'air encore plus effrayée. L'urgentiste qui venait d'examiner Kate l'envoya au scanner. À cause d'une longue file d'attente, elle n'en sortit qu'au bout de deux heures et regagna sa chambre. En l'attendant, Kiera faisait les cent pas dans le couloir pendant qu'Isabel, assise au bord du lit, regardait la télévision. Les ravages de l'explosion figuraient dans tous les bulletins d'information.

Lorsque Kate revint du scanner, Isabel attendit à peine que sa sœur soit couchée pour se jeter dans ses bras.

— Tu vas bien, n'est-ce pas ? Tu nous a fait mourir de peur, mais tu n'as rien de grave ?

— Rien. Je vais très bien, je t'assure.

Kiera manœuvra la commande du lit électrique pour que Kate puisse s'asseoir. Avec sollicitude, Isabel tapota ses oreillers en lui infligeant une épreuve dont elle se serait volontiers passée.

— Tu ne me vois pas en double, au moins ? demanda-t-elle.

— Si elle te voyait en double, elle hurlerait de douleur. Une seule Isabel lui suffit amplement, dit Kiera en riant.

— Tu n'es pas drôle, protesta Isabel sans pouvoir s'empêcher de sourire elle aussi.

Kiera consulta le dossier de Kate accroché au pied du lit.

— Tu as le droit de faire ça ? s'inquiéta Isabel.

— S'ils ne veulent pas qu'on le lise, ils n'ont qu'à le mettre ailleurs. Ils te gardent en observation jusqu'à demain, ajouta-t-elle à l'adresse de Kate.

— Je sais, mais je veux rentrer à la maison.

— Non, il faut rester par précaution. Tante Nora était encore à sa réunion, nous lui avons laissé un message pour lui dire ce qui t'était arrivé. Elle va sans doute arriver avec un lit de camp pour passer la nuit près de toi.

— Kate n'a pas de fracture ? voulut savoir Isabel qui regardait par-dessus l'épaule de Kiera.

— Non, elle a un crâne plus dur que le granit.

— Tu m'as fait une de ces peurs, reprit la cadette en prenant la main de sa sœur. Je veux dire, tu *nous* as fait peur. Je ne sais pas ce que nous ferions sans toi. Pendant que tu étais à Boston, la maison était sinistre. Quand Kiera venait, elle avait tout le temps le nez plongé dans ses livres de médecine.

— Calme-toi, Isabel, la rabroua Kiera. Elle s'en remettra.

Avec un soupir résigné, Isabel alla s'asseoir près de la fenêtre.

— D'accord, je me calme. Dis donc, qui était ce type dans l'ambulance avec les infirmiers ? Il était mignon comme tout.

— Les hommes n'aiment pas être qualifiés de « mignons », fit une voix masculine du pas de la porte.

Aucune des trois n'avait remarqué l'arrivée de Nate. Quand elles se tournèrent ensemble vers lui, il eut un choc. Aucune n'était moins belle que les autres. Isabel piqua un fard.

— Entrez donc, lui dit Kate.

Elle fit les présentations et lui demanda la raison de sa visite.

— J'avais oublié de vous donner ma carte, répondit-il. Si vous avez besoin de quoi que ce soit ou si vous vous souvenez de quelque chose, même d'un détail qui vous paraîtrait insignifiant, appelez-moi.

— Je n'y manquerai pas.

Il n'avait plus de raison de s'attarder, mais il hésita à partir.

— Comment va votre tête ?

— Mieux, merci.

— Bon. Eh bien…

Il se tournait vers la porte quand Isabel le rappela :

— Je peux vous poser une question, inspecteur ? lui demanda-t-elle en souriant.

— Bien sûr. Laquelle ?

— La police compte-t-elle placer cette peintre, Cinnamon, sous protection ?

— Pourquoi me le demandez-vous ?

— On ne voit qu'elle aux nouvelles, répondit la jeune femme en montrant le téléviseur, et elle demande la protection de la police. C'est plutôt curieux, vous ne trouvez pas ? Elle a passé son temps jusqu'à maintenant à en dire du mal. Un journaliste a même cité les horreurs qu'elle disait sur le compte des policiers, qu'elle considère tous corrompus ou quelque chose de ce genre. Je me demande pourquoi vous ne l'avez pas poursuivie en justice. Tout à l'heure, elle affirmait qu'il s'agissait d'une bombe et qu'on voulait la tuer pour la réduire au silence à cause de ses opinions politiques. Et aussi de sa peinture, ajouta-t-elle.

— La tuer à cause de sa peinture ? intervint Kiera en riant. Ses tableaux sont vraiment aussi mauvais que cela ?

— Je ne trouve pas ça drôle, dit Isabel. Elle a donné son interview devant deux de ses toiles qu'elle montrait comme si elle voulait se faire de la publicité.

— A-t-on déterminé la cause de l'explosion ? demanda Kiera.

— Nous ne connaissons pas encore la nature de l'explosif, répondit Nate en se tournant vers elle, mais il s'agissait bien d'une bombe. Une de nos équipes est en train de l'analyser. Si vous vous souvenez de quoi que ce soit, ajouta-t-il à Kate, vous nous rendrez service.

— Comptez sur moi.

Il se retira. Isabel attendit qu'il se soit éloigné pour parler.

— Il n'est pas adorable ?

— Oui, approuva Kiera, mais il est beaucoup trop vieux pour toi. Il a au moins trente ans. Et puis…

— Et puis quoi ?

— C'est à Kate qu'il s'intéresse, affirma Kiera.

Kate ne suivait pas la conversation. Elle ne réagit qu'en entendant prononcer son nom.

— Il ne s'intéresse à moi que comme témoin, déclara-t-elle. Rien de plus.

— D'abord, il n'est pas trop vieux pour moi, déclara Isabel. Et surtout je me demande s'il est marié. Je n'ai pas vu d'alliance à son doigt.

— Laisse tomber ! dit Kiera, agacée.

— Tu aurais dû lui demander, Kate, insista Isabel.

— J'étais inconsciente ! protesta Kate. Quand voulais-tu que je lui pose cette question ? Dans l'ambulance ?

Kate trouvait la conversation ridicule, mais elle avait le mérite de la distraire.

— Non, bien sûr. Je voulais simplement dire que…

— Que quoi ?

— Que tu laissais encore passer une occasion.

Si sa tête lui avait fait moins mal, Kate aurait éclaté de rire.

— Tu plaisantes, j'espère ?

— Pas du tout ! se défendit Isabel. Je ne me souviens même plus de la dernière fois que tu as eu des relations sérieuses avec un garçon. En fait, je me demande même si tu…

— Ah ! Kate, ma chérie !

L'arrivée de Carl Bertolli interrompit la tirade d'Isabel et celle-ci fut enchantée de le revoir. Elle ne l'avait rencontré qu'une fois, quand il était passé chercher Kate pour un gala de bienfaisance, mais il avait fait sur l'esprit d'Isabel une impression indélébile. Carl était si haut en couleur, si spectaculaire !

Prenant les mains de Kate entre les siennes, il se pencha pour déposer un baiser sur son front.

— Ma pauvre, pauvre chérie ! C'est un cauchemar, un épouvantable cauchemar ! Que personne n'ait été tué ni même blessé par cette abominable explosion est un vrai miracle. Je te jure que, si je ne portais pas ce costume blanc, je tomberais à genoux pour remercier Dieu.

Kiera dissimula son envie de rire par une quinte de toux. Kate libéra ses mains.

— Tu te souviens de mes sœurs, Kiera et Isabel ?

— Bien sûr ! Comment les oublier ? répondit-il avec un large sourire. J'espère que tu ne m'en veux pas pour ce qui est arrivé, enchaîna-t-il. Je n'aurais jamais dû accepter que cette folle expose chez moi. On m'avait pourtant mis en garde, mais je ne pouvais pas croire que quiconque puisse prendre cette femme au sérieux et lui en vouloir à ce point. Par conséquent, ajouta-t-il avec un soupir à fendre l'âme, c'est bien moi le responsable de tout.

Il attendait manifestement des consolations. Kate refusa de le suivre sur ce terrain.

— Allons, Carl, la police trouvera le vrai coupable. Comment voulais-tu te douter que quelqu'un irait jusqu'à de telles extrémités ?

— Tu es gentille de me rassurer. Sais-tu que le bâtiment de la galerie est intact ? Pas une pierre ébranlée ! Stupéfiant, non ? Bien sûr, j'ai maintenant dans ma pelouse un trou plus grand qu'une piscine que je vais devoir faire reboucher. Mais quand je pense que ç'aurait pu être mille fois pire !... Je te laisse te reposer, poursuivit-il après un nouveau soupir théâtral. Puisque tu me pardonnes, je me sens mieux. Si tu as besoin de quoi que ce soit...

— ... je t'appellerai, compléta Kate.

Carl fit sa sortie en arborant un dernier sourire

éblouissant. Kiera et Isabel le suivirent des yeux comme s'il aspirait derrière lui toute l'énergie présente dans la pièce.

— Carl est un personnage intéressant, fit observer Kiera. Cabotin, mais intéressant.

— Tante Nora en était emballée, renchérit Isabel. Elle m'a dit qu'il lui rappelait George Hamilton jeune. Mais, quand je lui ai demandé qui était George Hamilton, elle s'est fâchée en me disant qu'elle n'était pas aussi vieille que cela. Je n'ai rien compris. Dis donc, Kate, à propos de Carl…

— Quoi ?

— Nous parlions de ta vie sentimentale…

— Non, toi, tu en parlais. Pas nous.

— Puisque tu refuses de t'en donner la peine, il faut que je fasse le nécessaire à ta place, reprit Isabel sans tenir compte de l'interruption.

— Tu voudrais marier Carl et Kate ? s'esclaffa Kiera.

Les efforts de Kate pour ne pas rire lui arrachèrent une grimace de douleur.

— Carl n'est pas du tout mon type, et en plus il est fiancé. Sa fiancée convient beaucoup mieux que moi à sa personnalité.

— Bon, je me trompe peut-être, admit Isabel. Mais il te faut quand même quelqu'un de moins coincé que toi.

— Pitié ! gémit Kate. Kiera, ramène-la à la maison, de grâce !

— D'accord, nous te laissons. Appelle-moi demain matin pour me dire à quelle heure tu veux que je vienne te chercher.

Isabel ne parut pas se formaliser d'être ainsi expulsée. Déjà à la porte, elle se retourna.

— Promets-moi de ne plus jamais nous faire une peur pareille, Kate. Promets !

— Je te le jure.

— Bien, approuva Isabel. Maintenant que tu es de retour à la maison pour de bon, ajouta-t-elle en soupirant, la vie redeviendra peut-être enfin normale.

## 5

Kiera ramena Kate de l'hôpital le lendemain après-midi. Elles arrivèrent devant la maison en même temps qu'un coursier envoyé par l'expert-comptable de la famille. Kiera signa le reçu pendant que le coursier remettait à Kate une épaisse enveloppe.

— De quoi m'occuper ce soir, dit-elle en ouvrant la porte.

Elle alla à la cuisine, ouvrit l'enveloppe avec un couteau et en vida le contenu sur la table. Isabel entra derrière ses sœurs.

— Qu'est-ce que c'est que ces paperasses ? demanda-t-elle en fouillant dans le frigo.

— Des factures, des relevés, l'informa Kate. J'ai demandé à Tucker Simmons, le comptable, de m'envoyer tous les comptes dont maman s'occupait.

Isabel referma le frigo en grignotant une branche de céleri.

— Pourquoi les envoyer seulement maintenant ? demanda-t-elle.

— Quand maman est tombée malade, elle a demandé à M. Simmons de se charger des comptes pendant un an après sa mort. Je lui avais dit que je pourrais m'en occuper moi-même, mais elle estimait que ce serait trop de travail pour moi. Et tu sais que quand maman avait quelque chose en tête...

— Je sais. Avons-nous de quoi payer toutes ces factures ?

— Nous ne tarderons pas à le savoir, dit Kiera. Maman ne parlait jamais d'argent. Quand je lui posais des questions à ce sujet, elle me répondait toujours que tout allait bien.

— À moi aussi. C'était frustrant, ajouta Kate.

N'admettant pas que ses sœurs aient l'audace de critiquer leur mère, Isabel vola à la défense de sa mémoire.

— Elle ne nous disait rien pour ne pas nous inquiéter. Toi, Kiera, elle voulait que tu continues tes études de médecine, et toi, Kate, que tu finisses ta maîtrise. Vous n'aviez besoin d'argent ni l'une ni l'autre puisque vous aviez des bourses d'études. Tante Nora et moi étions les seules à dépendre de maman et elle voulait nous simplifier la vie à toutes. C'est pour cela qu'elle gardait ses soucis pour elle.

Kiera dédaigna de répondre au plaidoyer d'Isabel.

— Je me demande combien il reste sur le compte, se borna-t-elle à rétorquer. Nous ne savons pas non plus si nous continuerons à bénéficier de son fonds de pension.

— Je ne connais même pas le montant de ses mensualités, dit Kate. Elle refusait toujours d'en parler. Nous trouverons sans doute la réponse dans ces papiers.

— Je ne suis pas inquiète du tout, moi, déclara Isabel. Même s'il ne reste rien, Kate trouvera un moyen de s'en sortir.

— Pourquoi moi ?

— Parce que Kiera doit terminer ses études et moi commencer mes cours à la fac ; tu seras donc la seule à rester ici. En plus, Kiera et toi êtes les plus intelligentes de la famille. Tu sais quoi ? J'ai longtemps cru que j'étais idiote parce que je n'étais pas dans des classes avancées et que je n'avais pas des notes exceptionnelles, comme vous deux, mais maman m'a dit que j'étais normale. Oui, normale, insista-t-elle. C'est vous deux qui êtes bizarres. Sans vouloir vous vexer, c'est vrai.

— Maman ne nous a jamais traitées de bizarres, dit Kate en riant.

— Elle ne vous disait pas non plus que vous étiez normales. Qu'est-ce que tu fais, Kate ? enchaîna-t-elle.

— Tu ne vois pas ? Je commence à regarder les papiers.

— Tu le feras après le dîner, intervint Kiera, tu es morte de fatigue. Va te reposer un moment, les factures ne vont pas s'effacer.

Kate ne protesta pas. Sa migraine n'avait pas disparu et elle avait envie de se laver et de se changer. Après sa douche, elle tomba endormie sur son lit jusqu'à ce que les voix de ses sœurs et de sa tante Nora la réveillent. Sa chambre étant au-dessus de la cuisine, elle entendait leur conversation comme si elle y était. L'odeur du poulet rôti et des beignets de pommes finit de lui rendre sa lucidité.

— Kiera, fit la voix de tante Nora, Isabel et toi ferez et rangerez la vaisselle ce soir. Je suis déjà en retard.

— En retard pour quoi ? s'enquit Isabel.

— La réunion de mon groupe d'entraide.

D'aussi loin que les filles connaissaient leur tante, celle-ci participait à un groupe d'entraide. Elle en était un membre assidu à St. Louis et, dès le début de son long séjour à Silver Springs, elle s'était empressée de s'enrôler dans celui de l'église locale. Les sœurs ignoraient pour quelles justes causes leur tante se dévouait, mais elles avaient la sagesse de ne pas lui demander de précisions, craignant de subir un de ses innombrables sermons sur le respect de la vie privée. Nora n'avait pas autant de délicatesse, à vrai dire. Elle exigeait d'être informée heure par heure de ce que faisaient chacune de ses nièces et où elles étaient.

— Et toi, Isabel, où vas-tu ce soir ? voulut savoir Nora.

— À la maison de retraite, c'est ma soirée de chant.

— Les pensionnaires te regretteront sûrement quand tu t'en iras.

— C'est surtout eux qui me manqueront, ils ont toujours été si gentils avec moi.

— En tout cas, réveille-moi quand tu rentreras, ordonna Nora.

— Je suis une grande fille ! protesta Isabel. Je n'ai pas besoin de...

— J'ai promis à ta mère de veiller sur toi, je tiens ma parole. Tu seras une grande fille quand tu fréquenteras l'université.

Kate entendit la porte s'ouvrir et sa tante faire ses dernières recommandations avant de partir :

— J'oubliais de vous dire que le déménageur a changé la date. Il viendra vendredi. J'espère que vous m'aiderez à faire mes cartons.

— Bien sûr, tante Nora, promit Kiera.

— Vous partirez aussi vendredi ? demanda Isabel.

— Oui, mais n'espérez pas être débarrassées de moi pour de bon. Je viendrai vous voir aussi souvent que j'allais voir ma fille, sauf que j'habiterai là-bas au lieu d'ici. Assez bavardé, vous allez me mettre en retard. Où est passé mon sac ?

— Vous le tenez, tante Nora, l'informa Isabel.

Sur quoi, Kate entendit la porte claquer. Elle se passa de l'eau froide sur la figure et descendit rejoindre ses sœurs.

Isabel partit en hâte après le dîner et Kiera sortit faire des courses urgentes au supermarché. Kate mit à profit sa solitude temporaire pour attaquer l'étude des documents transmis par le comptable.

Elle commença par une grande enveloppe à en-tête de la Summit Bank. Kate ignorait que sa mère traitait avec cet établissement, car les comptes du ménage étaient tenus par une banque locale. Peut-être sa mère avait-elle ouvert un autre compte d'épargne.

Elle trouva des relevés, la copie d'une demande de crédit et une lettre d'un certain M. Edward Wallace, chef du service crédits.

— Non ! s'exclama-t-elle après avoir lu la lettre et le contrat d'ouverture de crédit. Non, il y a sûrement une erreur !

Malgré une autre lecture attentive, elle ne put se résoudre à y croire. C'était impossible, incroyable ! Pourtant, c'était vrai. Elle reconnaissait la signature de sa mère.

— Grand Dieu, maman, qu'est-ce que tu as fait ? murmura-t-elle, accablée. Qu'est-ce que tu as fait ?

Il n'y avait plus de pension, plus de compte d'épargne, plus d'assurance, plus rien. Sa mère avait contracté un emprunt de trois cent mille dollars remboursable en bloc, intérêts et capital, au bout de trois ans. L'échéance tombait dans quatre semaines, jour pour jour. Elle avait mis en garantie de l'emprunt la totalité de ses possessions, qui devaient revenir à la banque en cas de défaut de paiement. Parmi ces biens mis en garantie, il y avait la maison.

Et aussi l'entreprise créée par Kate et sa marque, c'est-à-dire son nom.

# 6

Atterrée, Kate tournait en rond dans la cuisine. Elle avait beau avoir lu et relu au moins cinq fois la lettre du banquier et le contrat de crédit, elle n'arrivait toujours pas à croire que sa mère ait pu faire une chose pareille. Si le contrat était régulièrement et légalement établi, ce dont elle n'avait pas de raison de douter, sa mère avait bel et bien sacrifié tous les biens de sa famille.

— À quoi pensais-tu, maman ? répétait-elle. À quoi, grand Dieu ?

Apparemment, se dit-elle enfin, elle n'avait pas pensé du tout. Avait-elle été consciente de ce qu'elle faisait ? Avait-elle même réfléchi aux conséquences ? Kate comprenait maintenant pourquoi sa mère ne voulait jamais parler de ses finances. Elle ne cherchait qu'à dissimuler la vérité à ses filles.

Partagée entre la colère et la tristesse, elle s'efforçait de clarifier ses idées et de découvrir un moyen de sauver l'avenir. Au cours de ses allées et venues, elle s'arrêtait devant la fenêtre dans l'espoir de voir revenir la voiture de Kiera. Elle mettrait immédiatement sa sœur au courant de la situation. À elles deux, elles auraient peut-être une idée…

Les minutes s'écoulèrent sans que Kiera reparaisse, et Kate changea d'avis. Certes, ce serait plus facile de se décharger de son fardeau sur sa sœur, mais cela n'y changerait rien. Ce qui était fait était fait, inutile d'y revenir. De plus, il ne restait à Kiera que quelques jours de repos avant d'attaquer une rude année d'études, pendant laquelle elle ne pourrait pas revenir à la maison. La nouvelle ne ferait que la stresser et l'empêcher de dormir la nuit. Si toutefois Kate décidait de mettre sa sœur dans la confidence, elle attendrait le lendemain.

Et Isabel ? Devrait-elle aussi l'instruire de cette affaire si elle en parlait à Kiera ? Ce qui l'amena à se poser une autre question : serait-elle en mesure de payer les études de sa petite sœur ? Il devait y avoir une solution. Il *fallait* trouver une solution !

Kate s'assit devant la table, prit son stylo. Elle recommençait ses calculs quand la sonnette de la porte d'entrée l'interrompit. En regardant par le judas, elle vit un jeune homme qui attendait en se dandinant d'un pied sur l'autre. Il lui parut inoffensif et elle ouvrit.

— Oui ?

Il fit un pas en avant et, d'instinct, elle recula – ne serait-ce que pour échapper aux relents de bière qu'il exhalait.

— Isabel est là ?

— Non.

— Où est-elle ? demanda-t-il d'un ton agressif.

— Qui êtes-vous ?

— Reece Crowell. Allez-vous me dire où elle est ?

Vêtu d'un short kaki et d'une chemise blanche aux manches retroussées jusqu'aux coudes, le jeune homme semblait avoir environ vingt-cinq ans. Ses cheveux bruns étaient plaqués par une sorte de gomina et, malgré ses traits anguleux, il pouvait être séduisant dans le genre beau ténébreux. Elle ne l'avait encore jamais rencontré et s'étonna qu'Isabel, qui avait à peine dix-huit ans, soit sortie avec un garçon nettement plus âgé qu'elle. Elle comptait bien lui en parler.

Reece fit un nouveau pas en avant. Kate tenait la porte entrebâillée pour ne pas lui laisser la possibilité d'entrer – à moins qu'il ne décide de forcer le passage en la bousculant.

— Isabel est sortie.

— Non, je suis sûr qu'elle est là. Je veux la voir.

— Je vous dis qu'elle est sortie, répondit Kate avec fermeté. De toute façon, elle ne veut plus vous voir.

— Ce n'est pas vrai, nous devons nous marier !

Ce garçon est décidément à côté de la plaque ! pensa-t-elle.

— Il n'en est pas question. Isabel doit partir pour l'université et vous allez la laisser tranquille.

Les poings serrés, Reece esquissa un nouveau pas en avant.

— C'est votre faute, jamais Isabel ne me ferait un coup pareil ! C'est vous qui exigez qu'elle aille à la fac. Elle est en train de gâcher sa carrière à cause de vous et de votre garce de sœur !

Kate n'allait sûrement pas discuter avec ce forcené.

— Isabel est partie et vous allez en faire autant. Immédiatement.

Il essaya de passer, appela Isabel à tue-tête, obligeant Kate à s'arc-bouter contre la porte.

— Si vous ne partez pas, j'appelle la police !

— Vous n'avez rien compris ? Isabel est à moi. Nous devons aller en Europe et nous nous marierons là-bas avant de rentrer ! J'ai consacré trop de temps pour elle ; je me suis donné trop de mal à l'aider dans sa carrière de chanteuse pour vous laisser tout gâcher !

Kate réussit à le repousser une énième fois avant de lui claquer la porte au nez. Il continua à hurler des injures en tambourinant à coups de poing sur la porte, à laquelle Kate était restée adossée, craignant qu'il finisse par la faire voler en éclats.

Au bout d'un moment, les coups de poing cessèrent

— Je n'en ai pas fini avec vous, sale garce ! hurla-t-il.

Le silence revint enfin. Kate regarda par le judas. Reece traversait la pelouse d'un pas mal assuré avant de disparaître dans la rue.

Le cœur battant, Kate courut décrocher le téléphone

pour appeler la police, mais elle se ravisa. Que pourrait-elle dire ? Certes le garçon avait trop bu et proféré des injures, mais il ne l'avait pas physiquement menacée, pas plus qu'il n'avait causé de dégâts à la maison. Peut-être viendrait-il présenter ses excuses quand il serait de nouveau sobre.

Malgré tout, ses derniers mots « je n'en ai pas fini avec vous » lui laissèrent un sentiment de malaise.

## 7

Le téléphone sonna en pleine nuit. Heureusement, Kate ne dormait pas. En fait, elle n'avait pas réussi à fermer l'œil. Quand Kiera et Isabel étaient rentrées, elle leur avait raconté son altercation avec Reece. Devant leur mine inquiète, elle n'avait pas eu le courage de leur parler aussi des problèmes financiers. Elles avaient assez de soucis comme cela pour qu'elle en rajoute.

Pendant son insomnie, elle avait épluché cent fois les comptes dans l'espoir de trouver une solution avant d'être obligée de mettre ses sœurs au courant. Arrachée à ses réflexions par la sonnerie, elle se hâta de décrocher avant que le bruit ne réveille les autres. Personne ne lui avait jamais téléphoné à deux heures du matin pour lui annoncer une bonne nouvelle, aussi redouta-t-elle de tomber une fois de plus sur cet empoisonneur de Reece et s'apprêta au pire.

— Je te réveille ? demanda la voix de son amie Jordan.

Kate laissa échapper un soupir de soulagement.

— Non, je ne suis pas encore couchée.

— Pourquoi ne réponds-tu pas à mes e-mails ? Je suis devant mon ordinateur depuis neuf heures du soir sans arriver à te joindre.

— Désolée, j'épluchais la comptabilité.

Kate saisit immédiatement l'angoisse dans la voix de Jordan et comprit qu'il s'agissait d'un problème grave – sinon elle ne l'aurait pas appelée à une heure pareille : les bonnes nouvelles pouvaient toujours attendre le lendemain.

Elle comprit aussi qu'il valait mieux ne pas lui poser la question de but en blanc. Elles étaient intimes depuis si longtemps que Kate savait comment fonctionnait l'esprit de Jordan, qui se fermait dans les situations de stress.

— Quoi de neuf de ton côté ? demanda Jordan.

— Rien. Comme d'habitude.

— Quoi, comme d'habitude ? Écoute, Kate, j'ai besoin de bavarder deux minutes, de me changer les idées. D'accord ?

Seigneur ! pensa Kate en sentant son estomac se nouer. La nouvelle doit être vraiment mauvaise.

— D'accord. Je vérifiais un tas de papiers de comptabilité et devine ce que j'ai découvert ? Non, ne cherche pas. Avant sa mort, ma mère a hypothéqué la maison, la voiture, tous les biens de la famille y compris mon entreprise, en garantie d'un emprunt énorme qui arrive à échéance dans un mois. Tu te rends compte ? En plus, j'ai failli sauter sur une bombe hier soir.

— Ça me manque de ne pas te parler plus souvent.

— Tu n'as pas écouté un mot de ce que je disais, n'est-ce pas ?

— Excuse-moi. Qu'est-ce que tu disais ?

Kate sentit se resserrer le nœud de son estomac. La question n'était pas une mauvaise plaisanterie, Jordan avait l'air d'être à des milliers d'années-lumière.

— Je disais qu'il fait chaud et humide. Et toi, comment ça va ?

— J'ai une tumeur.

Ces quatre petits mots suffirent à bouleverser les priorités de Kate. Ses soucis pour la maison, les factures, les études d'Isabel, plus rien ne comptait que la maladie de son amie.

— Où cela ? demanda-t-elle en se forçant à maîtriser le ton de sa voix pour ne pas trahir son soudain sentiment de panique.

— Au sein gauche.

— As-tu consulté un spécialiste ? Passé des examens ?

49

— Oui. L'opération est prévue pour vendredi matin. Le chirurgien voulait faire la biopsie demain, mais j'ai refusé. Il fallait te laisser le temps de venir, n'est-ce pas ?

La voix de Jordan était celle d'une petite fille terrifiée.

— Pas de problème. J'arriverai demain.

— Je m'occupe de ton billet d'avion. Je t'enverrai l'heure et le numéro du vol par e-mail et j'irai te chercher à l'aéroport. Je te retrouverai à la salle des bagages.

Kate comprit que Jordan se concentrait sur les détails pour tenter de dominer sa peur. Elle aurait eu la même réaction.

— D'accord.

Kate était secouée au point de ne plus savoir quoi dire ni quelles questions poser. Sa main était tellement crispée sur le téléphone qu'elle lui faisait mal. Elle fit l'effort de se détendre.

— Écoute, reprit Jordan, je n'ai rien dit à ma famille. Pas encore, en tout cas. Je leur en parlerai quand je saurai ce que j'ai vraiment, mais pas avant. Je ne supporterais pas qu'ils soient tous à me couver. Papa et maman ont déjà subi assez de coups durs depuis deux mois. Ils ont beau être fiers de mes frères, le fait qu'ils soient presque tous dans la police reste dur à avaler. Quand Dylan a été blessé en service commandé, ils ont vieilli de vingt ans. Nous sommes restés un bon moment sans savoir s'il allait s'en tirer, tu sais. Oui, bien sûr, tu le sais puisque tu étais là. Tu te rendais compte que c'était grave.

— Oui, je m'en souviens, dit Kate en frissonnant.

— Donc tu sais à quel point mes parents ont été stressés. Maintenant que Dylan est en convalescence chez lui, ils sont plus calmes. L'autre jour, maman disait qu'il s'était écoulé tout juste deux mois depuis l'horrible coup de téléphone et qu'elle commençait à peine à pouvoir respirer. Que voulais-tu que je réponde ? Préparez-vous à recevoir un nouveau coup de massue ? Les mauvaises nouvelles ne font que commencer ?

— Tu ne sais pas encore si les nouvelles seront mauvaises ou...

— C'est vrai, mais l'incertitude est pire que tout. Je préfère donc ne les mettre au courant qu'une fois fixée sur ce que c'est. D'ailleurs, Dylan offre une croisière aux parents.

— C'est gentil de sa part.

— Tu plaisantes ? Dis plutôt qu'il veut s'en débarrasser ! Maman le rend fou furieux. Elle va chez lui au moins deux fois par jour avec des provisions et il a horreur d'être dorloté comme un gamin.

— Et Sydney, ta sœur ? Vous êtes si proches l'une de l'autre. Tu ne lui diras rien, à elle non plus ?

— As-tu oublié qu'elle est à Los Angeles ? Elle commence ses cours de cinéma dans quinze jours, elle est en train de s'installer.

— C'est vrai, j'avais oublié.

— Si elle sait que je dois me faire opérer, elle plaquera tout pour revenir et je ne veux pas lui infliger cela sans rien savoir de précis. Si les nouvelles sont réellement mauvaises, je la préviendrai en même temps que maman, bien entendu. Mais, pour le moment, toi et moi sommes les seules à le savoir. Tu te sens d'attaque ?

— Absolument.

Elles bavardèrent encore quelques minutes avant de raccrocher. Parfaitement maîtresse d'elle-même, Kate rassembla ses papiers, qu'elle mit dans un panier. Elle aurait préféré les jeter directement à la poubelle, mais cela n'aurait rien résolu.

Elle disposait d'un peu de répit avant que les créanciers viennent enfoncer sa porte. Il restait sur le compte courant de quoi faire face aux dépenses urgentes. À son retour de Boston, elle trouverait une solution et elle n'en parlerait pas à ses sœurs d'ici là.

Elle éteignit les lumières, monta le panier dans sa chambre, le fourra au fond de son placard et se prépara pour la nuit.

Ce ne fut qu'une fois dans son lit qu'elle fondit en larmes.

## 8

Jordan n'avait jamais été à l'heure de sa vie et ce jour-là ne faisait pas exception. Kate attendait depuis un bon moment devant la sortie extérieure de la salle des bagages, son sac de voyage à ses pieds, quand Jordan freina le long du trottoir. Sans couper le contact, elle ouvrit le coffre de sa voiture et mit pied à terre pour embrasser son amie.

— Je suis si heureuse que tu sois venue !

— Moi aussi.

— Je savais que je pouvais compter sur toi.

— Évidemment, voyons.

Un policier leur fit un signe impératif de circuler. Les deux amies gardèrent le silence jusqu'à ce que la voiture s'engage sur la bretelle de sortie de l'aéroport.

— J'étais très en retard ? demanda Jordan.

— Non, pas plus d'un quart d'heure.

— Tu as une mine épouvantable, dit Jordan en souriant.

— La tienne est pire.

Kate la taquinait. Jordan avait toujours été ravissante. Sous sa chevelure auburn foncé, elle avait le teint laiteux d'une rousse et des taches de rousseur qui lui donnaient une allure de mannequin de chez Ralph Lauren. Ce jour-là, pourtant, sa beauté n'était pas aussi éclatante. Elle était pâle au point que ses taches de son se voyaient à peine.

— Pas étonnant que nous soyons si bonnes amies, dit Jordan en pouffant de rire. Nous avons toutes les deux une franchise ravageuse.

Kate répondit par un sourire affectueux.

— Tu ne veux vraiment pas venir t'installer ici ?

— J'aime bien Boston, mais...

— Je sais. Tu dois maintenir le foyer familial pour tes sœurs.

— Surtout pour Isabel, mais plus pour très longtemps. Elle mérite d'avoir au moins un semblant de vie de famille. De nous trois, c'était elle la plus proche de maman et sa mort l'a beaucoup affectée.

— Elle commence ses études à Winthrop, n'est-ce pas ?

Si je trouve de quoi lui payer plus qu'un semestre, s'abstint de commenter Kate.

— Bien sûr. C'est exactement l'université qui lui convient et elle est enchantée d'y aller. J'espère que son départ de la maison lui donnera un peu de maturité. Maman l'a toujours traitée comme un bébé.

— C'est la petite dernière, mais elle a la tête bien plantée sur les épaules, tu sais. Sois tranquille, tout ira bien pour elle.

— As-tu très peur, Jordan ? demanda Kate après un bref silence.

Ce brusque changement de sujet ne déconcerta pas la jeune femme. Kate et elle avaient toujours été sur la même longueur d'onde.

— Oui, très.

— Que t'a dit le spécialiste ?

— Il m'a donné trois interprétations différentes, m'a examinée, sondée, tripotée de partout et prélevé assez de sang pour remplir une baignoire. Il devait se sentir obligé de me préparer au pire.

— Je m'en doute. Que se passera-t-il demain ?

— Le Dr Cooper effectuera la biopsie. Après, on verra.

Kate s'efforça de garder son calme pour soutenir son amie.

— Nous nous en sortirons, tu verras.

— Je l'espère.

— À quelle heure dois-tu être à l'hôpital ?

— Six heures.

— Pour une fois, nous ne serons pas en retard. Même si je dois te tirer du lit avec un électrochoc.

— Je t'en crois capable ! dit Jordan en riant. Une fois, Dylan m'a réveillée en me jetant une serviette imbibée d'eau froide sur la figure.

— Ç'a dû te mettre dans une humeur exécrable, j'imagine.

— Exactement. J'étais folle de rage et je voulais me venger. Alors, le lendemain matin, je lui ai jeté un verre d'eau glacée à la figure. Il couchait dans la même chambre qu'Alec, à l'époque. Tu sais qu'Alec est désordonné comme ce n'est pas permis... Dylan a bondi du lit comme un lion enragé, j'ai reculé, j'ai trébuché sur un soulier d'Alec qui traînait par terre, je me suis ouvert le genou contre la table de chevet et je me suis mise à hurler. J'en frémis encore ! Alec a continué à dormir sans se rendre compte de rien et c'est ce pauvre Dylan qui a dû me porter chez maman. Il a fallu me faire des points de suture.

— Quel âge avais-tu ?

— Dix ou onze ans.

— Tu étais un sacré numéro, à l'époque.

— Par moments, oui. Mais, dis-moi, pourquoi n'as-tu jamais voulu que Dylan sache que tu l'avais veillé à l'hôpital ?

— Je n'y étais pas pour lui, mais pour te tenir compagnie. Et s'il le savait, j'en entendrais parler jusqu'à la fin de mes jours. Tu connais ton frère, il adore taquiner les filles et les mettre dans l'embarras.

— Mes autres frères aussi.

— Oui, mais Dylan est le pire de tous.

— Puisqu'on parle de lui, je crois qu'il a un faible pour toi.

— Dylan a un faible pour toutes les femmes.

— Je sais. Mais il adore te faire enrager parce que tu marches à tous les coups.

— Surtout depuis qu'il est entré dans la salle de bains

au moment où je sortais de la douche chez tes parents à Nathan's Bay. Il me la ressortira longtemps, cette histoire-là.

— J'avais oublié ! dit Jordan en riant. Pas étonnant qu'il sourit béatement à chaque fois qu'on parle de toi.

Elle tourna enfin dans sa rue et, par un miracle rarissime, tomba sur une place de stationnement en face de chez elle. Elle occupait le dernier étage d'un ancien hôtel particulier divisé en spacieux appartements, un à chaque étage. Pour avoir habité chez elle pendant toute la durée de ses études à Boston, Kate était habituée à l'escalier de bois aux marches grinçantes et aux longs corridors étroits.

Jordan avait gagné beaucoup d'argent grâce à une puce électronique de son invention et aurait pu vivre où elle voulait mais, de même que Kate, elle avait du mal à changer ses habitudes. Elle aimait trop son vieil appartement pour vouloir déménager. Kate s'était elle aussi prise d'affection pour ce lieu à l'atmosphère chaleureuse et accueillante, même par les plus froides journées d'hiver. Il y régnait toujours de bonnes odeurs fraîches car Jordan, en fidèle supportrice de son amie, plaçait ses bougies parfumées sur toutes les tables et ses lotions corporelles dans les salles de bains.

L'appartement de quatre pièces comportait trois chambres, dont celle de Jordan. La chambre d'amis était assez vaste pour abriter les deux grands lits doubles que ses frères lui avaient offerts – dans le but intéressé de venir y coucher quand ils étaient en ville, car la maison des parents à Nathan's Bay se trouvait à plus de deux heures de voiture. Jordan avait aménagé la troisième chambre en bureau, dont les murs garnis de rayons de bibliothèque croulaient sous le poids des livres. Cette pièce communiquait d'un côté avec le salon faisant aussi office de salle à manger. Des tapis d'Orient jetaient des taches de couleur sur les planchers de bois sombre. La cuisine, dont Jordan ne se servait presque jamais, était complètement aseptisée. La jeune femme ne s'alimentait que de plats préparés achetés chez les traiteurs ou de surgelés. Le seul appareil en usage était le four à micro-ondes.

Kate alla déposer son bagage dans la chambre d'amis et revint vers le salon en passant par le bureau. La vue de la table de Jordan couverte de papiers l'étonna. Autant les rayons de sa bibliothèque étaient encombrés, autant elle se faisait un point d'honneur à maintenir sur son bureau un ordre irréprochable. À l'exception de l'ordinateur, du téléphone, d'un bloc notes et d'un crayon ou deux, son plan de travail était habituellement aussi désert que la cuisine.

Jordan arriva à ce moment-là et surprit le regard de Kate.

— Quel fouillis, n'est-ce pas ?

— Pour toi, oui ! Ton bureau est toujours nickel, tu es une véritable obsédée du rangement. Tu as de quoi être stressée, bien sûr, mais je n'aurais jamais pensé que la paperasse te servirait de dérivatif.

— Ce sont des documents juridiques. On me fait un procès.

Après avoir jeté sa bombe, Jordan passa calmement au salon. Kate s'élança derrière elle.

— Qu'est-ce que tu dis ? Un procès ?

— Oui, dit-elle en se laissant tomber dans un fauteuil.

Debout, les bras croisés et la mine sévère, Kate attendit des explications qui ne vinrent pas assez vite à son goût.

— Bon, je vais te soumettre à un interrogatoire en règle. Pourquoi te fait-on un procès ? Et comment peux-tu rester aussi calme et détachée comme si cette nouvelle était sans importance ?

— Autant garder mon calme, répondit-elle. M'énerver n'avancerait à rien. Si tu veux tout savoir, je suis poursuivie par un certain Willard Bell qui prétend avoir conçu ma puce avant moi et affirme que je lui en ai volé les plans.

— As-tu jamais rencontré ce personnage ? demanda Kate en s'asseyant en face de son amie.

— Jamais. Il habite Seattle, à l'autre bout du pays. Selon mon avocat, Bell est un raté de l'informatique qui gagne sa vie en poursuivant tout le monde. Il la gagne bien, d'ailleurs, ajouta-t-elle. Son dossier est vide, mais les gens qu'il attaque préfèrent transiger pour éviter les frais et les tracas d'une action en justice.

— Alors, qu'est-ce que tu vas faire ?

— Qu'est-ce que tu crois ? Tu me connais mieux que personne.

— Tu ne transigeras donc pas. Je parie que ton avocat te conseille de régler la question à l'amiable.

— Exact, mais je ne suivrai pas ses conseils. Peu importe ce que ça me coûtera. Bell a tort et je ne lui donnerai pas un sou. Son avocat a sorti le grand jeu, il a fait bloquer tous mes comptes. Cela veut dire que je serai à court d'argent un moment, mais ça va bientôt s'arranger, se hâta-t-elle de préciser. Pas de quoi s'inquiéter.

— Qu'en pense Theo ?

— Je ne lui en ai pas parlé.

— Pourquoi ? Il est avocat. Il pourrait te donner de bon conseils.

— Theo est surmené, sous-payé et vient de se marier. Je ne veux pas l'empoisonner avec cette histoire.

— Et Nick ?

— Il sort à peine de la fac de droit et n'exerce pas encore. De toute façon, je ne veux pas mêler mes frères à mes affaires. Mon avocat est très compétent et je préfère résoudre mes problèmes seule. Mes frères ont trop tendance à vouloir tout régenter. Je suis assez grande fille pour me battre sans eux.

— Tu tiens vraiment à rester aussi indépendante ?

— Dans ta bouche « indépendante » sonne comme un gros mot, répondit Jordan en souriant. Je suis comme toi, Kate. Nous aimons autant l'une que l'autre garder le contrôle de la situation.

Kate ne discuta pas, car c'était vrai. Elles tenaient toutes les deux à maîtriser leurs propres vies. Celles des autres aussi, dans la mesure du possible...

— À ton avis, pourquoi sommes-nous si douées pour les affaires et si nulles avec les hommes ?

— Facile. Nous ne cherchons à fréquenter que ceux que nous pouvons mener par le bout du nez, par conséquent ceux qui ne nous intéressent pas.

— Tu veux savoir ce que je pense ?

— Quoi donc ?

— Eh bien, dit Kate d'un air accablé, je crois que nous sommes complètement cinglées.

Jordan pouffa de rire.

— Je suis si heureuse que tu sois là ! Dis-moi, je me suis rendu compte après mon coup de téléphone de la nuit dernière que je n'avais absolument pas fait attention à tes paroles. C'était très égoïste de ma part, non ?

— Si, confirma Kate en souriant.

— Bon. Alors maintenant, je t'écoute. Tu disais que ta mère avait cédé ton affaire, ou quelque chose comme cela ?

— Plus ou moins. Mais ça s'arrangera.

— Si tu as besoin de quoi que ce soit, tout ce que j'ai t'appartient, tu le sais, j'espère.

— Je sais et cela me touche.

— C'est normal, tu ferais la même chose pour moi.

— Absolument. Mais sois tranquille je réglerai la question. En ce moment, tu as en tête des problèmes plus graves.

Avec un effort visible, Jordan fouilla dans sa mémoire.

— Tu ne m'as pas dit aussi que tu avais failli faire sauter quelque chose ? Je n'écoutais pas, c'est vrai, parce que je ne pensais qu'à mon opération. Essayais-tu encore de faire la cuisine ? J'espère que non ! Tu aurais pu faire sauter toute la maison.

— Ce n'est pas à cause de cet incident insignifiant dans ta cuisine que tu vas t'imaginer...

— Insignifiant ? l'interrompit Jordan. Je te rappelle qu'on a quand même dû appeler les pompiers...

— Parler de cuisine m'a donné faim, déclara Kate. Tu préfères sortir ou on se fait livrer quelque chose ?

Il leur fallut dix minutes pour prendre la décision avant de finir par aller au bistrot du bout de la rue qui, selon Jordan, servait la meilleure soupe de poissons de la Nouvelle-Angleterre.

Aucune des deux ne manifesta beaucoup d'appétit. Jordan paraissait épuisée et l'estomac de Kate restait noué par l'inquiétude. Elle sentait que, faute de se dominer, elle fondrait en larmes. Devant la mine défaite de son amie, elle s'efforça au moins de lui changer les idées.

— Tu ne veux pas savoir comment j'ai failli sauter ?

Jordan cessa de tourner sa cuiller dans son assiette de soupe, à laquelle elle avait à peine goûté.

— Vas-y, dit-elle en souriant. J'attends la chute de l'histoire.

— Ce n'est pourtant pas une histoire drôle. J'ai eu une bosse gigantesque derrière la tête et il me reste une cicatrice sur le front, tu ne l'as pas remarquée ?

— Si, mais j'ai supposé…,

— Supposé quoi ?

— Écoute, Kate, je ne vais pas t'apprendre que tu es une fille d'une incroyable maladresse. J'ai cru que tu étais tombée en te prenant les pieds dans un tapis ou quelque chose de ce genre.

— Permets-moi de ne pas être d'accord. La maladroite, ce n'est pas moi, c'est toi.

Jordan préféra ne pas discuter.

— Donc, si j'ai bien compris, tu ne plaisantais pas en disant que tu avais failli sauter de ou sur quelque chose ?

— Non, je ne plaisantais pas. Tu veux savoir ce qui m'est arrivé, oui non ?

— Bien sûr que oui.

— Bon. Alors commençons par le commencement. As-tu entendu parler d'un modèle de soutien-gorge appelé Wonderbra ?

## 9

La mémoire de Kate fonctionnait parfois de manière sélective. Pendant la longue maladie de leur mère, ses sœurs et elle avaient passé des heures dans des salles d'attente d'hôpitaux et, malgré cela, Kate ne parvenait pas à se rappeler leur aspect. Il est quand même curieux, pensait-elle, de ne pas même me souvenir d'un meuble, de la couleur d'un mur ou d'un revêtement de sol. Elle en déduisait que les salles d'attente étaient toutes plus ou moins identiques, froides, stériles, décorées de posters représentant des paysages censés être apaisants.

Elle gardait cependant un souvenir précis des gens qu'elle y côtoyait et de l'angoisse qui imprégnait l'atmosphère. Tel un virus particulièrement contagieux, elle se transmettait d'une personne à l'autre et agressait tous ceux qui pénétraient dans la salle.

L'attente et la peur formaient un terrible amalgame. Kate n'avait pas oublié ces familles qui s'efforçaient de se réconforter les uns les autres, ni ce jeune père accablé, assis entre ses deux petites filles auxquelles il lisait des histoires dans l'attente du verdict concernant l'état de santé de leur mère. Quand le chirurgien lui avait annoncé que sa femme était sauvée, il avait éclaté en sanglots. Kate se souviendrait toujours aussi de cette vieille dame, assise seule dans la salle d'attente au moment où elle et ses sœurs étaient entrées. Elle avait entrepris, sans leur laisser placer un mot, de leur raconter l'opération cardiaque de son mari qu'elle avait épousé quarante ans plus tôt et dont elle craignait qu'il ne survive pas.

Oui, l'attente était la plus pénible des épreuves, comme elle pouvait encore en attester ce jour-là. Prête depuis six heures et demie du matin, Jordan n'avait été emmenée en salle d'opération qu'après dix heures à cause d'une urgence survenue entre-temps. Kate était restée près d'elle jusqu'au moment où une jeune infirmière lui avait intimé l'ordre d'aller dans la salle d'attente.

Une famille aux yeux rougis en sortait quand elle y entra. Kate remercia le Ciel d'être seule ; elle ne se sentait pas d'humeur à soutenir une conversation avec des inconnus. Elle s'assit à côté d'une fenêtre, prit un magazine, le reposa presque aussitôt. Trop énervée pour lire, elle se serait volontiers laissée aller aux larmes, mais résolut plutôt de prendre sur elle.

Quand elle attrapa un autre magazine, elle constata que ses mains tremblaient. Ressaisis-toi ! s'ordonna-t-elle. Jordan s'en tirera très bien. Ce n'est qu'un petit nodule, pas une vraie tumeur. D'accord, le chirurgien a quand même prévu le pire, mais Jordan est alarmiste... Allons, ne te raconte pas d'histoires ! Jordan est trop sensée, trop pragmatique, prudente jusqu'à l'excès. Réfléchis à des arguments pour te convaincre qu'elle ne court aucun risque sérieux.

Elle se leva, fit les cent pas. Voyons, Jordan m'a bien dit que le chirurgien paraissait pessimiste. Oui, mais peut-être parce qu'il voulait la préparer au pire afin de lui faire une bonne surprise si les résultats s'annoncent bons. Cela ne fait-il pas partie du serment d'Hippocrate ? Certes, une de ses tantes est morte du cancer faute d'avoir prêté attention à temps à une tumeur. Il y a aussi une cousine, de la même branche de sa famille, du côté de sa mère, qui a eu un diagnostic similaire. Oui, mais la tante et la cousine étaient toutes deux octogénaires. Donc, d'après les statistiques, Jordan a devant elle soixante-cinq ans d'une vie paisible, à quelques années près.

Sauf qu'elle a découvert son nodule il y a huit jours et pas soixante-cinq ans plus tard…

Abattue par un nouvel accès de découragement, Kate se rassit, la tête entre les mains. Un dépistage précoce offrait près de cent pour cent de chances de guérison, n'est-ce pas ? Jordan, sa mère et sa sœur Sydney avaient toujours pris soin de leur état de santé et s'étaient soumises à des examens réguliers.

Ne te tracasse pas pour rien, disait souvent la mère de Kate. Mais le moment était mal choisi pour penser à sa mère, et son tracas était bel et bien justifié. Qu'est-ce qui prend autant de temps ? se dit-elle en regardant sa montre pour la quinzième fois depuis une heure.

Son portable sonna à ce moment-là.

— Comment va-t-elle ? demanda Kiera.

C'était la seule personne que Jordan lui avait permis de mettre au courant.

— Elle est toujours en salle d'opération. Il y avait du retard, elle n'est passée qu'à plus de dix heures. Est-ce normal qu'une biopsie dure plus d'une heure ?

— Oui. Mais je ne suis qu'étudiante en médecine. Je ne peux pas me permettre de faire des suppositions.

— Tu as presque terminé tes études !

— Je n'ai quand même toujours pas mon doctorat.

— Allons, Kiera, dis-moi ce que tu en penses ! Je ne te ferai pas de procès si tu te trompes.

— Je pense qu'une heure n'est pas de trop pour ce genre d'opération. Le chirurgien doit attendre le rapport de pathologie. En plus, tu n'es pas avec elle en salle d'opération et tu ne sais pas exactement quand l'intervention a commencé.

— Tu as raison, admit Kate. Je t'appellerai dès que je saurai quelque chose. Comment ça se passe à la maison ?

— Plutôt bien. Reece Crowell a téléphoné plusieurs fois.

— Ah, oui ?

— Il a été très poli, je dirais même trop poli. Quand je lui dis qu'Isabel n'est pas là, il me remercie, il raccroche, mais il rappelle deux heures plus tard. Je sens qu'il se domine à grand-peine et qu'il est sur le point d'éclater. Il a aussi demandé à te parler. Quand Isabel sera partie pour de bon, il finira peut-être pas se lasser.

Je n'en suis pas si sûre, s'abstint de répondre Kate.

— Ah oui, enchaîna Kiera. Un type qui s'appelle Wallace a laissé deux ou trois messages pour toi sur le répondeur. Il dit qu'il travaille dans une banque. Cela te dit quelque chose ?

L'estomac de Kate se noua de plus belle.

— Non, mentit-elle. A-t-il dit ce qu'il voulait ?

— Il a simplement demandé que tu le rappelles le plus vite possible. Il a laissé son numéro. Tu as de quoi écrire ?

— Non, pas sur moi. Je l'appellerai lundi, quand je serai de retour. N'efface pas les messages sur le répondeur, je noterai le numéro.

— Il disait pourtant que c'était urgent.

— Urgent ou pas, cela peut attendre lundi.

— Tu n'es pas curieuse de savoir ce qu'il veut ?

Kate le savait trop bien : tout ce qu'elles possédaient.

— Écoute, Kiera, il faut que nous ayons calmement une longue conversation lundi.

— À quel sujet ? C'est grave ?

— Nous devons seulement prendre des décisions pour l'avenir. Je vais raccrocher. Je te dirai plus tard comment va Jordan.

Au moment où elle rangeait le téléphone dans son sac, une infirmière l'appelait du pas de la porte. Le chirurgien entra. Elle se leva. Prête à apprendre le pire, elle s'avança.

C'est alors qu'elle vit qu'il souriait.

## 10

Quand le chirurgien lui apprit la bonne nouvelle, Kate se retint de justesse de lui sauter au cou.

Elle espérait pouvoir remmener son amie chez elle quelques heures plus tard, mais le chirurgien voulut la garder pour la nuit. Jordan, expliqua-t-il, avait eu une légère réaction allergique à l'anesthésique. Rien de grave, précisa-t-il, le produit s'éliminerait de son système au plus tard dans l'après-midi du lendemain et elle serait alors en état de quitter l'hôpital.

Une légère réaction sans gravité ? se demanda Kate en découvrant Jordan rouge comme une écrevisse, le corps et les bras couverts de boutons. Elle fit alors ce que ferait toute bonne et fidèle amie : elle sortit son téléphone portable et la photographia dans le dessein de la taquiner plus tard à loisir ou – pourquoi pas ? – d'en faire un économiseur d'écran pour son ordinateur.

Elle resta près de Jordan jusqu'à vingt heures passées. Les démangeaisons se calmaient peu à peu sous l'effet des médicaments prescrits par le docteur. Une fois son amie paisiblement endormie, Kate regagna l'appartement et s'offrit enfin le luxe d'une longue douche chaude.

Les yeux clos, elle laissa l'eau ruisseler sur ses épaules en espérant que la chaleur parviendrait à dissoudre sa tension nerveuse. Malgré tout, chaque fois qu'elle s'efforçait de se vider la tête, les images de ses sœurs, de son entreprise, de l'odieux Reece et de la montagne de factures qui l'attendait revenaient la hanter. Non, se dit-elle, pas ce soir ! Elle n'allait pas céder à la panique en spéculant sur l'avenir. Il serait toujours temps de s'en inquiéter. Ce soir, elle devait ne penser qu'à Jordan – ou même à rien du tout.

Elle prit alors conscience que son estomac, vide depuis le matin, la torturait. Elle se sécha, enfila son pyjama et alla à la cuisine. Elle trouva quelques surgelés dans le congélateur, mais ils avaient l'air de dater de l'installation de Jordan dans l'appartement... Kate préféra se rabattre sur des crackers et du Nutella, que son amie gardait toujours en réserve.

Elle dévissait la capsule d'une bouteille d'eau minérale lorsque ses larmes se mirent à couler sans aucun signe avant-coureur. Dix secondes plus tard, elle sanglotait. Le front appuyé au réfrigérateur, elle se laissa aller à cette décompression quand des coups de sonnette à la porte d'entrée l'interrompirent.

Elle s'essuya les yeux avec une serviette en papier et se figea, dans l'espoir que l'intrus s'en irait. Espoir déçu : les sonneries reprirent avec autorité. Kate ne voulait surtout pas de compagnie ce soir-là. Pieds nus, elle alla sans bruit jusqu'à la porte regarder par l'œilleton... et son cœur cessa de battre.

Sur le palier se tenait le fléau de son existence : le frère aîné de Jordan, Dylan Buchanan. Dieu quel beau garçon, avec sa chemise qui moulait ses larges épaules et ses épais biceps ! Comme d'habitude, ses cheveux bruns étaient coiffés en arrière sans que la moindre mèche ne sorte de l'alignement.

Les garçons Buchanan étaient tous beaux, mais Dylan avait un petit quelque chose de plus. Son sourire, peut-être ? se demanda Kate. Elle savait, en tout cas, que, quand il décidait d'user de son charme, il était capable de faire fondre le cœur le plus glacé. Jordan traitait son frère de don Juan à cause du nombre incroyable de filles avec lesquelles il était sorti – et probablement avait mises dans son lit – pendant ses années d'études. D'après elle, le rythme de ses conquêtes n'avait guère ralenti depuis, sauf pendant la quinzaine de jours qui avait suivi sa blessure. L'effet secondaire de la balle qui l'avait frappé s'était rapidement effacé.

Ce soir-là, pourtant, Kate lui trouva l'air fatigué quand elle le vit appuyer de nouveau sur le bouton de la sonnette et s'adosser au mur, une grande boîte de pizza et un pack de bière dans une seule main.

Avait-il entendu grincer une lame de parquet pendant qu'elle s'approchait de la porte sur la pointe des pieds ? Elle s'écarta d'un pas, attendit quelques secondes et regarda de nouveau par l'œilleton. Son cœur battait la chamade, réflexe conditionné par chaque apparition de Dylan depuis qu'il l'avait surprise sortant nue de la douche. Il n'avait cessé de la faire marcher à ce sujet, mais elle n'était pas d'humeur à subir de nouvelles taquineries.

Il lui adressa un clin d'œil, preuve qu'il sentait sa présence derrière la porte. Aucun espoir, donc, de prétendre qu'elle n'était pas là pour éviter sa visite importune. Mieux valait prendre le taureau par les cornes, ouvrir la porte et lui demander poliment de la laisser tranquille. Elle n'avait qu'une envie : aller se coucher et finir sa crise de larmes.

— Jordan n'est pas…, commença-t-elle en ouvrant.

— Pas trop tôt ! l'interrompit-il. La pizza refroidit et la bière se réchauffe. Laisse-moi passer, Pickle. Allez, bouge.

Le ridicule surnom dont il l'affublait avait toujours exaspéré Kate. Sans lui laisser le temps de réagir, il franchissait déjà la porte et elle dut reculer en hâte avant qu'il lui marche sur les pieds.

La pizza sentait merveilleusement bon – et lui aussi, pensa-t-elle en humant une bouffée de son eau de Cologne quand il la frôla au passage. Dans la cuisine, où elle le suivit, il la coinça entre la porte du réfrigérateur et le mur. Il lui tendit une cannette de bière qu'elle refusa d'un signe de tête. Une fois libérée, elle s'appuya au comptoir, contre lequel il la plaqua en se penchant pour prendre la pizza derrière elle. Manifestement, il essayait de provoquer en elle une réaction et y prenait un plaisir évident.

— Jordan n'est pas là, dit-elle enfin.

— Je m'en suis rendu compte.

Elle prit soudain conscience de n'être vêtue que d'un pyjama.

— Tu aurais pu téléphoner d'abord, tu te serais épargné un déplacement inutile. Je ne prévoyais pas d'avoir de la compagnie.

— Je m'en suis aperçu aussi. Tu as des jambes superbes, Pickle.

— Écoute, Dylan...

— Je ne suis pas « de la compagnie ».

Agacée, elle essaya de le repousser par l'épaule et ne prit la mesure de son geste qu'en le voyant grimacer de douleur.

— Oh, Dylan ! Excuse-moi. J'avais oublié ta blessure. Je ne voulais pas...

— Ce n'est pas grave.

Il laissa la pizza sur le comptoir, passa au salon avec sa cannette de bière et se laissa tomber sur le canapé. Kate le suivit.

— Je t'ai fait mal, n'est-ce pas ?

— Laisse tomber, lâcha-t-il avec une brusquerie qu'il adoucit aussitôt. Ça va bien, je t'assure.

À voir sa mine, il n'avait pourtant pas l'air bien du tout, plutôt près de tourner de l'œil. Mais, puisqu'il voulait qu'elle « laisse tomber », elle ne pouvait pas faire moins que d'exaucer ce souhait. Elle retourna à la cuisine, en rapporta la pizza, des serviettes en papier, la bouteille d'eau et une autre cannette de bière en gage de paix.

Elle déposa les objets sur la table basse, s'excusa et alla dans la chambre de Jordan emprunter un peignoir. Son amie étant plus grande qu'elle, le peignoir traînait par terre et la ceinture en était absente. Son reflet dans le miroir de la commode lui arracha une grimace de dépit. Sa coiffure en queue de cheval ne lui allait pas du tout et elle avait des traînées de mascara sous les yeux. Elle se frotta énergiquement avec un mouchoir puis, espérant avoir à peu près repris figure humaine, elle retourna au salon. Dylan avait déjà dévoré trois parts de pizza et vidé la bouteille d'eau.

— Je n'étais pas partie si longtemps, dit-elle en guise d'excuse.

— Qui va à la chasse perd sa place, du moins dans la famille. Viens donc t'asseoir, dit-il en tapotant le canapé à côté de lui. Sois tranquille, ajouta-t-il en voyant sa mine méfiante, je ne te mordrai pas, à moins que tu ne me le demandes.

Ah, ce sourire ! pensa-t-elle. Dieu merci, elle ne l'intéressait pas, sinon il la dévorerait toute crue. Or il n'était pas question de succomber à son charme.

Assis au milieu du canapé, Dylan occupait les trois quarts de l'espace. Elle ne lui demanda cependant pas de se pousser et préféra se faire une place en enlevant des coussins qu'elle empila entre eux.

— C'est gentil d'avoir apporté une pizza à Jordan. Je le lui dirai.

— Ce n'est pas pour elle que je l'ai apportée, mais pour toi.

— Pour moi ? Comment savais-tu que j'étais ici ?

— C'est Jordan qui me l'a dit. Elle m'a aussi demandé de te tenir compagnie ce soir.

Kate resta muette de stupeur.

— Jordan ? Quand est-ce qu'elle te l'a dit ?

— Il y a à peu près une heure. À l'hôpital, précisa-t-il devant la mine incrédule de Kate.

— Tu es allé la voir à l'hôpital ?

— Oui, bien sûr.

— Mais… Comment savais-tu qu'elle y était ? Elle ne t'avait pas prévenu !

— Non, pas plus que mes frères, et j'ai bien l'intention de lui en toucher deux mots quand elle ira mieux. Elle n'aurait pas dû tenir sa propre famille à l'écart de…

Kate décida de l'interrompre avant qu'il s'énerve.

— Tu ne m'as toujours pas dit comment tu as appris qu'elle était à l'hôpital.

— Une amie de Nick qui y travaille a vu son nom sur un dossier.

— Et elle l'a appelé ? demanda-t-elle, indignée.

— Bien sûr. Elle ne savait pas qu'il s'était marié.

— C'est… immoral !

— Quoi ? De se marier ?

Elle préféra ne pas se lancer dans une discussion sur le secret professionnel. Il s'amusait visiblement à la faire monter sur ses grands chevaux.

— Tu es exaspérant ! dit-elle en lui lançant un coup de coude.

Il le lui rendit, ce qui la fit basculer du bord canapé où elle était assise en équilibre, et il dut lui tendre la main pour la relever.

— Nick est avec elle en ce moment, reprit-il calmement. Et moi, comme je te le disais, je suis venu parce qu'elle me l'a demandé.

— Et tu fais tout ce que ta sœur te demande ?

Elle se pencha pour prendre une part de pizza et constata avec plaisir qu'elle était encore tiède.

— Quand je le veux bien, oui. Tu as de la chance qu'elle ne t'ait pas envoyé Zack.

Cadet des frères Buchanan, Zachary était encore au lycée mais promettait d'être aussi insupportable que ses aînés. Déjà épuisés d'avoir élevé les précédents, ses parents clamaient qu'il ferait leur désespoir, mais Kate le trouvait adorable.

— Je l'aime bien, Zack, commenta-t-elle.

— Ah, oui ? Alors, fais attention. J'ai l'impression qu'il t'aime pour de bon, lui. Et tu le connais, il ne reculera devant rien.

La première bouchée de pizza lui fit prendre conscience qu'elle mourait de faim. Après avoir dévoré sa première part, elle en prit une autre, qui subit le même sort. Pendant ce temps, Dylan allumait la télévision et remettait les coussins en ordre. Kate ne put s'empêcher de sourire. Il n'avait décidément pas changé : chaque chose devait être à sa place. C'était chez lui une obsession.

Mais la perspective de passer la soirée seule avec lui dans l'appartement ne la ravissait pas le moins du monde. Autant régler la question de façon directe.

— Merci pour la pizza. Maintenant que tu as accompli ta mission, tu peux t'en aller.

— Tu as l'air crevée. Pourquoi as-tu cette mine de déterrée ?

— Je n'ai pas une mine de déterrée ! Je suis fatiguée, voilà tout.

— Tu pleurais quand je suis arrivée, n'est-ce pas ?

— Non.

— Si. Je ne suis pas aveugle.

— Alors, si tu le savais, pourquoi me le demander ?

— Et toi, pourquoi mentir ?

— J'ai passé une semaine pénible, répondit-elle en soupirant. J'ai eu des tas de déceptions. Quelquefois, pleurer me soulage.

— Il y a des moyens plus efficaces de soulager ses déceptions, déclara-t-il avec un sourire entendu.

L'allusion était si énorme que Kate décida de voir s'il oserait aller au bout de son bluff. Il était grand temps de le remettre une fois pour toutes à sa place !

— Tu aurais probablement une crise cardiaque si je...

Elle hésita un instant.

— Si tu quoi ? insista-t-il.

— Si je te prenais par le cou pour te donner un baiser incendiaire.

Il la fixa des yeux en silence pendant dix longues secondes.

— Chiche ? dit-il enfin.

Seigneur, il la prenait au mot ! Les images les plus inconvenantes se bousculèrent dans le cerveau de Kate, qui venait de jouer avec le feu. Elle devait en finir et éloigner Dylan au plus vite.

— Eh bien, j'attends ! reprit-il avec un sourire qui donna à Kate une monumentale chair de poule.

— Plus tard, on verra, bredouilla-t-elle.

Elle se versa un grand verre d'eau, l'avala d'un trait. Pourquoi avait-elle la gorge aussi sèche ? Pourquoi avait-elle les nerfs à fleur de peau ? Il ne fallait surtout pas qu'il s'en aperçoive. Pour se donner une contenance, elle entreprit de ranger les journaux et les magazines en désordre sur la table basse. Que lui arrivait-il, bon sang ? Pourquoi se sentait-elle aussi empruntée, aussi peu sûre d'elle-même ? C'était absurde ! Elle connaissait Dylan depuis des années et il ne lui avait encore jamais fait un tel effet. Elle n'était pas du genre à perdre son temps en rêveries oiseuses, elle vivait dans la réalité, elle avait l'esprit éminemment pratique. Elle s'interdisait même de penser à lui quand, par hasard, il lui traversait l'esprit. Alors, pourquoi des images aussi incongrues, où Dylan tenait le devant de la scène, se succédaient-elles maintenant devant ses yeux ?

Le peignoir lui glissa des épaules pendant qu'elle entassait les magazines.

— Comment t'es-tu fait tous ces bleus ? demanda-t-il.

Il posa une main sur sa nuque, descendit le long du bras. Elle ne le repoussa pas, mais baissa les yeux pour regarder.

— Celui-là, je ne l'avais pas vu. J'ai fait une chute.

— Et la bosse sur ton front ?

— Même cause.

Le frôlement de ses doigts lui donnait encore la chair de poule. Elle espéra qu'il ne le remarquerait pas – ou, au moins, qu'il n'en tirerait pas de conclusions sur ses pouvoirs de séduction.

— Serais-tu aussi maladroite que Jordan ? demanda-t-il en riant. Vous feriez une belle paire, toutes les deux, si vous viviez ensemble. Elle passe son temps à se casser la figure.

— Seulement quand elle ne porte pas ses lunettes.

— Alors, vas-tu me dire pourquoi tu pleurais ?

Voilà qu'il revient à sa première question, constata-t-elle avec découragement.

— Tu me l'as déjà demandé et je t'ai déjà répondu.

Elle lui subtilisa la télécommande de la télévision, pressa un bouton au hasard. L'écran s'alluma sur une publicité qu'elle feignit de regarder avec intérêt. Dylan lui reprit le boîtier, coupa le son.

— C'est malsain de ne pas se décharger de ce qu'on a sur le cœur, déclara-t-il.

Son ton sincèrement compatissant finit de la faire craquer. Sentant les larmes affluer, elle n'avait plus en tête qu'à le faire partir avant de se couvrir de ridicule en éclatant de nouveau en sanglots.

— Il est grand temps que tu rentres chez toi, parvint-elle à articuler d'une voix mal assurée.

Pourquoi était-elle incapable de contrôler ses émotions ? Quelle mouche la piquait ? Cela ne lui ressemblait pas, mais pas du tout...

— Je ferais peut-être mieux de rester, au contraire.

La tête légèrement tournée vers elle, il la regardait d'un air soucieux.

— Je n'ai pas besoin que tu me tiennes compagnie.

Il se leva, poussa un soupir résigné.

— Bon, je m'en vais.

— Tant mieux. Parce que...

Elle fut incapable d'en dire plus.

De toute façon, il n'aurait pas compris un mot de ce qu'elle aurait dit ensuite, parce qu'elle sanglotait comme une enfant. C'était humiliant, mais elle était incapable de se ressaisir.

## 11

Kate se leva en espérant battre en retraite la tête haute et regagner sa dignité perdue, mais Dylan lui happa le poignet pour la faire retomber sur ses genoux. Sans mot dire, il la serra dans ses bras en lui donnant de temps à autre une caresse malhabile pendant qu'une série de hoquets succédait aux larmes. Appuyée contre lui, la tête sur sa bonne épaule, elle parvint peu à peu à se ressaisir.

— Dylan, parvint-elle enfin à murmurer.

— Oui ?

— Ne dis rien à personne.

Il lui prit une mèche de cheveux, la laissa couler entre ses doigts. Ses cheveux sentaient l'abricot. Cette fille était si douce, si tiède, si féminine ! Tout à coup, il réalisa que tout ce qui le séparait d'elle se bornait à la fine étoffe d'un pyjama. Arrête d'y penser ! s'ordonna-t-il. Facile à dire… Plus il s'en efforçait, moins il y parvenait..

— Ne t'inquiète pas, dit-il en souriant. Crier sur les toits le nom des filles qui m'embrassent, ce n'est pas mon genre.

— Je ne t'ai même pas embrassé ! protesta-t-elle. Enfin… pas encore.

Reprendre le contrôle de la situation – et de lui-même – devenait plus qu'urgent.

— Bon, je ne raconterai à personne que tu as pleuré. Maintenant, relève-toi, tu pèses trop lourd.

Avant de s'écarter de lui, elle l'embrassa dans le cou en le provoquant du bout de la langue. Il se recula avec autant de précipitation que s'il avait reçu une décharge électrique. Kate s'essuya les yeux d'un revers de main et s'assit à côté de lui.

— Tu sais quoi ? Tu n'es qu'un vantard, déclara-t-elle.

Les larmes qui perlaient encore au bord de ses cils coulaient doucement sur ses joues. Il réprima à grand-peine l'envie d'en lécher chacune des gouttes.

— Pourquoi ?

— Tu flirtes quand tu te crois en sécurité, dit-elle en le regardant dans les yeux. Mais maintenant que je suis consentante et que je prends l'initiative, tu trembles dans tes bottes.

— Je n'ai pas de bottes, mon chou. Mais je tremble dans mes chaussettes, si tu veux tout savoir.

Il l'attira vers lui avec douceur, lui effleura la bouche de ses lèvres. Ce simple contact balaya ses dernières réticences. En un éclair, le baiser se fit si vorace, si brûlant que Dylan crut perdre la raison.

Frissonnante de désir, Kate s'y abandonna. Il tenta à plusieurs reprises de mettre fin à ce baiser, mais elle en redemandait alors même qu'elle était consciente de commettre une erreur. Elle avait tort de séduire Dylan. Jamais de sa vie elle n'avait eu d'aventure. Ce soir-là, pourtant, elle ne désirait qu'une chose : rester dans les bras d'un homme qui lui plaisait et combler ce besoin plus fort que sa volonté, en faisant semblant de croire que tout allait pour le mieux dans le meilleur des mondes – au moins pour une nuit.

Car il ne s'agissait dans son esprit que d'une simple évasion, d'une nuit d'amour.

Suis-je idiote ou aveugle ? se reprit-elle. Il n'y avait rien de simple là-dedans, pour elle du moins. Faire l'amour avec un homme beau et séduisant, qui, par-dessus le marché, se trouvait être le frère de sa meilleure amie, ne lui apporterait que problèmes et remords. Non, il ne pouvait être question d'aller jusqu'au bout de cette folie. Elle culpabiliserait à mort le lendemain matin...

Mais pourquoi diable était-elle aussi coincée ? Pourquoi ne pas dédaigner les préjugés, comme tant d'autres ? La plupart de ses amies ne se faisaient pas une montagne de passer la nuit avec un garçon et en changeaient même souvent. Jordan n'était pas de celles-là, Kate non plus. Jordan disait qu'elle respectait trop son corps pour le livrer à un homme sans raison valable. Kate partageait entièrement ce point de vue. Il fallait au moins y mettre du sentiment, non ? Oui, mais les sentiments créaient des liens, des obligations, ce dont Kate ne voulait à aucun prix. Elle pouvait énumérer cent bonnes raisons pour justifier ce que d'autres qualifiaient de pruderie mais, en réalité, elle avait trop peur de sortir blessée d'une telle aventure. Cette dernière pensée raffermit son courage. Mieux valait s'abstenir.

Maintenant que sa décision était prise, il fallait l'appliquer. Et d'abord, cesser de l'embrasser – un défi bien difficile à relever, grand Dieu ! Dylan était un expert, un champion dans ce domaine. Il aurait pu donner des leçons ! Il réussissait à éveiller en elle des sensations dont elle ne savait même pas qu'elles existaient.

Elle fut incapable ensuite de déterminer le moment où elle franchit la frontière entre la sage décision de le renvoyer chez lui et celui où elle lui déboutonna sa chemise et entreprit d'embrasser chaque millimètre de son cou et de sa poitrine. Sa peau était chaude, ferme, attirante en diable. Elle effleura du bout des doigts la cicatrice qui lui labourait l'épaule. La balle avait traversé la chair et déchiré muscles et tendons, manquant de peu une artère.

C'est lui qui se ressaisit le premier. Il écarta la main de Kate et lui donna un dernier et profond baiser avant de se redresser.

— Arrêtons-nous, Kate.

Sans doute ne l'entendit-elle pas, car elle continua à l'embrasser dans le cou et à lui mordiller une oreille au point de le mettre hors de lui. Son jean était soudain trop étroit de trois tailles. S'il perdait le contrôle de lui-même, il lui restait assez de lucidité pour en prévoir les conséquences.

— Si nous devons nous arrêter, Kate, c'est tout de suite, répéta-t-il d'une voix rauque en la repoussant avec douceur.

— Oui, bien sûr, dit-elle distraitement.

Elle se laissa remettre debout sans résistance et resta à côté du canapé, le regard dans le vague, comme si elle émergeait d'un rêve. Elle n'aurait jamais cru qu'un baiser puisse provoquer en elle une telle réaction – il est vrai qu'elle n'avait encore jamais embrassé Dylan...

Il se leva à son tour, resta devant elle comme s'il attendait qu'elle lève les yeux vers lui. Il avait maintenant hâte de battre en retraite avant de commettre une erreur qu'il regretterait. Il s'en voulait surtout de ne pas avoir arrêté tout de suite. Bien sûr, Dylan avait le béguin pour Kate depuis la première fois qu'il l'avait rencontrée et il lui était souvent arrivé de pousser plus loin ses rêves. Mais il y avait un monde entre désirer et passer à l'acte. Dylan avait toujours aimé les femmes et prenait plaisir à flirter de temps à autre avec Kate. Si elle renvoyait aux autres l'image d'une jeune femme affranchie, il avait su voir ce qui se cachait derrière cette façade. En ce qui concernait les hommes et l'amour, elle manquait cruellement d'expérience.

Incapable de résister au besoin de la toucher, il posa une main sur sa tête, lui caressa les cheveux, imagina son corps nu sous le pyjama, sa chaleur, sa douceur. Il entendit presque ses gémissements de plaisir... Non !

— Il faut que je m'en aille, déclara-t-il.

— Eh bien, va. À moins que tu ne veuilles rester.

Sans le quitter des yeux, elle le prit dans ses bras, se serra contre lui. Le contact de sa peau nue sous la chemise déboutonnée éveilla en elle d'incroyables désirs. Une nuit. Une seule nuit. S'offrir le cadeau d'une nuit...

Il écarta ses bras, recula d'un pas.

— Écoute, Kate, je te désire, tu le sais. Mais...

— Je sais, murmura-t-elle. Ce ne serait pas une bonne idée.

Sans baisser les yeux, elle recula. À peine. Pas assez pour mettre leurs bouches hors de portée l'une de l'autre.

Il ne résista pas au désir de lui donner un baiser. Le dernier. Leurs langues se mêlèrent avec une fièvre vorace. Elle le rendait insatiable. Il ne pouvait plus s'empêcher de la goûter, de la dévorer. Lentement, il lui enleva le haut de son pyjama, posa les mains sur sa peau nue. À peine lui eut-il effleuré un sein qu'il oublia ses sages résolutions. Il la souleva dans ses bras, l'emporta dans sa chambre. Leurs bouches ne se séparèrent que le temps qu'il lui fallut pour lui enlever son pyjama.

— C'est une folie, murmura-t-il.

— Oui. Pour une nuit…

Elle lui ôta sa chemise, frissonna en sentant ses seins se presser contre sa poitrine quand ils se laissèrent tomber sur le lit. Il couvrit de caresses son corps doux et chaud en s'étonnant de la découvrir plus passionnée qu'il ne l'aurait rêvé. Bientôt, il ne pensa plus qu'à se fondre en elle.

— Ne me fais pas attendre, lui chuchota-t-elle à l'oreille.

Le visage enfoui au creux de son épaule pour mieux s'imprégner de son odeur, il la pénétra d'un seul élan qui leur tira à tous deux un cri où se mêlait l'extase et la surprise d'éprouver un plaisir aussi intense. Un plaisir qui redoubla quand il sentit ses ongles lui griffer le dos avec douceur. Oublieux du monde extérieur, ils se donnèrent autant et plus qu'ils ne prenaient l'un à l'autre. Rien n'exista plus qu'eux deux durant tout le temps de cette étreinte qu'ils ne songèrent nullement à mesurer. Problèmes, craintes, réticences, tout s'évanouit pour les mener à un orgasme commun qui les laissa haletants.

Hors d'état de formuler la moindre pensée, Kate consacra ce qui lui restait de forces à tenter de calmer les battements de son cœur. Appuyé sur un coude, Dylan l'embrassa sur le bout du nez en lui prenant une main, qu'il posa sur sa poitrine.

— Tu sens mon cœur battre ? Jamais il n'a été à pareille fête.

— Le mien non plus. Tu m'as épuisée.

Il se laissa retomber, roula sur le côté et dut faire appel à toute son énergie pour se lever et gagner la salle de bains.

Kate entendit la porte se refermer derrière lui. Baignant encore dans un état second, elle sentait cependant le sens des réalités lui revenir par bouffées. Couchée en chien de fusil, l'oreiller serré sur sa poitrine, elle se força à fermer les yeux pour essayer de dormir.

Le bruit de la porte, le rayon de lumière qui tomba sur le lit la tirèrent de son assoupissement, mais elle ne releva pas la tête. S'il la croyait endormie, s'il avait lui aussi retrouvé sa lucidité, il s'en irait peut-être de lui-même. Grand Dieu ! se dit-elle. Pourvu au moins qu'il ne regrette pas ce que nous venons de faire...

Elle ne résista pas quand il l'attira vers lui et l'embrassa dans le cou. Une gêne inattendue la retenait de le regarder en face.

— Tu dors ? chuchota-t-il.

— Oui.

— Tu ne m'en donnes pas l'impression.

— Qu'est-ce que tu fais ? demanda-t-elle en serrant l'oreiller sur sa poitrine qu'il recommençait à caresser.

— L'amour. Retourne-toi, Kate.

— Mais... nous ne pouvons pas...

— Juste une nuit, n'est-ce pas ?

— Oui, mais...

— Eh bien, la nuit n'est pas finie.

## 12

Dylan Buchanan savait tenir parole : la nuit d'amour ne prit fin que quand il quitta l'appartement le lendemain à sept heures du matin. Leur séparation aurait pu être malaisée si Dylan ne l'avait pas rendue simple. Kate commençait à s'endormir lorsqu'il se pencha vers elle, l'embrassa délicatement sur la joue et sortit sans bruit.

Kate se rappela ensuite l'avoir entendu dans le courant de la nuit lui dire qu'il serait pris presque tout le week-end, mais qu'il réussirait sans doute à venir la voir le dimanche soir ou le lundi. Elle se demanda si c'était une version adoucie du désinvolte « À un de ces jours » ou s'il la croyait définitivement de retour à Boston, donc qu'il n'y avait pas d'urgence. Elle corrigea d'autant moins cette méprise qu'elle doutait de ne jamais pouvoir le regarder en face sans mourir de honte après tout ce qu'ils avaient fait cette nuit-là. Pour une femme soi-disant libérée, elle n'avait pas de quoi être fière...

Jordan fut hospitalisée jusqu'au dimanche matin. Elle était trop défigurée par ses boutons pour s'en plaindre et, de retour chez elle, se réfugia dans le sommeil tout l'après-midi. Pour le dîner, Kate acheta des plats préparés chez le traiteur du quartier et toutes deux se couchèrent de bonne heure.

Jordan aurait aimé que son amie reste lui tenir compagnie deux ou trois jours de plus, mais Kate avait hâte de rentrer chez elle et de s'attaquer aux problèmes qui l'y attendaient. Elle voulait aussi s'éloigner le plus vite possible de Boston avant de se trouver nez à nez avec Dylan. Chaque fois que son nom arrivait dans la conversation, elle se dépêchait de changer de sujet. D'habitude, elle ne cachait rien à son amie mais, cette fois, c'était différent. Très différent.

Le lundi, Jordan allait mieux et ses disgracieux boutons avaient presque disparu. Kate refusa quand même qu'elle la conduise à l'aéroport et s'y rendit en taxi. Ce ne fut qu'après le décollage qu'elle prit conscience de sa nervosité à l'idée de revoir un jour Dylan. Avec soulagement, elle décida de ne plus penser à lui. Certes, elle ne changerait rien à ce qui s'était passé entre eux, mais elle pouvait se forcer à l'effacer de sa mémoire ou à n'en parler à personne.

Sauf que le dicton « loin des yeux loin du cœur » fit une fois de plus la preuve de son inefficacité. Kate essaya de lire puis, incapable de se concentrer, ferma les yeux et fit semblant de dormir – mettant ainsi fin aux avances importunes du représentant de commerce assis à côté d'elle. Mais le corps de Dylan ne cessait de revenir hanter son esprit. Pas une once de graisse, rien que du muscle. Et ses cuisses !… Seigneur, un dieu grec !…

Arrête d'y penser ! se répétait-elle. En pure perte, bien sûr. Quand l'avion se posa à Charleston, elle était furieuse contre elle-même et s'accusait d'être devenue nymphomane. Comment avait-elle pu se passer de sexe aussi longtemps pour qu'une seule nuit suffise à la rendre obsédée à ce point ?

En descendant de la navette qui la déposa sur le parking longue durée, elle resta un instant à regarder les éclairs qui zébraient le ciel noir en se demandant où elle avait laissé sa voiture. Le bus venait de tourner au coin de l'allée quand un rugissement de moteur derrière elle l'incita à s'écarter en hâte de la chaussée. Le conducteur roulait trop vite et continuait à accélérer. Sans doute un gamin qui fait le malin, se dit-elle en se glissant entre deux voitures tandis que l'autre passait à toute vitesse à sa hauteur avant de prendre le virage suivant en faisant crisser ses pneus.

— Imbécile ! grommela-t-elle.

Ce qualificatif ne s'adressait pas seulement au chauffard, dont elle n'avait pas distingué le visage derrière les vitres teintées, mais aussi à elle-même. Comment avait-elle pu oublier où elle s'était garée ? Elle se rappela alors avoir eu la présence d'esprit de noter le numéro de l'emplacement sur le ticket, qu'elle retrouva au fond de son sac. Traînant sa valise à roulettes derrière elle, elle entreprit alors de traverser le parking en direction de sa travée.

Sa vieille voiture rouillée était coincée entre deux gros 4 × 4. Elle mit sa valise dans le coffre et le refermait quand elle entendit des crissements de pneus sur l'asphalte. Elle reconnut la même voiture blanche, qui fonçait dans l'allée parallèle à la sienne en ralentissant et en accélérant plusieurs fois. Ou bien, le conducteur recherche quelqu'un, ou bien c'est un jeune qui s'offre un rodéo solitaire ou s'amuse à faire peur aux gens, pensa-t-elle.

La voiture blanche s'engagea dans son allée. Que le conducteur l'ait vue ou pas, il fonçait droit sur elle comme s'il voulait l'écraser. Elle eut le réflexe de se jeter à terre, se fit mal aux genoux, ramassa son sac et se cogna la tête contre un des 4 × 4, mais au moins elle l'avait évité – de justesse.

— C'est le bouquet, grommela-t-elle. Je ne suis plus une simple idiote mais une idiote paranoïaque !

Elle grimaça de douleur en se relevant, ouvrit la portière et reçut en pleine figure une bouffée de chaleur, comme si elle entrait dans un four. Elle se hâta de baisser les vitres, mais s'abstint de brancher le climatiseur. La voiture étant restée plusieurs jours sans rouler, la batterie ne supporterait sans doute pas une telle surcharge. Mieux valait lancer d'abord le moteur.

Elle démarra finalement sans problème. Elle ne revit plus la voiture blanche mais signala le comportement dangereux de son chauffeur au préposé à la caisse de sortie. L'homme la félicita de son civisme et transmis à la sécurité la description du véhicule.

Elle ne pensa à rallumer son téléphone portable qu'en s'arrêtant à un feu rouge. À peine eut-elle pressé le bouton que le vibreur lui signala un message.

Il provenait d'un entrepreneur du nom de Bill Jones, dont Kate n'avait jamais entendu parler. Il travaillait, expliqua-t-il, pour le propriétaire de l'entrepôt que Kate s'apprêtait à louer et il souhaitait la rencontrer sur place afin de déterminer ensemble la nature des travaux qu'elle désirait faire exécuter. Il parlait aussi des marchandises que Kate y avait expédiées : elles étaient stockées au fond du local et n'encouraient aucun risque d'être endommagées pendant les travaux.

Que signifie cette histoire ? se demanda-t-elle. Elle n'avait même pas encore signé le bail, encore moins parlé des travaux. Qu'est-ce que l'agent immobilier avait raconté au propriétaire ? Elle se gara sur le premier emplacement libre qui se présneta et rappela ledit entrepreneur.

— Jones à l'appareil.

— Kate MacKenna, je retourne votre appel.

Elle perçut un bruit de fond une rumeur de circulation. L'entrepreneur n'était donc pas à l'entrepôt, situé au fond d'une impasse.

— Merci de m'avoir rappelé si vite, mademoiselle MacKenna. Je voudrais vous voir le plus tôt possible sur le chantier. Le temps presse et mon équipe est prête à démarrer.

— Je ne comprends pas, monsieur Jones. Vous avez dit que mes marchandises avaient été livrées à l'entrepôt ?

— Oui. Je suis d'ailleurs en train de m'y rendre, je vous attendrai là-bas. Il ne vous faudra pas longtemps pour me rejoindre, n'est-ce pas ?

— Attendez ! Qui a autorisé cette livraison ?

— Je n'en sais rien. Les caisses inscrites à votre nom y étaient déjà quand je suis arrivé ce matin.

C'était invraisemblable ! Kiera et Isabel n'auraient

certainement pas pris une telle initiative et ses deux employés permanents étaient en congé. Il fallait avant tout expliquer à cet entrepreneur que sa situation financière lui interdisait de signer le bail, encore plus d'entreprendre des travaux et d'effectuer son déménagement.

— Monsieur Jones, je ne suis pas en mesure d'autoriser...

— Excusez-moi, je vous perds, mon portable entre dans une zone blanche. Retrouvez-moi là-bas. Si vous arrivez avant moi, la porte de côté n'est pas fermée à clef.

— Mais, monsieur Jones, mes marchandises...

— Si vous voulez les déplacer, soyez tranquille, nous nous en chargerons.

Il avait déjà raccroché. Kate aurait pu crier de rage et de frustration. Combien de caisses avaient donc été déplacées à l'entrepôt ? Aller sur place était le seul moyen de s'en rendre compte. Il fallait les enlever au plus vite. En attendant, elle les stockerait dans son garage – au moins jusqu'à ce que la maison soit mise en vente... Comment expliquer la situation à ses sœurs ?

En redémarrant, elle se rendit compte que sa jauge d'essence était proche de zéro. Il lui fallut un moment pour trouver une station-service dans ce quartier de la ville qu'elle connaissait mal. Avant d'en sortir, elle avisa un McDonald's et décida d'y acheter un coca light. Elle n'était pas pressée d'arriver à l'entrepôt si c'était pour poireauter en faisant les cent pas.

Elle arriva à destination une demi-heure après son entretien téléphonique avec Jones. Le local se trouvait au bout d'une longue impasse, dans un quartier où des lofts très tendance étaient déjà aménagés. Mais les travaux de rénovation étaient loin d'être terminés. Des nids-de-poule parsemaient les chaussées et les boutiques abandonnées exhibaient un peu partout des devantures aux vitres brisées, ou remplacées par des planches. C'était précisément pour cette raison que Kate avait jeté son dévolu sur cette partie de la ville, qui, une fois rénovée, offrirait de prometteuses perspectives d'expansion. Le local était assez éloigné de chez elle, mais le loyer était plus que raisonnable – du moins, jusqu'aux nouvelles de sa ruine imminente – et elle comptait l'équiper d'un système d'alarme dernier cri pour assurer la sécurité de son stock et de ses employés. Des employés qu'elle allait se voir obligée de licencier...

— Arrête de t'apitoyer sur ton sort, se morigéna-t-elle.

Elle pénétra dans le petit parking, où il n'y avait aucun véhicule, et s'arrêta devant la porte latérale. Elle allait couper contact quand son téléphone sonna. Avant de répondre, elle ajusta les ouïes du climatiseur pour diriger l'air frais sur son visage.

— Jones, s'annonça l'entrepreneur. Vous êtes arrivée ?

— Oui.

— Je devrais y être dans moins de cinq minutes. N'hésitez pas à vous servir du café en m'attendant.

— Non merci.

— Vous n'aimez pas le café ?

— Non, répondit-elle en se demandant pourquoi la conversation prenait ce tour absurde.

— Dans ce cas, vous voulez bien éteindre la machine ? La dernière fois, j'ai oublié de l'éteindre et j'ai failli mettre le feu.

Cet aveu ne contribua pas à accroître la confiance de Kate dans les qualifications de son interlocuteur.

— Oui, je vais le faire, dit-elle avec impatience. En ce qui concerne mon stock de marchandises, je ferai enlever les caisses dès demain matin. Elles n'auraient jamais dû être envoyées ici.

— Je suis désolé qu'il y ait eu une fausse manœuvre, mademoiselle MacKenna. Je n'y suis pour rien, mais je ferai tout ce que vous voudrez pour vous rendre service. À tout de suite.

Il raccrocha avant qu'elle ait eu le temps de lui dire que leur rencontre était elle-même sans objet puisqu'elle n'allait ni louer le local ni y entreprendre des travaux d'aménagement. Elle voulut quand même y entrer afin de comptabiliser les caisses de bougies parfumées et de lotions qui y étaient entreposées.

Agacée, elle jeta son téléphone sur le siège du passager, mais l'appareil heurta son sac et rebondit sous le siège. De plus en plus contrariée, Kate déboucla sa ceinture. Au moment où elle tendait la main vers le téléphone, elle entendit son moteur hoqueter. Connaissant trop bien ce symptôme, elle se hâta de stopper le climatiseur et de couper le contact afin que le moteur ait le temps de refroidir un peu, sinon il refuserait obstinément de redémarrer. Elle se remit ensuite à la recherche de son téléphone.

Elle avait encore le haut du corps sous le tableau de bord quand l'entrepôt explosa.

Telle un boum supersonique, la déflagration secoua la voiture de Kate et en fit éclater les vitres. Serait-elle restée assise au volant, qu'elle aurait eu le visage lacéré par les éclats de verre et les morceaux de ferraille qui retombaient en grêle sur le capot et le pavillon de la voiture. Une muraille de flammes s'échappa aussitôt après du bâtiment pour traverser le parking dans toute sa largeur en carbonisant au passage les pneus de la voiture. Le tableau de bord et la custode atterrirent sur une poubelle de l'autre côté de la rue.

Gisant sur le plancher de la voiture, Kate resta inconsciente de l'enfer qui faisait rage autour d'elle.

# 13

Transportée aux urgences de l'hôpital de Silver Springs, Kate venait d'être admise dans une chambre quand ses deux sœurs purent enfin la rejoindre.

— Tu recommences, ma parole ! s'exclama Kiera.

Elle était si heureuse que Kate n'ait pas subi de blessures graves qu'elle en pleurait. Quant à Isabel, elle était hors d'elle.

— Tu aurais pu être tuée ! Pourquoi faut-il que tu fasses tout le temps des coups pareils ?

— Elle ne l'a pas fait exprès, voyons ! la gronda Kiera. Elle s'est trouvée au mauvais endroit au mauvais moment, voilà tout.

— Non, ça suffit ! insista Isabel. Je ne te laisserai jamais plus quitter la maison, Kate. Je n'irai pas à la faculté, je resterai avec toi pour être sûre que tu restes tranquille et que tu ne coures aucun danger.

— Voyons, Isabel, sois raisonnable ! dit Kiera.

— Raisonnable ? Est-ce que c'est *raisonnable* d'échapper à un attentat deux fois en une semaine ? Tu m'as fait trop peur, Kate. Je n'irai pas à la faculté, je le dis sérieusement.

— Elle est comme cela depuis que nous avons appris la nouvelle, expliqua Kiera. Maintenant qu'elle sait que tu n'as rien de grave, elle va se calmer.

Kate cligna des yeux. Elle avait une affreuse migraine et n'arrivait pas à suivre la conversation.

— Jordan t'a appelée deux ou trois fois, reprit Kiera. Elle est très inquiète.

— Comment a-t-elle su ?

— Elle avait téléphoné pour savoir si tu avais fait bon voyage et c'est Isabel qui l'a mise au courant. Elle lui a même raconté comment les pompiers ont dû découper ta voiture pour t'en sortir. Elle est fichue, au fait.

— Tu pourrais me remercier de ne pas avoir appelé tante Nora, intervint Isabel en s'essuyant les yeux. Elle devait être en train de défaire ses bagages, mais elle aurait tout laissé tomber pour revenir ici.

Kate referma les yeux avec un soupir de lassitude.

— Quand pourrai-je rentrer à la maison ?

— Pas avant demain, le médecin veut te garder en observation.

— Ta figure est rouge comme si tu avais reçu un coup de soleil, déclara Isabel. Te rends-tu compte au moins que tu as échappé à la mort par miracle ?

— Tu ne vas pas te remettre à pleurer, j'espère ? la rabroua Kiera.

— Désolée, je ne peux pas être un robot comme toi et ne pas exprimer mes sentiments.

Kiera préféra ne pas relever.

— Allons-nous-en, il faut que tu te reposes, Kate.

— Attends ! Peux-tu me dire ce qui s'est passé ?

— Quoi ? Tu ne t'en souviens pas ?

Kate aurait secoué la tête en signe de dénégation si la douleur infligée par ce simple geste ne l'avait faite changer d'avis.

— Les pompiers pensent qu'il s'agit d'une fuite de gaz.

— Nous l'avons entendu à la radio en venant ici, précisa Isabel. Ça doit être vrai, parce qu'il leur a fallu un temps fou pour éteindre l'incendie.

— Tu as eu de la chance que le neurologue ait été présent au moment de ton admission, dit Kiera. J'ai pu lui parler, il m'a dit que ton scanner était bon. Tu devrais t'en sortir sans rien de sérieux.

— Kiera avait peur que ton cerveau ait été secoué, intervint Isabel.

— Non, rectifia Kiera, c'est toi qui avais peur.

— Bon, d'accord, c'était moi. Le docteur était adorable ! Tu sais quoi, Kiera ?

— Grand Dieu ! soupira-t-elle. La voilà qui recommence !

— Je voulais juste te dire qu'il serait parfait pour toi. Je sais ce que tu vas me dire, il ne s'intéresse pas à toi. Mais vous n'en savez rien tous les deux tant que tu n'as pas fait… un geste, quoi.

— Ça suffit !

— Si au moins tu t'arrangeais un peu, insista Isabel. Je ne sais pas, moi, mets un peu de rouge à lèvres, change ta coiffure.

— Qu'est-ce qu'elle a, ma coiffure ? gronda Kiera.

— Va chez un bon coiffeur, pour une fois. Et puis, maquille-toi un peu pour couvrir les cernes sous tes yeux. Tu manques de sommeil et c'est la faute de tes maudites études.

Kate ne put retenir un éclat de rire qui se termina en grognement de douleur. Elle se hâta de reposer sa tête sur l'oreiller et de refermer les yeux.

— Arrêtez de me faire rire et allez discuter ailleurs. J'ai juste envie de dormir et de me convaincre qu'il ne m'est rien arrivé aujourd'hui.

— Écoute, Kate, tu ne nous as toujours pas dit ce que tu allais faire à l'entrepôt.

— Je ne sais plus. Je veux dire, je voudrais m'en souvenir, mais je n'y arrive pas.

— Tu ne te rappelles rien ?

Kate réfléchit une longue minute avant de répondre.

— Non. Tu ne trouves pas ça bizarre ?

— Ne t'inquiète pas, la mémoire te reviendra. Repose-toi bien, je reviendrai te voir un peu plus tard.

Isabel n'était toutefois pas prête à laisser sa sœur tranquille.

— Te souviens-tu au moins d'être allée à Boston ?

Cette fois, Kate ne s'empêcha pas de sourire.

— Oui. Je me rappelle même mon voyage de retour. Il y avait une voiture, à l'aéroport…, ajouta-t-elle en fronçant les sourcils.

— Bien sûr, il y a beaucoup de voitures à l'aéroport, dit Isabel du ton qu'elle aurait pris pour parler à un enfant un peu demeuré. Tu avais même pris la tienne pour y aller. Tu t'en souviens ?

Du regard, Kate implora l'aide de Kiera.

— Oui. Avant de partir, Isabel, donne-moi le téléphone. Je voudrais appeler Jordan.

— Tu n'a pas oublié son numéro ?

— Isabel, intervint Kiera, ce n'est pas parce que Kate a subi un choc qu'elle est devenue un légume.

Isabel haussa les épaules et tendit le téléphone à sa grande sœur

— Dis bonjour à Jordan de notre part. Dis-lui aussi qu'il vaudrait mieux qu'elle ne vienne pas te voir. Avec la poisse qui te poursuit, elle risquerait de se faire écraser en allant à l'aéroport.

— La semaine a été horrible, soupira Kate.

— Ça ne pourra qu'aller mieux, affirma Isabel, que Kiera entraînait déjà vers la porte.

Kate espéra qu'elle avait raison. Une seconde après, elle dormait profondément.


Elle téléphona à Jordan en se réveillant deux heures plus tard. Ses efforts pour paraître en forme restèrent toutefois infructueux. Son amie discerna aussitôt le stress qui altérait sa voix.

— Parle-moi encore de cette première explosion. Maintenant que je n'ai plus à m'inquiéter sur mon sort, je peux me concentrer sur le tien. On a voulu tuer cette artiste, n'est-ce pas ?

Avant d'en arriver à sa dernière mésaventure, Kate

répéta à Jordan tout ce dont elle se souvenait, y compris le chauffard dans le parking de l'aéroport.

— Je ne me rappelle absolument rien de l'explosion, conclut-elle. Je pense malgré tout à du café. C'est curieux, non ?

— Tu ne bois jamais de café.

— Je sais, c'est pour cela que je trouve cette idée étonnante.

— As-tu subi un gros choc à la tête ?

— Assez pour me flanquer une bonne migraine. J'en arriverais presque à croire qu'on cherche à me tuer.

— Ne dis pas de bêtises ! répondit Jordan. Tu as la poisse en série, cela arrive. Veux-tu que je vienne ?

— Pas la peine, je n'ai rien de grave. Et puis, si j'ai vraiment la poisse et, je ne voudrais pas que tu en subisses les conséquences.

— Ne te laisse pas emporter par ton imagination. Tu n'as jamais été superstitieuse, ne commence pas. Je peux te poser une question ?

— Bien sûr.

— S'est-il passé quelque chose entre Dylan et toi ?

Kate faillit en lâcher le téléphone.

— Pourquoi tu me demandes ça ?

— Il a téléphoné tout à l'heure et voulait te parler. Quand je lui ai dit que tu étais partie, il était furieux.

— Je ne vois vraiment pas pourquoi. Alors, enchaîna-t-elle pour changer de sujet au plus vite, d'après toi, on ne veut pas me tuer ?

— Non, vraiment pas. Mais je te connais, tu as une imagination débordante. Dors bien et rappelle-moi demain, quand tu seras redevenue lucide.

À peine Jordan eut-elle raccroché qu'elle composa le numéro de Dylan.

— Quelqu'un veut tuer Kate ! lâcha-t-elle de but en blanc.

## 14

Dylan était de mauvaise humeur. Il sortait d'une épuisante séance de rééducation qui lui avait torturé les muscles. Les médecins lui avaient bien prescrit des analgésiques, mais il n'en voulait pas. Les deux ou trois pilules avalées la semaine précédente avaient certes combattu la douleur, mais l'avaient abruti. Il s'était senti comme enveloppé dans un épais brouillard. Plus jamais ça, s'était-il juré. Mieux vaut souffrir qu'être incapable de réfléchir clairement.

Il était sur le point de se déshabiller pour prendre une bonne douche chaude quand Jordan lui téléphona.

— Quelqu'un veut tuer Kate ! annonça-t-elle sans préambule.

— Qu'est-ce que tu racontes ? grommela-t-il.

— Toujours aussi aimable, répliqua-t-elle.

— Tu es sortie de l'hôpital, je ne suis plus obligé d'être aimable avec toi. Si tu crois que je suis gentil, tu me confonds avec Alec.

— Impossible. Alec est le désordre personnifié et tu es un obsédé du rangement. C'est pour cela que vous vous entendiez si bien quand vous étiez plus jeunes. Mais Alec est vivable alors que tu es souvent plus odieux qu'un ours à jeun.

— Quand tu auras fini de me couvrir de compliments, je pourrai peut-être enfin prendre ma douche.

— Je parie que tu ne te conduis pas comme cela envers les filles avec qui tu veux coucher.

— Pour la dernière fois, Jordan, qu'est-ce que tu veux ?

— Kate est en danger.

— En danger ?

— Oui.

— Tu me raconteras ça plus tard.

— Écoute-moi, bon sang !

Elle lui résuma les circonstances de la première explosion à laquelle Kate avait échappé par miracle.

— Et comme si ce n'était pas assez, poursuivit-elle, cette pauvre Kate a failli se faire écraser dans le parking de l'aéroport en revenant de Boston. Mais ce n'est pas tout… Dylan, tu m'écoutes ?

— Oui.

— Tu n'en as pas l'air. Je t'assure qu'on essaie de la tuer, parce que…

Il l'interrompit avant qu'elle puisse parler de la seconde explosion.

— Que veux-tu que j'y fasse ? Que j'appelle le type chargé de l'enquête ? Je ne crois pas que mes collègues de Caroline du Sud apprécieraient que je me mêle de leur travail.

— Mais non, je ne te demande pas de leur parler ! Je te demande d'aller toi-même à Silver Springs voir ce qui se passe. Tu es en congé et tu t'ennuies quand tu ne fais rien, je le sais. Je ne comprends pas que tu hésites ! Le week-end dernier, tu…

— Je quoi ?

— Tu as vu Kate. Je ne sais pas ce que vous avez fait ensemble, mais je ne te croyais pas insensible à ce point. Loin des yeux, loin du cœur, c'est ça, ta nouvelle devise ?

Dylan poussa un grognement. Incapable de chasser Kate de ses pensées, il s'en voulait de se laisser troubler à ce point.

Kate, de son côté, ne pensait manifestement plus à lui. Elle avait quitté Boston sans un mot, comme si leur nuit n'avait été pour elle qu'une simple récréation. Il aurait dû s'en féliciter. Pas de regrets, pas d'obligations, pas d'adieux larmoyants. Alors, pourquoi était-il furieux qu'elle soit partie sans au moins l'avoir averti ?

Non, Kate ne s'oubliait pas aussi facilement, mais il finirait par l'oublier, comme les autres. C'était l'affaire d'une quinzaine de jours, d'un mois à la rigueur. Après, il n'y penserait même plus.

— Dylan ! Vas-tu aller voir Kate, oui ou non ?

— Je réfléchis.

Dans quelle guêpier s'était-il fourré ? Jamais encore une femme ne l'avait plaqué aussi cavalièrement et il ne savait pas ce qu'il devait penser. Ou plutôt si, il le savait parfaitement : il était vexé. Mortifié. Fou de rage. Avait-il eu, lui, le culot de laisser tomber une fille de cette manière ? Une nuit au lit et puis, bon vent ? Il espérait ne pas l'avoir fait. Mais, après tout, en était-il certain ?

Il revit Kate assise au chevet de son lit d'hôpital. Jamais il n'avait compris comment ni pourquoi il avait été soudain conscient de sa présence, mais il avait ouvert les yeux au moment où elle cédait au sommeil. Il se rappelait seulement qu'il avait été heureux de la voir près de lui quand il souffrait.

Bien sûr, il avait toujours aimé les femmes. Mais celle-ci avait été là pour veiller sur lui. Pourquoi n'en ferait-il pas au moins autant ?

— Si tu n'y vas pas, s'exclama Jordan, à bout de patience devant le long silence de son frère, c'est moi qui irai !

— Bon, d'accord, j'irai, grommela-t-il.

— Quand ?

— Bientôt.

— Demain ?

— Bon, bon, j'irai demain.

— Réjouis-toi, Dylan. Tu auras peut-être l'occasion de tirer sur quelqu'un au lieu de te faire tirer dessus.

## 15

Roger MacKenna avait des « bons copains » – des gars rencontrés dans des casinos, à qui une heure suffisait pour se lier d'une amitié éternelle. Quand Roger gagnait, ils l'aidaient à dépenser joyeusement son argent. Quand il perdait, ses fidèles amis ne le lâchaient pas, non. Ils l'avaient présenté à un généreux prêteur, du nom de Johnny Jackman, qui ouvrait largement son portefeuille. Lorsque Roger s'était retrouvé endetté de deux cent mille dollars – au taux d'intérêt « amical » de cinquante pour cent –, ils l'avaient ramené aux tables de jeu pour lui en faire perdre davantage ou, le cas échéant, profiter de ses gains.

Les requins tels que Jackman s'abstenaient de bousculer Roger car ils savaient, comme tous ceux de Las Vegas qui gravitaient autour du jeu et s'étaient renseignés sur son compte, que Roger hériterait de millions de dollars à la mort de son cher oncle Compton MacKenna. S'il arrivait malheur à Roger avant cette échéance, il ne resterait à ses créanciers que leurs yeux pour pleurer.

Pour Johnny Jackman, Roger représentait un investissement assez précieux pour qu'il le fasse surveiller jour et nuit par ses sbires. Il ne voulait pas non plus que Roger se réforme. Aussi, quand Roger parut s'enticher d'une belle petite, répondant au prénom d'Emma, qui prétendait le guérir de son vice en l'entraînant aux réunions des Joueurs anonymes, Jackman se fit du souci. Peu de temps après, il s'arrangea pour que la douce Emma aille faire une promenade nocturne dans le désert environnant.

Il revint aux oreilles de Roger qu'Emma avait été victime d'un accident de voiture. Ému, il alla à l'hôpital, jeta un regard à son visage tuméfié, et partit en courant au casino. Quant à Emma, elle quitta la ville à sa sortie de l'hôpital et ne donna plus signe de vie. Roger poussa un soupir de soulagement. Il avait éprouvé des remords en la voyant dans cet état pitoyable, mais, puisqu'elle avait disparu de sa vie, il pouvait oublier jusqu'à son existence. Il pouvait, du même coup, oublier les vertueuses réunions censées lui inspirer l'horreur du jeu.

En juillet de cette année-là, Johnny Jackman commença à éprouver quelques inquiétudes. L'ardoise de Roger avait grimpé à plus de sept cent mille dollars et si Roger ne payait pas le casino au début de septembre, Johnny devrait le désintéresser à sa place, puisqu'il s'était porté garant de la solvabilité de son « client ».

Jackman ne pouvait donc plus se permettre de faire preuve de patience. Il invita Roger à dîner dans un grand restaurant et, après lui avoir fait boire une coûteuse bouteille de vin millésimé, lui déclara que s'il n'avait pas remboursé sous trente jours le montant de sa dette, intérêts compris, il se verrait au regret de lui soustraire l'une après l'autre chaque partie de son corps à titre de garantie. Sur quoi, il porta à Roger un toast amical en l'informant qu'il commencerait le découpage entre ses jambes. Johnny ne bluffait pas, Roger le savait...

La consommation quotidienne de trois paquets de cigarettes et d'une bouteille de gin avait vieilli Roger. À trente-quatre ans, il en paraissait soixante. Ses cheveux se raréfiaient et viraient au gris. Son teint aussi, d'ailleurs, du fait de son assiduité aux salles de jeu chichement éclairées. D'une main tremblante aux doigts jaunis par la nicotine, il alluma une cigarette au mégot de la précédente.

— Où veux-tu que je trouve une somme pareille ? Tu

sais bien que je payerai, mais pas avant la mort de mon oncle. Il est malade, il n'en a plus pour longtemps. D'après ma... mes sources, le vieux est même sur le point de claquer.

— Qui est-ce, ta source ?

— Une personne très proche de lui. Je ne vais quand même pas te dire son nom !

Johnny comprit qu'il serait contre-productif de trop insister.

— D'accord. Mais ton oncle peut rester mourant un bon moment, n'est-ce pas ? Si son agonie dépasse les trente et un jours, tu risquerais d'avoir des malheurs.

— Si tu veux bien être patient, je te donnerai un bonus. Et puis, j'ai encore toutes les chances de gagner un gros paquet à une bonne table, non ?

Jackman hocha la tête avec tristesse.

— Tu n'as plus de crédit, mon vieux. Tu ne seras plus le bienvenu à aucune table tant que tu n'auras pas payé tes dettes. Trente et un jours, répéta-t-il. Et si tu ne craches pas toute la somme, tu ne seras même plus un homme. Tu m'as bien compris ? Tu n'auras même pas droit à une gorgée de gin pour faire passer la douleur. Mes associés t'emmèneront dans le désert, te coucheront par terre en t'écartant les jambes et... *clic, clac*, précisa-t-il en imitant des lames de ciseaux. Je pourrais aussi leur recommander de te fourrer les couilles dans la bouche pour t'empêcher de crier quand ils te couperont le pénis. Au fait, Roger, tu as bien des couilles, n'est-ce pas ?

Jackman était le requin le plus respecté du milieu. En voyant ses yeux, Roger se dit que même un animal devait être doté de plus de sentiments. Le truand tiendrait parole, Roger n'en doutait pas. Ce n'est pas en bluffant qu'on devient aussi riche et puissant.

Saisi d'un malaise, Roger se leva si précipitamment qu'il renversa sa chaise et partit en courant. À peine eut-il atteint le couloir des toilettes qu'il se mit à vomir. Jackman le suivit d'un pas mesuré en riant de bon cœur.

— Alors, tu t'arrangeras pour avoir mon argent, Roger ?

— Oui, oui, je l'aurai.

Jackman l'empoigna par le bras et le releva sans douceur.

— Ton cher vieil oncle va bientôt mourir, n'est-ce pas ?

— Oui, bientôt, dit Roger en pleurant à chaudes larmes.

Deux heures plus tard, Roger sauta dans un taxi, se fit conduire à l'aéroport et rentra chez lui par le dernier vol de nuit. Il était trop malade et avait trop peur pour boire une goutte d'alcool. Il savait surtout qu'il devait à tout prix garder les idées claires. Dès son retour à Savannah, il allait rendre une affectueuse visite à son oncle Compton pour vérifier par lui-même si le vieux était aussi bas qu'on le lui avait dit et s'assurer que l'héritage ne tarderait plus.

# 16

Kate s'était trop longtemps apitoyée sur son sort, il était temps de réagir. Son voyage à Boston lui avait permis de se ressaisir. Si Dylan lui avait fait oublier ses problèmes, pendant une nuit du moins, elle était décidée à ne plus jamais se permettre une telle folie. Aussi, en sortant de l'hôpital pour la seconde fois en une semaine, elle se sentit capable de remettre les choses en perspective.

D'abord, elle allait entreprendre des changements radicaux, dont le premier – celui auquel elle attachait le plus d'importance – consisterait à envoyer au diable les secrets. Elle convoqua donc une réunion de famille au cours de laquelle elle expliqua à ses sœurs la nature alarmante de leur situation financière. En guise de conclusion, elle posa la pile de factures au milieu de la table.

Kiera en resta sans voix, mais Isabel refusa d'en croire un mot. Elle n'admettait pas que l'on porte atteinte à la mémoire de leur mère. Kiera dut intervenir pour ramener la paix lorsque Kate exigea d'Isabel qu'elle se décide enfin à ouvrir les yeux et cesse de considérer leur mère comme une sainte intouchable.

— Soyons toutes les trois d'accord pour dire que notre mère a fait de son mieux et essayons d'avancer, déclara-t-elle. Nous disputer ne nous aidera pas à résoudre les problèmes et nous avons un besoin urgent de définir une stratégie.

Isabel finit par se calmer.

— Tu as raison, Kiera, notre mère a fait de son mieux. Nous n'avons jamais souffert de la faim, n'est-ce pas ? Elle nous a apporté à toutes une bonne éducation.

Ses sœurs approuvèrent avec conviction.

— Quant à toi, Kate, poursuivit-elle, elle n'aurait jamais donné ton affaire en gage si elle n'en avait pas eu réellement besoin. Alors, arrête de le lui reprocher. Elle n'est plus ici pour se défendre. La question est donc réglée.

— Quelle question ? voulut savoir Kiera.

Isabel prit une profonde respiration avant de parler.

— Ceci, dit-elle en montrant la pile de factures, veut dire qu'il n'est plus question que j'aille à l'université. Pas encore, se hâta-t-elle de préciser. Puisque Kiera dispose d'une bourse, elle finira sa dernière année de médecine. Quant à toi et moi, Kate, nous devons trouver un job le plus vite possible si nous voulons garder la maison.

— Quelle stratège ! dit Kiera en se retenant de sourire. Il y aurait donc une cervelle sous ces beaux cheveux blonds ?

— Pas besoin d'être sarcastique, répliqua Isabel, vexée.

— Je n'étais pas sarcastique, se défendit Kiera. Je te faisais un compliment.

— Écoute, Isabel, intervint Kate, tes études sont beaucoup plus importantes que la maison. Elle a rempli son rôle, nous pouvons nous en séparer.

— Mais tu pourrais trouver un vrai bon job, avec tes diplômes !

— Crois-tu sincèrement que Kate laisserait la banque lui voler son affaire ? demanda Kiera.

— Je ne crois pas qu'elle pourrait l'en empêcher. Et nous avons besoin d'argent tout de suite, n'est-ce pas ? La compagnie d'électricité nous coupera le courant si nous ne payons pas la facture. Combien de temps nous reste-t-il ? Tiens, j'ai une idée ! Tu sais ce que nous devrions faire ?

Kate préféra ne pas le demander. Les idées d'Isabel étaient plus farfelues les unes que les autres.

— Louons les chambres ! déclara Isabel d'un air triomphant.

Kate ne sut pas laquelle, de Kiera ou d'elle, éclata de rire la première. Isabel les laissa faire.

— C'est une solution pratique, déclara-t-elle quand l'hilarité de ses sœurs se fut enfin calmée.

— Tu ne serais pas un peu ?... commença Kiera.

Kate lui envoya un coup de pied sous la table. Ce n'était pas le moment de se moquer d'Isabel. Leur pauvre petite sœur voyait son univers s'écrouler brutalement. Elle perdait sa maison natale et ses projets d'avenir s'évanouissaient aussi.

— Même si nous trouvions des locataires pour toutes nos chambres, reprit Kiera posément, cela ne suffirait pas à payer les factures et à rembourser l'emprunt. À moins, ajouta-t-elle en souriant, de demander dix mille dollars par semaine.

Découragée, Isabel se passa la main dans ses longs cheveux blonds.

— Bon, d'accord, mon idée est idiote, soupira-t-elle.

— Pas du tout, la réconforta Kate. Nous devons étudier toutes les idées avant de pouvoir en adopter une.

— Si j'étais aussi intelligente que Kiera et toi, gémit-elle, nous n'aurions pas d'inquiétude à nous faire. Je suis vraiment la bouche inutile de la famille.

Kate leva les yeux au ciel.

— Pas de mélodrame, Isabel, je t'en prie, dit Kiera d'un air réprobateur. Ce n'est vraiment pas le moment.

— Bon, je vais défaire mes bagages, dit Isabel d'un ton pitoyable. Dommage ! J'avais mis un temps fou pour tout faire tenir dans la voiture de Kiera... Demain, j'appellerai l'école pour demander qu'on me renvoie ce que j'avais déjà expédié là-bas.

— Ne défais rien. Tu pars, de toute façon.

— Mais comment je ?...

— Il n'y a rien de changé, l'interrompit Kate. Kiera te conduira en voiture avant d'aller à son école de médecine.

— Et où prendrons-nous de quoi payer mon inscription ?

— Elle est déjà payée, dit Kiera. Tu sais, ajouta-t-elle en se tournant vers Kate, je peux faire un emprunt pour couvrir le reste.

— Ton idée n'est pas mauvaise, mais, entre le compte de la maison et celui de mon affaire, je crois avoir de quoi couvrir ses frais du premier semestre.

— Et comment empêcheras-tu la banque de te retirer ton affaire ? demanda Isabel.

— Je m'arrangerai avec mes clients des grands magasins. Je leur consentirai une remise plus importante pour un règlement comptant, quelque chose de ce genre. Ne t'inquiète pas.

— Et si ça ne marche pas ?

— Eh bien, je me rabattrai sur l'idée d'Isabel, répondit Kate en riant. Les hommes accepteront peut-être de payer plus cher si je leur propose un petit... bonus.

Kiera pouffait de rire quand la sonnette de la porte d'entrée interrompit la conversation. Isabel se précipita pour aller ouvrir.

— C'est peut-être notre premier locataire ! lança-t-elle en riant.

Kate décocha à Kiera un regard inquiet.

— Ce n'est pas Reece, au moins ?

— Non, il est déjà parti en Europe. Il a laissé un message pour Isabel en disant qu'il espérait qu'elle réfléchirait sérieusement à leur avenir pendant son absence.

— Quelle plaie, ce garçon ! soupira Kate. Au moins, il est loin.

— Kate ! annonça Isabel du pas de la porte. Ton premier locataire est arrivé !

Kiera et Kate se levèrent, intriguées, au moment où Isabel, un large sourire aux lèvres, entrait... suivie de Dylan Buchanan.

Stupéfaite, Kate retomba sur sa chaise, incapable

d'articuler un mot. Isabel présenta Dylan à Kiera, qui lui tendit la main.

— Nous avons tellement entendu parler de vous que nous sommes ravies de faire enfin votre connaissance, dit-elle. Nous n'avons pas pu assister à la cérémonie de remise des diplômes de Kate et de Jordan. Toute votre famille y était, sans doute ?

— Oui, répondit Dylan en souriant. Mais nous sommes si nombreux que nous vous aurions probablement fait peur.

Ignorant délibérément la présence de Kate, il poursuivit sa conversation avec Kiera et Isabel, qui le bombardaient de questions sur la maison de famille de Nathan's Bay et la vie à Boston.

Kate était encore sous le choc. Incapable de dire quoi que ce soit, elle regardait Dylan, en espérant qu'elle ne rougissait pas trop. Ses joues étaient en feu. Était-ce un signe de culpabilité. Mais, après tout, de quoi devrait-elle se sentir coupable ? Comme si tu n'en savais rien ! lui chuchota la voix de sa conscience. Faire l'amour toute la nuit d'une manière débridée, pour ne pas dire sauvage, avec le frère de sa meilleure amie a de quoi donner des remords, non ?

Qu'il est beau ! pensait-elle. Beau, mais défense de toucher, ajouta-t-elle au souvenir de son corps ferme et chaud serré contre le sien. Un homme pouvait-il avoir grandi de dix centimètres en deux jours ? s'étonnait-elle. Non. Il paraissait juste plus grand parce qu'il dépassait Isabel d'une tête. Assez ! Sa nuit de folie était du passé et plus vite Dylan sortirait de chez elle, mieux cela vaudrait – pour le repos de son âme.

Lorsque Kate fut enfin en état de cesser de le contempler bouche bée, elle prit conscience de l'impression qu'il faisait sur ses sœurs. Isabel était en extase comme devant une star de cinéma et Kiera souriait sans arrêt en portant alternativement un regard perplexe de Kate à Dylan et de Dylan à

Kate. Si elle se doutait de quelque chose, Kate espéra qu'elle n'avait pas encore tout deviné.

Une parole d'Isabel arracha à Dylan son irrésistible sourire en coin. Kate décida alors de se secouer.

— Pourquoi es-tu venu ? demanda-t-elle en se levant.

Elle regretta aussitôt sa question, car le sourire disparut et le regard qu'il lui lança exprimait à la fois le dédain et l'envie de meurtre.

— Kate, tu oublies tes bonnes manières ! intervint Isabel, choquée du ton acerbe de sa sœur.

Kate fit le tour de la table et s'avança vers Dylan, la main tendue.

— Très heureuse de te revoir, dit-elle de son plus bel accent du Sud – qui lui revenait quand elle était énervée.

Dylan ne prit pas la main tendue. Puisque la Belle du Sud n'a pas de succès, se dit-elle, redevenons impolie.

— Je te le répète, pourquoi es-tu ici ?

— Mais enfin, Kate ! s'indigna Isabel. Tu es d'une incorrection ! Voulez-vous boire quelque chose de frais ? minauda-t-elle en regardant Dylan. Du thé glacé, un soda ?

— Rien, merci.

— Si nous allions au salon, ce serait plus confortable, intervint Kiera en se hâtant de ramasser la pile de factures sur la table.

Dylan ne prêtait aucune attention à Kiera et Isabel. Il ne regardait que Kate et constatait avec plaisir que son arrivée inattendue l'avait secouée. Elle méritait au moins cela pour avoir décampé de Boston sans même un au revoir.

— Pourquoi ne m'as-tu pas dit que tu venais ? lui demanda-t-elle comme si elle avait deviné sa dernière pensée.

— Et toi, pourquoi ne m'as-tu pas dit que tu partais ?

— Partir d'où ? s'étonna Isabel.

Kate l'ignora. Les bras croisés, la mine sévère, elle fit un pas vers Dylan.

— J'ai eu Jordan au téléphone il y a moins de deux

heures. Savait-elle que tu venais ? Non, c'est impossible, elle me l'aurait dit.

— En fait, c'est elle qui m'a envoyé ici.

— Non, dit Kate d'un air soupçonneux.

— Si.

— Alors, vous allez rester chez nous ! exulta Isabel. Kiera et moi devons malheureusement partir demain, mais Kate sera ravie que vous lui teniez compagnie. N'est-ce pas, Kate ? ajouta-t-elle en décochant à sa sœur un regard comminatoire.

— Votre invitation est très aimable, mais je ne pourrai pas l'accepter, je dois rentrer à Boston le plus tôt possible. Dès que j'aurai parlé à Kate, j'irai à l'hôtel si je ne peux pas reprendre l'avion ce soir.

— Mais non, restez ici, nous avons de la place, insista Isabel.

— S'il préfère aller à l'hôtel, nous ne devons pas le forcer à rester, intervint Kate en lançant à sa sœur un regard incendiaire.

— Acceptez au moins de dîner, plaida Isabel avec un sourire qui fit apparaître ses fossettes.

Kate résista à grand-peine à l'envie de bâillonner sa petite sœur avec un des torchons pendus près de l'évier.

— Je ne crois pas que Dylan..., commença-t-elle.

— Merci, avec plaisir, l'interrompit-il.

Lui-même ne saurait dire s'il avait si volontiers accepté parce qu'il avait faim ou pour continuer à agacer Kate. Isabel était aux anges.

— Vous allez goûter à l'hospitalité du Sud, promit-elle.

— Je me réjouis d'avance de...

La sonnerie de son téléphone portable l'interrompit. Le numéro qui s'afficha sur l'écran le fit sourire.

— Excusez-moi, ce ne sera pas long, dit-il en sortant de la cuisine.

Kate attendit qu'il soit hors de portée de voix pour se tourner vers Isabel.

— Tu as fini de flirter avec lui ? fulmina-t-elle. Je ne

veux pas qu'il reste dîner, encore moins qu'il couche ici. Je veux qu'il reparte à Boston le plus vite possible.

— Et moi, je veux qu'il reste, rétorqua Isabel.

— Qu'est-ce qui t'arrive, Kate ? s'étonna Kiera. Depuis que Dylan est arrivé, tu te conduis bizarrement.

— Tu es même désagréable et grossière, renchérit Isabel.

— Il ne m'arrive rien, soupira Kate, agacée. Je suis fatiguée, c'est tout. J'ai simplement besoin d'une bonne nuit de sommeil.

— Tu veux savoir ce que je pense ? dit Isabel.

Ses sœurs ne parurent pas désireuses de l'apprendre.

— Isabel, dit Kiera, va mettre la table. Le dîner est presque prêt.

Ulcérée, Isabel obéit sans protester.

— Il se passe quelque chose, Kate, chuchota Kiera quand Isabel se fut éloignée. Et ne me dis pas que c'est dans mon imagination. Je vois les étincelles qui passent entre vous deux, la manière dont vous vous regardez.

— Il regarde toutes les femmes comme cela. À Boston, ses conquêtes ont même formé un fan-club…

Kiera fit signe à Kate de se taire parce que Dylan se tenait sur le pas de la porte, mais Kate ne vit rien.

— Elles sont toutes folles de lui, conclut-elle.

— Et moi, j'adore les femmes, ce n'est pas un secret, enchaîna Dylan, nonchalamment adossé à la porte.

Il énonçait une évidence, sans vantardise ni embarras. Nullement gênée d'avoir été entendue, Kate se tourna vers lui.

— C'est exact. Je peux te parler en privé ?

— Bien sûr, Pickle.

— Tu as fini de me donner ce surnom ridicule ? gronda Kate.

— Voulez-vous boire quelque chose avant votre conversation ? intervint Kiera. Vous aurez peut-être besoin d'un remontant, Kate n'est pas de très bonne humeur. Mais elle n'est pas toujours comme cela, elle peut même être très aimable si elle s'en donne la peine. Quand vous la connaîtrez mieux, vous l'apprécierez autant que nous.

Un sourire amusé apparut sur les lèvres de Dylan.

— Je ne crois pas pouvoir la connaître mieux que je ne la connais déjà, dit-il en s'amusant du regard meurtrier que lui décocha Kate. Pourquoi croyez-vous que je la surnomme Pickle ? Parce qu'elle est douce au premier abord et acide l'instant d'après.

Consciente de la tension qui montait entre eux, Kiera jugea plus sage de ne pas insister.

— Bon, je vous laisse parler.

Elle arrivait à la porte au moment où Isabel s'apprêtait à entrer. Kiera la prit par le bras et la poussa fermement en direction du salon.

— Et maintenant, demanda Kate en fronçant les sourcils, vas-tu enfin m'expliquer ce que tu viens faire ici ?

— Jordan croit que tu es en danger.

— Je ne cours aucun danger. J'ai simplement eu un peu de malchance depuis quelques jours, Jordan a tort de s'inquiéter.

— Elle m'a dit que tu as été victime d'une explosion. Pourquoi m'as-tu dit que tu t'étais fait ces bleus et ces cicatrices en tombant ?

— Parce que j'ai vraiment fait une chute. J'ai estimé inutile de te préciser que j'étais tombée à cause d'une explosion.

— Pourquoi ne pas me l'avoir dit ?

— Parce que tu ne me l'avais pas demandé.

— On a aussi essayé de t'écraser dans un parking ?

— Oui, mais ce n'était qu'un gamin qui faisait le malin.

La mine de plus en plus sombre, il s'approcha, souleva une mèche de cheveux sur son front.

— D'où viennent ces écorchures ? Elles n'y étaient pas l'autre jour, n'est-ce pas ?

— Non, admit-elle en reculant d'un pas.

— Tu es encore tombée ?

— Non. Je me suis trouvée par hasard au mauvais

endroit au mauvais moment, voilà tout. Cela peut arriver à tout le monde, insista-t-elle. Il n'y a vraiment pas de quoi vous inquiéter, Jordan et toi. Tout cela est parfaitement explicable.

Dylan attrapa une chaise et s'assit à califourchon en face de Kate, les bras croisés sur le dossier.

— Bon, alors explique. Et commence par me parler de cette explosion.

— Laquelle ?

## 17

— Tu veux dire qu'il y a eu plus d'une explosion ?
voulut savoir Dylan, incrédule.

— Oui, admit Kate. Jordan ne te l'a pas dit ?

— Non.

— Elles n'ont aucun rapport l'une avec l'autre. La
première était due à une bombe et la seconde à une fuite
de gaz. Elles n'ont même pas eu lieu dans la même ville. Tu
vois, il n'y a aucune raison de s'affoler.

— Reprends tout depuis le début.

— Tout ? soupira-t-elle.

— Tout.

Sa mine butée fit comprendre à Kate qu'il ne la lâche-
rait pas tant qu'elle n'aurait pas au moins résumé ce qu'elle
venait de lui exposer. Elle s'exécuta, mais à contrecœur.

— Bien, dit-il quand elle eut terminé. Voyons si j'ai bien
compris le fil des événements. Première explosion à Charleston, première hospitalisation, voyage à Boston, tentative
de meurtre dans le parking de l'aéroport de Charleston,
deuxième explosion à Silver Springs, deuxième hospitalisation et deuxième retour chez toi.

— N'oublie pas Reece, intervint Kiera du pas de la
porte. Il était traumatisant, lui aussi.

— Il était plus exaspérant que traumatisant, la corrigea
Kate, avant de décrire l'attitude de Reece le jour où il était
venu sonner à la porte.

— Pourquoi n'as-tu pas appelé la police ? demanda Dylan.

— Qu'est-ce que la police aurait pu faire ? Il ne m'a pas menacée, pas plus que Kiera et Isabel. On ne peut pas arrêter quelqu'un sous le simple prétexte qu'il se rend odieux.

— A-t-il levé la main sur toi ? insista Dylan.

— Non, mais il n'aurait peut-être pas hésité à me bousculer pour forcer le passage et entrer voir si Isabel était vraiment absente. Il était convaincu qu'elle se cachait dans la maison.

— Te toucher d'une manière ou d'une autre aurait suffi pour faire intervenir la police.

— Kate y a pensé, intervint à son tour Isabel, qui se tenait derrière Kiera. Après nous avoir raconté ce qui s'était passé, elle a dit qu'il était encore temps de porter plainte, mais... je l'ai suppliée de ne pas le faire, admit-elle avec embarras. Il me faisait de la peine, ce garçon. Je veux dire, il prenait ses désirs pour des réalités et je pensais qu'une fois redevenu sobre il comprendrait qu'il ferait mieux de penser à autre chose. Et puis, je m'en vais bientôt et il doit rester longtemps en Europe. Je suis prête à parier qu'il sera amoureux d'une autre quand il reviendra. Je suis sûre qu'il m'oubliera, mais je doute qu'il pardonne jamais à Kate, parce qu'il est persuadé que c'est elle qui me force à partir à l'université pour me séparer de lui.

— Vous devriez aller au salon, vous deux, dit Kiera.

— C'est vrai, Kate, tu nous gênes. Kiera et moi devons servir le dîner, renchérit Isabel, enchantée de changer de sujet.

Dylan suivit Kate, qui s'assit au milieu du canapé.

— Assieds-toi, offrit-elle.

Elle aurait dû préciser où car il prit place à côté d'elle, si près que leurs bras se frôlèrent et qu'elle dut se pousser en hâte.

— Bien, dit-il. Reprenons.

— Encore ?

— Oui. Tu as pu oublier quelque chose.

— Je n'ai rien oublié du tout ! Rentre à Boston et dis à Jordan qu'elle cesse de se faire du mauvais sang pour rien.

— Elle est convaincue que tu es en danger.

— Et tu as fait tout ce chemin pour me sauver la vie ? Je n'ai besoin de personne pour me protéger. Je suis parfaitement capable de résoudre moi-même les problèmes qui se présentent.

— Kate, tu connais mon métier ? dit-il en se forçant à rester patient.

— Oui, répondit-elle avec résignation. Tu es lieutenant de police à Boston.

— Exact. C'est la raison pour laquelle Jordan m'a demandé de venir voir de quoi il retourne. Sais-tu qui est chargé de l'enquête sur la première explosion ?

— Oui, l'inspecteur Nate Hallinger. Pourquoi ?

— Je voudrais lui parler. Est-il certain qu'il s'agissait d'une bombe destinée à tuer cette artiste peintre, Cinnamon ?

— Elle est placée sous la protection de la police. Il doit donc être sûr qu'elle était la victime désignée.

— Quel genre d'explosif a été utilisé ?

— Je n'en sais rien, je n'ai pas demandé. Et je doute que l'inspecteur Hallinger m'ait fourni cette information.

— À part cela, qu'est-ce qu'il t'a dit ?

— Je ne m'en souviens pas très bien.

— Fais un effort.

— Tu n'as pas besoin d'être aussi désagréable ! Le salon n'est pas une cellule et je ne suis pas une suspecte.

Il ne put retenir un bref éclat de rire.

— Qu'est-ce que j'ai dit de si drôle ?

— Tu crois vraiment que c'est comme cela que j'interroge les suspects ?

— Tu prenais un ton…

— Continuons, l'interrompit-il. Tu étais dans ta voiture quand la deuxième explosion s'est produite ?

— Oui. Un infirmier m'a dit que les pompiers avaient

dû m'en extraire avec un ouvre-boîte. J'étais inconsciente, heureusement, parce que je n'aurais pas aimé ouvrir les yeux pour me voir à moitié écrasée sous la tôle. J'aurais eu l'impression d'être dans un cercueil.

— Tu as eu de la chance de t'en sortir vivante, dit-il en sentant son cœur manquer quelques battements.

D'un geste désinvolte, elle signifia que son épreuve n'avait rien eu d'aussi terrible qu'il le croyait.

Dylan mourait d'envie de la prendre dans ses bras mais, compte tenu de son humeur, elle aurait sans doute réagi en lui donnant un méchant coup sur son épaule blessée. Il décida donc qu'après avoir fait le point sur ses problèmes il la mettrait en demeure de lui expliquer pourquoi elle montrait une telle hostilité envers lui. D'ici là, si ça l'amusait de faire comme s'ils se connaissaient à peine, eh bien, il jouerait le jeu.

Il ne croyait pas aux coïncidences et n'admettait pas de classer dans la catégorie « malchances fortuites » deux miracles consécutifs. Se trouver au mauvais endroit au mauvais moment une fois, il voulait bien l'admettre. Mais deux fois ? Non, impossible.

Le long silence de Dylan finissait par énerver Kate, qui croisait et décroisait les jambes sans savoir que dire.

— L'inspecteur Hallinger t'a donné sa carte ? demanda-t-il enfin. Je voudrais bien lui parler.

— Oui, je l'ai gardée. Je vais la chercher.

Elle alla dans la cuisine, où Kiera lavait la salade pendant qu'Isabel pliait des serviettes.

— Kiera, où as-tu mis la carte de l'inspecteur Hallinger ?

— Sur la porte du frigo, sous la vache aimantée.

— Oh !… s'écria Isabel.

— Qu'est-ce que tu as ? s'étonna Kate.

— Ne te fâche pas…

— De quoi ?

— J'ai oublié de te dire que M. Hallinger t'a appelée.

— Quand cela ?

111

— Il y a une heure. Il voudrait passer te voir un peu plus tard.

— Il a dit pourquoi ?

— Non et je n'ai pas osé le lui demander.

— Quand apprendras-tu à noter les messages, Isabel ?

— J'étais en train de téléphoner quand le bip m'a interrompue, expliqua-t-elle. J'ai pris l'appel avant de reprendre le mien, c'est tout.

— Le dîner est prêt, annonça Kiera.

Kate retourna au salon et donna la carte à Dylan.

— Tu n'auras pas besoin de l'appeler, il doit venir tout à l'heure. Le dîner est prêt. Je vais te montrer où tu peux te rafraîchir. J'aimerais que nous ne parlions pas des explosions pendant qu'on mange, reprit-elle en ouvrant la porte d'une salle de bains. Je ne veux pas que Kiera et Isabel s'inquiètent. Si elles croient qu'il y a un…

— Un quoi ?

— Un… problème, elles ne voudront plus partir.

— Tu les couves.

— Oui. De plus, le fait que j'aie failli sauter deux fois n'est pas un sujet de conversation à table, déclara-t-elle en s'étonnant de prononcer de telles paroles.

Le dîner fut délicieux et la discussion agréable. À la fin, Isabel débarrassa, Kate et Kiera firent la vaisselle. Dylan proposa de les aider, mais Isabel s'y opposa avec la plus grande fermeté.

— Dans le Sud, les invités n'ont pas le droit de lever le petit doigt.

Kiera lui fit comprendre qu'il serait inutile de discuter. Dylan se le tint pour dit et alla s'isoler un instant au salon pour téléphoner. Kate remarqua qu'il refermait la porte derrière lui.

La sonnette de l'entrée tinta quelques instants plus tard.

— C'est sûrement l'inspecteur Hallinger, dit Isabel, qui partit en courant. Kiera, tu as le temps de monter te mettre du rouge à lèvres.

Celle-ci avait les mains dans l'eau de vaisselle. Elle se contenta de pousser un soupir résigné.

— Elle ne se lassera décidément jamais, commenta-t-elle.

— Pour une fois, elle s'en prend à toi plutôt qu'à moi, dit Kate en riant.

— Elle te laisse tranquille parce qu'elle est convaincue que tu as trouvé l'homme de ta vie.

— C'est-à-dire Dylan ?

— Oui. Et je crois comprendre pourquoi elle tient autant à m'en trouver un. Elle ne veut pas que je me retrouve seule et que j'aie peur.

— Parce qu'elle-même a peur de la solitude, n'est-ce pas ?

— Oui. L'année dernière a été beaucoup plus dure pour elle que nous deux. Elle était si proche de maman... Nous ne devons pas la laisser se sentir seule au monde. Je lui téléphonerai tous les jours pour voir si elle s'adapte bien à sa nouvelle vie et toi, Kate, tu devras lui rendre visite les week-ends. J'irai aussi, si je trouve le temps.

— D'accord, notre tâche est toute tracée. Au fait, as-tu remarqué que Dylan lui posait des tas de questions sur Reece ?

— Oui. Il le faisait avec beaucoup de tact, d'ailleurs.

— Je suis sûre qu'il est au téléphone en ce moment pour vérifier si Reece n'est pas un dangereux criminel avec un casier chargé.

— Ce serait le comble !

Kate finit d'essuyer la vaisselle, donna le torchon à Kiera et alla accueillir l'inspecteur Hallinger. Dylan était déjà à la porte. Isabel attendit que Kate ait fait les présentations avant de le saluer avec son sourire le plus charmeur.

— Combien de temps resterez-vous parmi nous, lieutenant ? demanda Hallinger.

Kate allait répondre qu'il partait le lendemain, mais Dylan la prit de vitesse.

— Un moment, sans doute.

Les deux hommes se toisaient du regard, comme deux boxeurs se jaugent en montant sur le ring.

— Où allez-vous séjourner ? demanda Hallinger.

— Je ne sais pas encore, répondit Dylan.

— J'espère que vous resterez chez nous, intervint Isabel avant de se tourner vers Hallinger. Je suis enchantée de vous revoir, inspecteur.

— Moi aussi, répondit-il en souriant.

— Venez donc vous asseoir, l'invita-t-elle en indiquant le salon.

Dylan et l'inspecteur y entrèrent ensemble. Ils se parlaient à voix si basse que Kate ne put rien entendre de ce qu'ils se disaient. Elle remarqua seulement que Hallinger avait sorti son calepin et prenait des notes.

— Lui as-tu offert à boire ? souffla Isabel à Kate.

— Tu sais bien que non, tu étais à côté de moi. De toute façon, ce n'est pas une visite de courtoisie.

— Qu'est-ce qu'il avait de si important à te dire ?

Kate ne répondit pas. Elle surveillait les deux hommes qui continuaient à se parler à mi-voix. Isabel l'entraîna vers l'escalier.

— Écoute, l'inspecteur Hallinger m'a dit au téléphone qu'il voulait te parler de quelque chose de très important. J'ai trouvé qu'il avait l'air sombre ou inquiet. Alors, je te préviens, Kate, je ne partirai pas si tu es en danger. Je veux savoir ce que l'inspecteur a à te dire. Je resterai avec toi et j'écouterai sans intervenir.

— Il a seulement besoin que j'apporte quelques précisions à mon témoignage. Il n'y a rien de plus que tu ne saches déjà.

Kate mentait, bien entendu, et Isabel s'en rendit compte.

— Comment le sais-tu ? Il n'a pas eu le temps de te parler.

Kate chercha en hâte une réponse plausible.

— Eh bien, je le sais parce que Dylan me l'a dit. Tu as confiance en lui, n'est-ce pas ?

114

— Oui, bien sûr, mais c'est impossible. Il vient seulement de rencontrer l'inspecteur Hallinger.

— Que tu es soupçonneuse, grand Dieu ! Dylan a déjà téléphoné aux collègues de l'inspecteur.

— Ah, bon.

Kate était atterrée de mentir aussi facilement, mais Isabel paraissait rassurée. En pareil cas, la fin justifiait donc les moyens.

— Tout va bien, je t'assure. Et j'offrirai à boire à l'inspecteur. Voilà, tu es contente maintenant ?

— Maman n'aurait pas voulu que tu sois incorrecte avec un invité.

— Oui, je sais.

La Troisième Guerre mondiale aurait beau faire rage, Isabel tiendrait mordicus au respect des traditions du Sud.

Kate s'éloignait en direction du salon quand Isabel la retint.

— Encore une chose. Et ne te fâche pas.

— Qui d'autre a appelé ? soupira Kate.

— Carl.

— Quand ?

— Cet après-midi.

— Qu'est-ce qu'il voulait ?

— Juste prendre de tes nouvelles. Il était bouleversé et s'en voulait à mort que tu aies été blessée dans sa galerie.

— Je n'ai rien eu de grave.

— Tu as failli être tuée ! protesta Isabel. Il m'a dit aussi qu'il souffrait le martyre d'être responsable de tes malheurs et qu'il espérait que tu trouverais dans ton cœur la force de lui pardonner. Il est un peu comédien, tu ne trouves pas ?

— Quelquefois. Je l'appellerai dès que j'aurai un moment de libre.

— Tu ne pourras pas, il partait se reposer dans un endroit tranquille et il ne m'a pas dit où.

— Eh bien, j'attendrai qu'il réapparaisse. Autre chose ?

— Euh… oui, admit Isabel d'un air penaud. Il y a aussi eu un coup de fil de la dame des boîtes. Elle avait à te parler de quelque chose de très important. Mais je ne t'ai pas prévenue tout de suite, ajouta-t-elle en hâte, parce qu'elle a dit qu'elle rappelait. Tiens, le téléphone sonne ! C'est sûrement elle.

C'était en effet Haley George. Appelée par tous ses clients la « dame des boîtes », elle était l'un des plus précieux fournisseurs de Kate. Sa petite entreprise, qui concevait et produisait des emballages spéciaux, fournissait à Kate les fameuses boîtes octogonales qui faisaient partie de son image de marque. Ses livraisons n'avaient jamais de retard et Kate se fiait aveuglement à son professionnalisme et à son efficacité.

— Je suis désolée de vous appeler aussi tard. Je sais que vos affaires sont en suspens en ce moment, mais je voulais vous avertir au plus vite pour que vous ne subissiez pas de retard quand vous reprendrez la production. Je sais combien vous tenez aux détails.

— Merci, Haley. Que se passe-t-il ?

— Les nouveaux rouleaux de ruban ont été livrés aujourd'hui. Vos initiales sont imprimées comme d'habitude en lettres dorées, mais la couleur du ruban n'est pas la même. Au lieu de votre vert émeraude, on a du vert mousse. Si je renvoie le colis, cela pourrait prendre un mois avant que je reçoive les rouleaux de la bonne couleur. Que dois-je faire ?

Kate poussa un soupir agacé. Au milieu de tous ses problèmes, la couleur du ruban ne figurait pas parmi les priorités. Malgré tout, la couleur et les formes de ses emballages étaient sa marque de fabrique et Kate attachait effectivement beaucoup d'importance au moindre détail.

— Renvoyez-les, répondit-elle. Merci de m'avoir prévenue.

— D'accord, pas de problème.

Une légère variation dans la couleur du ruban est peut-être insignifiante, pensa-t-elle en raccrochant, mais, tant que mon entreprise m'appartient, je veillerai à ce que les normes de qualité et de présentation que je me suis fixées soient respectées.

— Dylan te demande, l'informa Isabel en passant la tête par la porte.

— J'arrive.

— Et puis, Kate, sois gentille avec lui. Il est le frère de Jordan, ta meilleure amie. Tu pourrais lui manifester un peu d'affection.

Un peu d'affection ? Si seulement elle savait ! Son affection pour Dylan avait atteint à Boston des sommets himalayens...

Kate rejoignit les deux hommes au salon et s'excusa de les avoir fait attendre, mais ils paraissaient ne pas s'être formalisés de son absence. Ils étaient trop occupés à échanger des anecdotes sur leurs fonctions respectives, que le retour de Kate interrompit.

— Nate me disait que le FBI et une autre agence fédérale sont maintenant mêlés à l'enquête, ce qui ne m'étonne pas, annonça Dylan.

— Un vrai cirque, commenta Hallinger. Chacun veut mener l'enquête à sa guise, tout le monde se marche sur les pieds et ce n'est que le début.

— En plus, personne ne veut partager ses informations avec les autres tant que les rapports ne sont pas terminés, renchérit Dylan.

Kate comprit que Dylan schématisait la situation, mais il était évident que la multiplication des intervenants ne simplifiait rien.

— Et que devenez-vous dans tout cela, inspecteur Hallinger ? demanda-t-elle.

— Appelez-moi Nate, je vous en prie. Disons que je suis tout en bas de l'échelle alimentaire, répondit-il en souriant.

— Alors, qu'allez-vous faire ?

— Mon travail.

— Cette enquête est toujours officiellement la sienne, même si les autres agences veulent tirer la couverture à elles, précisa Dylan.

Les deux hommes étaient vite devenus alliés, sinon amis. Kate savait que leurs fonctions les plaçaient en première ligne et qu'ils n'appréciaient ni l'un ni l'autre que des étrangers viennent fourrer leur nez dans leur territoire.

— C'est les gars du FBI qui me donneront le plus de fil à retordre, confirma Nate. Ils prennent des airs supérieurs et savent toujours tout.

Kate remarqua que Dylan se contentait de sourire.

— As-tu mentionné à Nate que tu as deux frères au FBI ?

— C'est vrai ? dit Nate avec une moue embarrassée. Je suis désolé, je n'aurais pas dû...

— Aucune importance, l'interrompit Dylan. Nick et Alec sont aussi du genre à prendre des airs supérieurs et à croire qu'ils savent tout.

— Qu'avez-vous appris jusqu'à présent ? demanda Kate. Avez-vous des pistes ? Des suspects ?

— Nous avons déterminé que l'explosif était placé à l'intérieur de la tente dans un panier de fleurs. Ce panier se trouvait vers le fond de la tente devant une table. La vôtre, précisa-t-il.

— Je me souviens de ces fleurs, elles étaient superbes. Mais je n'ai pas vu qui les avait livrées, enchaîna-t-elle pour prévenir la question de Nate. J'étais allée quelques minutes dans la galerie et quand je suis revenue sous la tente, j'ai vu qu'elles y étaient, c'est tout.

— J'arrive de l'aéroport, d'où j'ai ramené un expert de l'équipe fédérale des recherches. Je m'attendais au pire, mais c'est un type très bien. Il m'a donné quelques renseignements. Je vous les livre officieusement, bien sûr, parce qu'il doit examiner le site à la loupe avant de rendre ses conclusions, mais il sait de qui il s'agit. Il poursuit même cet individu depuis des années.

— Quoi ? s'exclama Kate. Il connaît le poseur de bombe ?

— Sa signature, précisa Nate. Il connaît bien sa signature.

Déconcertée, Kate se tourna vers Dylan.

— Chaque poseur de bombes a un mode opératoire, une signature, si tu préfères, expliqua-t-il. Ces gens-là sont volontiers routiniers. Les uns se tiennent à un type d'explosifs et d'autres, comme dans le cas présent, à une manière de dissimuler leur bombe. Celui-ci cache toujours ses engins dans des paniers de fleurs.

— Nous l'avons même surnommé « le fleuriste », ajouta Nate.

— Charmant, commenta Kate.

— Il affectionne les destructions massives, d'immeubles, en particulier. Il ne dédaigne pas non plus de faire sauter des voitures ou des maisons quand l'occasion se présente. Mais il a une circonstance atténuante : personne ne se trouve à l'intérieur quand l'explosion se produit. Il prend bien soin de ne pas tuer des gens.

— Jusqu'à présent, le corrigea Dylan.

— En effet, approuva Nate. Vous avez de très bons pompiers dans votre ville, poursuivit-il. L'un d'eux a remarqué des similitudes avec la bombe de Charleston et nous a appelés pour savoir qui était chargé de l'enquête. C'est comme cela que j'ai appris que vous étiez à l'entrepôt au moment de l'explosion. Les tuyaux de gaz avaient été sabotés, mais ce n'était pas suffisant pour expliquer l'étendue des dégâts. Nous avons donc vérifié et compris qu'il s'agissait...

— D'une bombe ? enchaîna Kate.

— Oui, et vous êtes le seul point commun entre les deux, répondit Hallinger. Alors, nous nous posons maintenant la question. Qui peut bien vouloir vous tuer ?

## 18

Il fallut à Kate deux bonnes minutes pour encaisser le choc. Nate constata avec soulagement qu'elle ne piquait pas de crise de nerfs et qu'il avait eu raison de la juger incapable d'hystérie. En apparence, elle restait maîtresse d'elle-même. Mais intérieurement elle devait bouillonner.

— Je n'ai vraiment pas besoin de ça en ce moment, se borna-t-elle à commenter.

— Il y aurait un moment mieux choisi que d'autres pour se faire tuer ? demanda Dylan en souriant.

Elle comprit le côté ridicule de ses paroles, rougit, bafouilla.

— Non. Enfin, je voulais dire…

— Nous n'en sommes encore qu'au début de l'enquête, dit Nate. Elle peut nous entraîner sur des dizaines de pistes différentes mais, pour votre sécurité, nous devons nous tenir à l'hypothèse que vous êtes la cible et prendre les précautions nécessaires.

— Alors, que suggérez-vous ?

— Combien de temps comptez-vous rester ici ? demanda Nate à Dylan.

— Le temps nécessaire. Il me faudra une arme.

— Bien sûr. J'en avertirai Bob Drummond, le chef de la police de Silver Springs. Attendez-vous à ce qu'il se renseigne sur vous et veuille vous rencontrer. Je vous préviens, c'est un dur, et comme il est près de la retraite il n'a pas de scrupules à vexer les gens. Il vous donnera du fil à retordre, mais...

— Attendez ! intervint Kate. Tout cela est absurde !

— Pas jusqu'à preuve du contraire, déclara Nate. Connaissez-vous quelqu'un qui voudrait se venger d'une manière ou d'une autre ? Ou à qui votre disparition profiterait, un associé par exemple ?

— Je n'ai pas d'associé. Mes sœurs sont les seules bénéficiaires de mon assurance vie et le capital n'est pas considérable. Il y aurait bien Reece Crowell qui pourrait souhaiter se débarrasser de moi...

— Je sais, confirma Nate, Dylan m'en a parlé.

— Vous vous trompez, j'en suis convaincue ! J'ai été absente près d'un an, je viens juste de revenir. Je ne suis pas ici depuis assez longtemps pour m'être fait des ennemis !

Kate sentait le mal de dos la gagner. Trop énervée pour se détendre, elle restait perchée au bord du canapé. Un bras négligemment posé sur le dossier, les jambes croisées, Dylan, pour sa part, paraissait parfaitement décontracté.

— Qui est le propriétaire de l'entrepôt ? demanda-t-il.

— D'après mes sources, il s'agirait d'une société, répondit Nate. Je n'ai pas encore de nom. Comment avez-vous appris qu'il était à louer ? demanda-t-il à Kate.

— Par un agent immobilier. Il m'a fait visiter plusieurs locaux et j'ai choisi celui-là, qui était le mieux adapté à mes besoins.

— Comment êtes-vous entrée en contact avec cette agence ?

— Carl Bertolli lui avait suggéré de m'appeler.

— Intéressant, commenta Dylan.

— Celui-là même qui vous avait demandé d'arriver de bonne heure à sa réception, n'est-ce pas ? demanda Nate.

— Oui... Non, attendez ! En réalité, c'est ma tante Nora qui avait écouté le message sur le répondeur, et j'ai supposé qu'il s'agissait de Carl. Maintenant que j'y pense, ce n'était sûrement pas lui parce que, lorsqu'il m'a appelée sur mon portable pour me demander de venir le plus vite possible pour l'aider, il avait l'air étonné que j'y sois déjà.

— Vous l'avez interrogé ? demanda Dylan à Nate.

— Bien sûr. Et croyez-moi, ça n'a pas été de tout repos. Il a presque fondu en larmes dans mes bras.

— Vraiment ?

— Il ne savait rien ni n'avait rien vu parce qu'il était déjà en route pour aller chercher l'invitée d'honneur. J'ai vérifié ses dires auprès du chauffeur de la limousine, qui confirme l'horaire. Je lui parlerai de nouveau quand les types du FBI en auront fini avec lui.

— Il faudra d'abord qu'ils le trouvent, intervint Kate.

— Qu'ils le trouvent ? répéta Nate.

— Isabel m'a dit qu'il avait appelé dans la journée ; il s'apprêtait à s'isoler un moment. Il le fait de temps en temps, s'empressa-t-elle d'ajouter pour éviter à Nate d'en tirer des conclusions hâtives. Quand sa vie devient trop stressante, il s'en va quelque part pour revenir rafraîchi et en pleine forme.

— Je n'ai pas l'intention d'attendre son retour, déclara Nate, je le retrouverai avant.

— Carl éprouve-t-il souvent le besoin de s'isoler ? voulut savoir Dylan.

— Trois ou quatre fois par an. Vous pourriez peut-être parler à sa fiancée, Carl ne part jamais sans lui dire où il va. À cause de ses affaires, elle ne peut pas l'accompagner à chaque fois. Elle est charmante, poursuivit-elle en écrivant un nom et un numéro de téléphone, mais un peu… nerveuse. Essayez de ne pas lui faire peur.

— Nerveuse et fiancée à Bertolli ? s'étonna Nate. Le couple idéal.

— Vous perdrez votre temps avec Carl, dit Kate. S'il dit qu'il ne sait rien et qu'il n'a rien vu, c'est certainement vrai. Si vous le connaissiez aussi bien que moi, vous sauriez que c'est un homme foncièrement gentil et généreux qui a beaucoup fait pour notre ville.

— Parlez-moi de l'homme qui vous a appelée pour vous

donner rendez-vous à l'entrepôt. Aviez-vous déjà entendu sa voix ?

— Non.

— La reconnaîtriez-vous si vous l'entendiez de nouveau ?

— Il y avait un tel bruit de fond que je comprenais à peine ce qu'il disait. Je ne crois pas que je la reconnaîtrais.

Depuis quelques instants, Isabel lui faisait des signes désespérés depuis le pas de la porte. Kate comprit ce qu'ils signifiaient.

— Inspecteur, voudriez-vous boire quelque chose de frais ? Un soda, du thé glacé ?

— Du thé glacé, volontiers.

Isabel poursuivait ses mimiques. Kate s'excusa et alla la rejoindre en remarquant qu'elle s'était recoiffée et avait mis du rouge à lèvres.

— Qu'est-ce que tu veux ? chuchota-t-elle, agacée.

Mais Isabel ne quittait pas Nate des yeux, comme si sa sœur était devenue transparente. Avant que Kate puisse s'interposer, elle s'avança vers lui.

— Tout va bien, n'est-ce pas, inspecteur Hallinger ? Kate m'a dit tout à l'heure que vous étiez venu juste pour lui faire préciser quelques détails de son témoignage, mais il n'y a rien de plus grave, au moins ?

— Je t'ai déjà dit vingt fois que tout allait bien, déclara Kate.

— Mais oui, intervint Dylan, Kate aide l'inspecteur dans son enquête. Vous n'avez pas de raisons de vous inquiéter, Isabel.

— Absolument, confirma Nate.

— Vas-tu enfin arrêter de te faire du mauvais sang ? renchérit Kate.

— On ne peut pas me reprocher de m'inquiéter, avec tout ce qui t'arrive depuis…

— L'inspecteur aimerait du thé glacé, l'interrompit Kate.

— Je m'en occupe tout de suite.

Kate la suivit à la cuisine. Les deux hommes discutaient quand elle revint quelques minutes plus tard. Elle préféra cette fois s'asseoir un peu à l'écart.

— Vous comprenez pourquoi je ne veux pas que mes sœurs soient au courant de tout, n'est-ce pas ? Elles doivent quitter Silver Springs demain matin.

— Dylan m'en a parlé, je suis tout à fait d'accord, répondit Nate.

Isabel revint avec le verre de thé sur un plateau. Elle le tendit à Nate et lui répéta qu'elle était enchantée de l'avoir revu avant de prendre congé.

— Ne vous croyez pas obligée de vous isoler, dit Nate courtoisement. Nous n'en avons plus pour très longtemps.

— Merci, mais j'ai quelques coups de téléphone à donner.

— Permettez-moi de traduire, dit Kate en riant. Cela veut dire qu'elle va monopoliser la ligne pendant des heures.

Isabel haussa les épaules et se retira dignement.

— Elle est adorable, dit Nate en souriant quand elle se fut éloignée. Elle me rappelle mon premier amour, qui m'avait brisé le cœur... Kate, poursuivit-il en reprenant son sérieux, vous me disiez donc n'être revenue ici que depuis peu de temps.

— C'est exact.

— Vous ne devriez donc pas avoir trop de mal à retracer vos activités, à vous rappeler les gens que vous avez rencontrés.

Kate crut d'abord qu'il ne lui faudrait pas plus d'un quart d'heure pour faire appel à sa mémoire. Mais Nate ne cessa de la faire revenir en arrière dans l'espoir qu'un de ses souvenirs, encore confus, déboucherait sur une piste. En vain. La seule qui se présentait était toujours celle de Reece Crowell.

Nate lui posa ensuite des questions sur son entreprise. Elle fut obligée de lui parler, bien à contrecœur, de la désastreuse situation financière dans laquelle elle se retrouvait et il parut très intéressé par les conditions peu ordinaires de l'emprunt qu'elle devait rembourser.

— Tu n'as pas l'air trop bouleversée, fit observer Dylan.

— Je l'étais au début. Je n'avais pas idée que ma mère…

— Oui ? l'encouragea-t-il à poursuivre.

Kate hésita. Elle ne pouvait se résoudre à donner une mauvaise image de sa mère.

— Je n'avais pas idée qu'elle se débattait dans de telles difficultés. Je m'en veux encore de ne m'être rendu compte de rien. Je crois aussi que lorsqu'elle a contracté cet emprunt elle ignorait que mon affaire figurait parmi les avoirs offerts en garantie.

— Que comptes-tu faire à ce sujet ? demanda Dylan.

Durant le court laps de temps qu'elle avait eu pour y réfléchir, quelques options s'étaient présentées à elle, mais elle ne voulait pas en discuter à ce stade.

— Je changerai un certain nombre de choses et je m'arrangerai. J'ai trois semaines devant moi, c'est plus que suffisant.

Nate lui posa encore deux ou trois questions, la remercia de son concours et se leva. Dylan le raccompagna et resta dehors avec lui. Leur conversation se prolongea une dizaine de minutes, puis il sortit son sac de voyage du coffre de sa voiture de location.

— Où vais-je coucher ? demanda-t-il après avoir refermé la porte à clef derrière lui.

— Seul, l'informa Kate.

— Ah bon ? C'est comme ça ?

Il lui empoigna une main et l'attira dans le salon.

— Vas-tu enfin me dire ce qui te prend ? Et ne fais pas semblant de ne pas comprendre de quoi je parle.

Il pouvait se rendre très intimidant quand il le voulait.

— C'est… difficile… après Boston…, bredouilla-t-elle.

— Pourquoi ?

— Parce que… tu m'affoles.

— Kate, exprime-toi intelligiblement, je te prie. Pourquoi, en quoi je t'affole ?

— Eh bien, d'abord parce que tu es là et que tu ne devrais pas y être. Et puis, à Boston, quand tu es arrivé pour me tenir compagnie et que je t'ai presque violé...

— Tu m'as violé ?

— Moins fort, je t'en prie ! Violé, séduit, appelle cela comme tu voudras...

— Tu m'as séduit ?

Elle avait beau tenter de s'écarter, il avait réussi à la coincer dans un angle de la pièce.

— Oui. Je t'ai délibérément provoqué. Je n'aurais pas dû, mais je l'ai fait.

Il était si proche qu'elle sentait sa chaleur. Qu'elle réfréna à grand-peine l'envie folle de l'embrasser. Ressaisis-toi ! se dit-elle.

— Essaie de comprendre, reprit-elle. Je venais juste d'apprendre des mauvaises nouvelles, mon univers s'effondrait sous mes pieds et, en plus, l'opération de Jordan. J'avais si peur pour elle et...

— Et quoi ?

— J'ai perdu la tête. Tu étais là et... tu sais.

— Donc, tu as entrepris de me séduire ? dit-il en faisant des efforts surhumains pour garder son sérieux.

Pourquoi avait-il tant de mal à comprendre ce qu'elle lui disait ? Avait-il déjà tout oublié ?

— Oui, c'est moi qui ai commencé. Je t'ai sauté dessus. Littéralement.

— Donc, tu me dis que tu en avais trop gros sur le cœur et que tu en as perdu la tête ?

C'était exactement ce qu'elle venait de lui dire. Il était devenu obtus, ou quoi ?

— Si je comprends bien, j'ai eu de la chance d'avoir été le premier à sonner à la porte avec la pizza, dit-il sans plus sourire. Dis-moi, si Nick était arrivé à ma place, tu lui aurais aussi sauté dessus ?

Ses aveux lui déplaisaient, elle le vit à sa mine butée. Tant pis. Au moins, elle était franche.

126

— Bien sûr que non ! répondit-elle. Nick est marié, pas toi. Ce qui s'est passé était une erreur. Je n'aurais pas dû...

— Me sauter dessus ?

— Oui, admit-elle.

— J'ai trouvé que c'était plutôt bien. Pas toi ?

— Tu voudrais des félicitations ? demanda-t-elle en souriant dans l'espoir d'éclaircir l'humeur sombre qu'il continuait d'afficher.

— Oui. Pourquoi pas ?

— C'était merveilleux, mais...

— Mais maintenant tu le regrettes ?

— Essaie de comprendre, Dylan. Je n'aurais pas dû me conduire avec toi comme je l'ai fait. Tu es le frère de ma meilleure amie. J'irai souvent à Boston et je ne voudrais pas qu'il y ait... de la gêne entre nous quand nous nous reverrons.

— Alors, qu'est-ce que tu proposes ?

Elle essaya de le repousser, mais il resta plus immobile qu'un roc.

— Réponds-moi, ordonna-t-il.

— J'espérais rentrer chez moi et...

— Faire comme s'il ne s'était rien passé ?

— Oui, répondit-elle, soulagée qu'il ait enfin compris.

— Cela ne t'arrive pas souvent, n'est-ce pas ?

— De sauter sur les hommes pour coucher avec ? Non. Que veux-tu, je ne suis pas très moderne alors que toi, tu ne te rappelles sans doute pas le nombre de femmes avec lesquelles tu as couché. C'est pourquoi, je m'étais dit que... qu'il n'y aurait pas de risque avec toi. Tu sais, pas de promesses, pas de regrets.

— Et cela te convenait ?

— Je t'ai blessé ?

— Pas du tout.

— Pourtant, tu fronces les sourcils, tu as l'air fâché.

— Je fronce les sourcils parce que je fais un gros effort pour essayer de comprendre. C'est surprenant, voilà tout.

— Qu'est-ce qui est surprenant ?

— Ton attitude.

— Pourquoi ?

— Tu croyais sérieusement que faire l'amour avec passion toute une nuit avec toi serait pour moi sans importance ?

Elle n'eut pas le temps de protester qu'il reprenait déjà :

— Pour reprendre ce que tu disais, tu t'es servie de moi et maintenant tu veux que j'oublie tout...

— Sans regrets ni remords, compléta-t-elle.

Il recula d'un pas et sourit avant d'éclater de rire.

— Qu'est-ce qu'il y a de si drôle ? voulut-elle savoir.

— C'est trop beau pour être vrai ! Tu es impayable, Pickle.

# 19

Le coup de sonnette à dix heures du soir surprit tout le monde. Isabel finissait de faire ses valises dans sa chambre, Kiera pliait le linge dans la cuisine et Kate cherchait une copie du contrat d'emprunt dans les dossiers transmis par l'expert-comptable, étalés sur la table du salon. Quant à Dylan, il vérifiait de pièce en pièce la fermeture des portes et des fenêtres.

— J'y vais ! cria Isabel du haut de l'escalier.

— Pas question ! déclara Dylan d'un ton sans réplique.

Il alla ouvrir, sortit et referma la porte derrière lui. Isabel se posta à une fenêtre du salon pour voir ce qui se passait.

— Qui est-ce ? demanda Kate.

— Un coursier qui apporte une enveloppe. Dylan lui demande une pièce d'identité. Il exagère, non ?

— Il est tard, expliqua Kate.

— En tout cas, il a peur de Dylan. Si tu voyais la tête qu'il fait…

Isabel se retira à la hâte pour ne pas être prise en flagrant délit de curiosité par Dylan qui rentrait.

— Une de vous trois doit signer ici, annonça-t-il.

— Qui peut bien envoyer une lettre à une heure pareille ? s'étonna Isabel pendant que Kate signait le bordereau.

L'enveloppe portait la mention URGENT.

— Ce n'est sûrement pas bon signe, soupira Kate en voyant le nom de l'expéditeur.

— D'où vient cette lettre ? s'enquit Isabel.

— De chez Smith & Wesson.

— Les fabricants d'armes ?

— Non, une firme juridique de Savannah.

Convaincue que cette lettre contenait d'autres mauvaises nouvelles sur l'état de leurs finances, Isabel l'arracha des mains de Kate afin que Dylan ne la voie pas et fila vers la cuisine.

— Laissons Kiera l'ouvrir.

Kate ne s'y opposa pas. S'il s'agissait encore d'une mauvaise surprise, ce ne serait pas elle, cette fois, qui l'annoncerait aux autres. Elle examinait une fois de plus les relevés comptables quand Kiera la rejoignit, Isabel sur ses talons.

— Il faut que tu lises ça, Kate ! Cette lettre vient d'un cabinet d'avocats de Savannah qui représente Compton Thomas MacKenna.

— Qui est-ce ? voulut savoir Isabel.

— Je ne sais pas, au juste. Sans doute le père de notre père, peut-être un oncle ou même un cousin.

Kiera s'assit à côté de Kate.

— Ou bien tu lis cette lettre ou bien tu me la laisses lire, dit Isabel en s'asseyant de l'autre côté. Le suspense est insoutenable.

Elle en fit la lecture à voix haute. Kate écouta distraitement.

— C'est incroyable ! s'exclama Isabel quand elle eut terminé. Que peut bien vouloir ce Compton MacKenna ?

— Il nous demande d'aller à Savannah, répondit Kiera. Notre présence serait, paraît-il, indispensable.

— Je n'irai pas, déclara Kate.

— Pourquoi ? s'étonna Isabel. Il faut au moins y réfléchir.

Suivit une discussion animée, pendant laquelle Dylan revint.

— Kate, la porte de derrière…, commença-t-il.

— Non, je vous dis que je n'irai pas ! répéta Kate sans

même avoir entendu Dylan. Vous deux, faites ce que vous voulez, mais je ne veux rien avoir à faire avec ces gens-là. Notre père a été déshérité par sa famille quand il a épousé notre mère et je n'ai aucune envie de faire leur connaissance.

— Il faut quand même qu'une de nous y aille, et c'est à toi que cela revient, Kate ! protesta Isabel. Cet homme veut peut-être nous demander pardon, la lettre dit qu'il s'agit d'un sujet de la plus haute importance. C'est sans doute vrai, puisque l'avocat nous convoque demain après-midi.

— Nous sommes censées tout laisser tomber pour courir à Savannah demain après-midi, sans même une journée de préavis ? s'indigna Kate. Non merci, je n'irai pas.

— Aller où ? s'enquit Dylan.

Aucune ne prit la peine de lui répondre. Elles parlaient toutes les trois en même temps en créant une ambiance surexcitée qui rappelait à Dylan celle de la maison de son enfance – c'était peut-être la raison pour laquelle il se sentait aussi à l'aise. Les bras croisés, adossé au montant de la porte, il attendit qu'elles finissent. Mais il se promit de leur passer un bon savon une fois le calme revenu. Aucune des portes de la maison n'était fermée à clef, pas même celle du garage. Autant planter sur la pelouse une pancarte annonçant : ENTRÉE LIBRE, VICTIMES CONSENTANTES.

— De toute façon, dit Kiera en bâillant, je ne peux pas y aller. Ni Isabel ni moi n'aurons le temps, nous aurions déjà dû partir hier.

— Et nous sommes restées à cause de toi, Kate, renchérit Isabel.

— Ah non, je t'en prie ! protesta Kate.

— Même en partant demain matin de bonne heure, enchaîna Kiera, j'aurais à peine le temps d'aider Isabel à s'installer. Sans compter qu'une fois de retour chez moi je travaillerai vingt-quatre heures par jour sept jours sur sept ! Tu vois bien, Kate, tu es la seule à pouvoir y aller.

— Je n'irai pas, répéta Kate pour la énième fois.

— Tu es têtue comme une mule ! s'exclama Isabel. Kiera, fais quelque chose, persuade-la.

— Comment voudrais-tu que j'y arrive ? demanda Kiera en riant.

C'est alors qu'Isabel s'aperçut de la présence de Dylan, toujours debout sur le pas de la porte.

— Et vous ? Vous ne pourriez pas la décider à y aller ?

— Aller où ? répéta Dylan pour la deuxième fois.

Isabel s'empressa de le mettre au courant.

— Nous n'avons jamais rencontré personne de la famille de mon père, conclut-elle, et ce serait une excellente occasion de savoir qui sont ces gens. C'est pour cela que Kate doit y aller. Nous ne savons même pas combien nous avons d'oncles, de tantes et de cousins.

— Je n'ai aucune envie de faire la connaissance de ces gens-là. Pas un n'a pris la peine de se déplacer pour l'enterrement de notre père ou de notre mère, protesta Kate.

— Désolée, Isabel, intervint Kiera, mais je suis de l'avis de Kate. Si elle ne veut pas y aller, elle n'ira pas. Sauf si…

— Écoute, l'interrompit Isabel, ce Compton MacKenna veut peut-être nous donner quelque chose ayant appartenu à notre père. Si tu n'y vas pas, nous ne saurons jamais ce qu'il veut nous dire.

— Sauf si quoi ? demanda Kate en ignorant l'intervention d'Isabel.

— Ils ne se sont pas souciés de nous jusqu'à présent, c'est vrai, répondit Kiera. Mais tu n'as pas au moins envie de chercher à savoir pourquoi ? En plus, ce serait l'occasion d'apprendre s'il y a des maladies héréditaires dans la famille. Ne fais pas cette tête-là, c'est vrai ! Il pourrait y avoir des problèmes cardiaques ou génétiques que nous ne soupçonnons même pas !

— Prépare-moi une liste de questions comme en posent les médecins à leurs nouveaux patients. Je pourrais même vérifier leur dentition et te faire un rapport, répliqua Kate d'un ton sarcastique.

— Je parle sérieusement, Kate. Nous ne savons rien de

l'histoire médicale de la famille du côté de notre père. Ce ne serait pas inutile de se renseigner, mais si tu ne veux vraiment pas y aller, n'y va pas.

Frustrée par l'attitude de ses sœurs, Isabel se levait pour quitter la pièce quand Dylan l'arrêta.

— Rasseyez-vous, ordonna-t-il. Je veux vous parler à toutes les trois, et surtout à vous, Isabel.

— Réfléchis Kate, plaida Kiera. Cette entrevue pourrait apporter des réponses à des tas de questions sur l'histoire de notre famille.

— D'accord, soupira Kate avec résignation. J'irai.

— Bon, la question est réglée. Je vais me coucher.

— Non, pas encore ! intervint Dylan.

Il avait décidé qu'aucune des trois n'esquiverait le sermon qu'il avait la ferme intention de leur débiter sur le respect des règles de sécurité les plus élémentaires, qu'elles dédaignaient royalement.

— Tu voulais nous dire quelque chose ? s'enquit Kate.

— Oui. En fait, je veux vous infliger à toutes trois une bonne engueulade parce que vous la méritez.

Et c'est précisément ce qu'il fit.

Avant d'aller se coucher à son tour, Dylan appela Nate pour l'informer du voyage de Kate à Savannah.

— Il est bon qu'elle s'éloigne de Silver Springs, ne serait-ce qu'un jour ou deux, et surtout à l'improviste. À part vous et moi, personne ne sera au courant de son absence.

— Elle ne s'attendait pas du tout à recevoir cette lettre ?

— Absolument pas. Kate et ses sœurs n'avaient jamais entendu parler de ce parent. J'aimerais donc bien savoir pourquoi il se manifeste maintenant.

— Je me renseignerai sur son compte et je vous tiendrai au courant. De votre côté, informez-moi de ce que vous faites. J'appellerai le chef Drummond pour lui dire que vous passerez à son bureau demain à la première heure. Légalement, vous serez détaché de la police de Boston, mais en pratique vous serez placé sous son commandement.

— Cela me convient. Et du côté du FBI ?

— Je parlerai à l'agent chargé de l'enquête.

— Vous ne savez pas encore qui c'est ?

— Je crois avoir repéré trois candidats au poste, mais le plus vraisemblable serait un certain Kline, du bureau de Géorgie.

À l'évidence, Nate n'avait guère d'affection pour les agents du FBI, mais Dylan ne pouvait pas le lui reprocher.

Aucun policier de terrain n'aime se laisser déposséder de son enquête par des collègues mieux placés.

Assise sur une marche de l'escalier, Kate attendait que Dylan ait fini de téléphoner. Elle était tellement fatiguée qu'elle avait du mal à garder les yeux ouverts.

— Qu'est-ce que tu fais là ? s'étonna-t-il après avoir pris son sac de voyage, resté dans le vestibule.

— Je t'attendais pour te montrer où est la chambre d'amis, répondit-elle en bâillant.

— Tu as l'air crevée. Tu as mal dormi, la nuit dernière ?

— J'étais à l'hôpital, la nuit dernière.

— C'est vrai. Tu aurais dû aller te coucher plus tôt.

Elle monta devant lui, ouvrit la porte de la chambre en face de la sienne, s'effaça pour le laisser entrer.

— Tu as une salle de bains…, commença-t-elle.

— Je la trouverai, merci. Bonne nuit, Kate.

Et il lui ferma la porte au nez.

Kate resta un moment plantée devant la porte en essayant de comprendre. Il ne s'était montré ni fâché ni méchant. De fait, il souriait. Elle se sentit complètement idiote. Qu'est-ce qu'elle attendait ? Qu'il lui donne un petit baiser avant de lui souhaiter bonne nuit ? Il était évident que l'idée ne l'avait pas même effleuré.

Rentrée dans sa chambre, la porte fermée à clef, elle décida d'en prendre son parti une fois pour toutes. Il avait fini par accepter son argument « c'était bien mais c'est fini, n'en parlons plus », ce qui était exactement ce qu'elle voulait, oui ou non ? Alors, pourquoi était-elle aussi dépitée ? D'ailleurs, en y repensant, il n'avait pas discuté ni émis la moindre protestation. Donc, il était d'accord. De toute façon, pensa-t-elle en se préparant pour la nuit, les femmes n'ont jamais été pour lui que des poissons dans un océan inépuisable. Dylan est un pêcheur si expérimenté qu'il en trouvera toujours un pour mordre à son hameçon…

Elle eut beau se forcer à éprouver du dégoût à l'idée des conquêtes de Dylan, elle n'y arriva pas. Elle essaya ensuite la colère et le ressentiment devant son évidente arrogance de macho. De quel droit arrivait-il à sa porte sans même daigner l'en avertir ? Pour qui se prenait-il de tout décider comme s'il était le maître ?

Elle devait cependant admettre qu'elle se sentait plus en sûreté grâce à sa présence dans la maison. L'autorité avec laquelle il avait parlé de sécurité à Isabel avait fait un effet indiscutable. À la fin de sa mercuriale, ni elle ni ses sœurs n'ignoraient plus rien des serrures, des verrous et du reste. Isabel ne se promènerait pas le nez au vent sur le campus sans avoir conscience des risques qu'elle pourrait encourir. Il avait été précis, direct, sans pour autant l'effrayer ni la traumatiser. Il s'était montré prévenant et même gentil...

Pourquoi était-il gentil ? Comment réussirait-elle à garder avec lui des rapports platoniques et à l'oublier quand il serait reparti pour Boston s'il continuait à être gentil et prévenant envers ses sœurs et elle ? Pourquoi, Seigneur, pourquoi avait-elle couché avec lui ? C'était une énorme, une monumentale erreur ! Et qu'avait-elle fait pour la corriger ? Elle lui avait déclaré que cela n'avait pas plus d'importance pour elle que pour lui et qu'il valait mieux passer à autre chose...

Elle entra dans son lit, tira rageusement les draps sur elle. Comment avait-il réagi à son petit speech désinvolte ? Hein, qu'avait-il répondu ? Qu'elle était impayable !

— Impayable, grommela-t-elle avant d'éteindre. C'est le bouquet.

## 21

Kiera voulait prendre la route avant sept heures du matin mais, pour une fois qu'Isabel était à l'heure, c'est elle qui les retardait. Elles furent enfin prêtes à partir sur le coup de huit heures.

— Je suis désolée de te laisser te débattre seule avec tous ces problèmes, dit-elle à Kate, sortie les accompagner jusqu'à la voiture.

— Nous en avons déjà parlé et nous avons trouvé des solutions. Alors, cesse de t'inquiéter.

— Tu me tiendras au courant, n'est-ce pas ? renchérit Isabel. Ne cherche pas à me protéger, je suis assez grande fille pour encaisser les coups.

— Je ne te cacherai rien, promit Kate.

— Je suis contente que Dylan soit là, dit Kiera. Après la semaine épouvantable que tu viens de passer, il te tiendra au moins compagnie pour aller à Savannah.

Dylan avait bouclé la porte et s'était assis sur le perron en attendant la fin des adieux. Sa voiture était déjà chargée, il avait hâte de partir.

D'où il était, il ne pouvait les entendre mais ne se priva pas du loisir de les observer. Leur beauté le frappa. Si elles avaient un évident air de famille, chacune était unique. Avec sa chevelure blonde rehaussée de mèches couleur de miel et ses grands yeux bleus, Isabel avait un charme naturel dont elle usait volontiers pour plaire. Les yeux de Kate étaient bleus, eux aussi, mais d'une nuance plus vive que faisaient ressortir ses cheveux châtain foncé. Kiera était la plus grande des trois, et Dylan pouvait voir dans le soleil matinal les reflets auburn de ses cheveux blonds. Elle avait sur le nez les mêmes taches de son que Kate, mais les siennes s'étendaient jusqu'à ses joues. Dotée d'un tempérament plus posé que ses sœurs, c'était sans doute elle qui ramenait le calme dans la famille.

Kate n'était ni charmeuse comme Isabel ni paisible comme Kiera. Elle se donnait toujours à fond dans tout ce qu'elle faisait. Elle tenait tête, comme il en avait fait l'expérience, et ce trait de caractère lui plaisait. Mais Kate avait quelque chose de plus. Si, en affaires, elle devait être coriace quand elle négociait un contrat, elle gardait un côté sensible et vulnérable qu'il trouvait particulièrement attirant. Et si elle avait du talent et de l'expérience dans ce domaine, elle faisait preuve d'une fraîcheur proche de la naïveté dans ses rapports avec les hommes. Elle regrettait leur folle nuit d'amour, il le savait, alors que lui n'éprouvait que l'envie de la prolonger. De fait, il n'avait pas un instant cessé d'y penser ; il la revoyait nue entre ses bras – image inopportune dans les circonstances présentes qu'il devait combattre au plus vite.

— Dépêche-toi, Kate ! Il faut que nous partions.

Elle attendit que la voiture de Kiera ait disparu au coin de la rue avant de se retourner vers lui. Il remarqua qu'elle avait les larmes aux yeux, mais il ne fit aucun commentaire et se contenta d'aller ouvrir la portière et d'attendre qu'elle embarque.

— Une minute ! Je suis sûre d'avoir oublié quelque chose. Mon sac...

— Dans la voiture.

— Et le sac de voyage que tu m'as forcée à préparer pour le cas où nous devrions passer la nuit à Savannah...

— Dans le coffre. En voiture, Pickle.

Elle lui décocha un regard signifiant clairement : « Appelle-moi encore une fois Pickle et je te flanque à la porte. »

— Ce n'est pas tout..., commença-t-elle.

— Le fer à repasser est éteint, l'interrompit-il en la poussant.

— Je l'avais allumé ? C'est bizarre, je...

— Kate, monte dans cette voiture.

Elle obéit sans plus discuter.

— Je me demande pourquoi nous devons partir d'aussi bonne heure, dit-elle après avoir bouclé sa ceinture. Nous avons le temps.

— Non. Je dois d'abord passer voir le chef Drummond et je ne sais pas combien de temps cela prendra.

Le poste de police n'était qu'à quinze cents mètres de chez elle. Elle lui indiqua le chemin et ils entrèrent dans le parking derrière le petit bâtiment de brique. Les murs étaient couverts de lierre presque jusqu'au toit, et l'allée dallée menant à la porte avait dû être foulée des milliers de fois. La façade et les volets étaient repeints de frais. Dylan n'avait jamais vu pareil commissariat.

— On dirait une pension de famille, commenta-t-il.

Une fois à l'intérieur, il se retrouva cependant en terrain familier. Le sol était couvert d'un horrible lino grisâtre, les murs peints d'un vert pisseux et la réceptionniste était aussi vieille et revêche qu'à Boston. Il régnait les mêmes relents de poussière, de sueur et de désinfectant qu'il avait appris à aimer.

Le chef Drummond sortit de son bureau pour les accueillir. C'était un homme corpulent à la mine sévère et à la poignée de main digne d'un haltérophile. Il proposa du café à Kate et lui intima l'ordre d'attendre dans l'entrée.

Kate s'assit sur une des chaises de métal gris alignées le long du mur et prit son téléphone portable pour consulter ses messages. Il y avait eu un appel de la « dame des boîtes », sans doute au sujet de la livraison du ruban de mauvaise couleur. Elle décida de la rappeler en cours de route. Si elle avait eu son cartable, elle en aurait profité pour consulter ses notes. L'avait-elle laissé à la maison ou

139

Dylan l'avait-il mis dans le coffre de la voiture avec les autres bagages ? Il serait toujours temps de s'en assurer.

La chaise était dure. Kate croisait et décroisait les jambes en s'efforçant de prendre son mal en patience. Pourquoi la conversation de Dylan avec le chef Drummond était-elle si longue ? Ils étaient enfermés dans le bureau depuis déjà un bon quart d'heure.

Kate remarqua que la réceptionniste lui jetait des coups d'œil curieux de derrière l'écran de son ordinateur. Elle vérifia si sa jupe était bien tirée, si son chemisier était boutonné.

— J'aime beaucoup vos bougies, déclara la réceptionniste.

Prise au dépourvu, Kate sursauta.

— Euh… excusez-moi, je n'ai pas bien entendu.

— J'aime beaucoup vos bougies, répéta la femme en se penchant de côté pour se montrer.

— Merci, j'en suis très contente.

— Je voudrais aussi acheter une de vos lotions, mais je ne sais pas quel parfum choisir. Vous pouvez me donner une idée ?

— Attendez, répondit Kate en fouillant dans son sac, j'ai peut-être des échantillons. Voilà, essayez ces trois-là. Elles sont très différentes.

La femme se confondit en remerciements, se leva pour aller serrer la main de Kate et se présenter.

— Vous êtes une célébrité en ville, vous savez, ajouta-t-elle en rougissant.

— C'est vrai ? À cause de mes bougies ?

— Oh, non ! Elles sont délicieuses, bien sûr, mais on ne parle que de vous parce que vous avez failli sauter à l'ancien entrepôt.

Elle l'avait dit comme si Kate avait elle-même déclenché l'explosion ! Elle allait mettre les choses au point quand la porte du bureau s'ouvrit sur Dylan et Drummond. Kate remarqua aussitôt le holster du pistolet sous le bras de

Dylan et la boîte de munitions qu'il tenait. On n'en a jamais de trop, bien sûr...

— Vous êtes en de bonnes mains avec ce gars-là, mademoiselle MacKenna. Il a des états de service impressionnants et son supérieur à Boston n'était pas content qu'il vienne nous apporter son aide à Silver Springs. Il a fini par accepter, mais à titre temporaire, il me l'a répété plutôt dix fois qu'une. Là-bas, ils tiennent à le récupérer.

Kate ne pouvait détacher les yeux du pistolet. Des images de Dylan sur son lit d'hôpital revenaient la hanter. Bien sûr, son job voulait qu'il soit armé et, comme Drummond venait de le confirmer, Dylan était un excellent professionnel. La simple vue de l'arme la mettait toutefois mal à l'aise.

— Oui, je suis en de bonnes mains avec ce gars-là, répéta-t-elle en réussissant à sourire.

Drummond les accompagna jusqu'à la porte.

— Essayez de ne pas sauter encore une fois, mademoiselle MacKenna ! dit Drummond en prenant congé.

— Les gens me parlent comme si j'étais une espèce de détonateur ambulant, commenta-t-elle en marchant vers la voiture. Partout où je vais, il y a une bombe qui explose.

— Disons que tu es mêlée à des événements auxquels les braves gens de Silver Springs ne sont pas habitués, répondit Dylan en riant. Tu me dis par où passer ? ajouta-t-il en sortant du parking.

— Le chemin le plus direct vers l'autoroute est la Grand Rue, la prochaine à gauche. Mais, à cette heure-ci, il y aura de la circulation.

— Par rapport à Boston, dit-il quelques minutes plus tard, ça roule plutôt bien. Ici, au moins, on n'a pas besoin d'être agressif en permanence.

Kate ajusta la climatisation et essaya de se détendre.

— Que penses-tu du chef Drummond ?

— Il est grincheux de naissance et il ne doit même pas savoir sourire. À la manière dont il m'a dit d'entrer dans son bureau, j'ai cru qu'il allait m'engueuler. Même pendant qu'il me félicitait de mes états de service il fronçait les sourcils. Il m'a fallu un moment pour m'y habituer. En fait, ajouta-t-il, il me rappelle mon père.

— Le juge Buchanan n'est pas un grincheux, c'est le meilleur des hommes ! Il a toujours été gentil avec moi.

— Parce qu'il t'aime bien.

— Jordan et Sydney lui disent toujours « papa ».

— Pas ses autres fils. Nous lui disons « monsieur ». Il n'était pas commode avec nous dans notre jeunesse, mais il y était sans doute obligé. Élever six garnements en les empêchant de faire les quatre cents coups ne devait pas être de tout repos.

Kate n'avait pas oublié comment le juge avait réagi à l'hôpital, pendant qu'il attendait avec le reste de la famille que Dylan sorte de la salle d'opération. Plus le temps s'écoulait, plus l'angoisse qu'on lisait dans son regard était poignante. Il avait sans doute été dur avec ses fils, mais il les aimait passionnément.

— J'ai horreur des hôpitaux, murmura-t-elle inconsciemment.

Discernant la tristesse qui altérait la voix de Kate, il posa une main sur la sienne.

— Je m'en doute. Qu'est-ce qui te fait penser aux hôpitaux ?

— Rien, répondit-elle pour ne pas avoir à se lancer dans des explications. J'y pense, c'est tout.

Dylan n'insista pas. Sur l'autoroute, le trafic était fluide et il conduisait calmement.

— J'ai appelé Nate ce matin avant de partir, dit-il au bout d'un moment.

— Vraiment ? Pourquoi ?

— Hier soir, je lui ai dit que tu devais te rendre à Savannah et je lui ai demandé de vérifier deux ou trois choses.

— Et alors ?

— Tu te souviens qu'il nous avait appris que l'entrepôt appartenait à une société et qu'il avait eu du mal à en

142

retrouver les actionnaires. Il y est quand même arrivé. Devine qui est l'actionnaire majoritaire.

— Qui ?

— Carl Bertolli.

La nouvelle était tellement inattendue qu'elle refusa d'y croire.

— Carl ? Impossible, c'est une erreur.

— Tu sous-entends que Nate aurait inventé ça ?

— Non, bien sûr, mais... Carl ? Il ne m'en a jamais parlé. Pourquoi m'aurait-il caché qu'il était propriétaire de cet entrepôt ?

— Parce qu'il ne voulait pas que tu le saches, c'est évident.

— Jennifer, de l'agence immobilière, était sûrement au courant. Lui a-t-on parlé ?

— Elle est en vacances avec sa famille, mais elle doit revenir demain matin. Nate aurait pu la rechercher, mais vu qu'il avait déjà retrouvé les noms des actionnaires il a décidé d'attendre son retour demain matin. Il suppose que Carl lui avait dit de ne pas t'en parler.

Elle avait beau retourner la question dans tous les sens, Kate n'arrivait pas à y croire.

— Carl n'avait rien à gagner à détruire un bâtiment qui lui appartenait, même avec une bonne assurance ! Il n'a pas besoin d'argent. Et dis-moi, je te prie, ce que ma mort lui aurait rapporté ? Non, cette histoire ne tient pas debout.

— Tu peux parier que le FBI est en train d'éplucher la situation financière de Carl. S'il avait un mobile, ils le trouveront.

— Le FBI ne trouvera rien du tout.

— Tu seras peut-être étonnée. Tout le monde a des secrets.

— Il faut que j'y réfléchisse.

— Je te donne un autre sujet de réflexion. Compton Thomas MacKenna était ton grand-oncle.

— Était ?

— Oui, il est mort la nuit dernière, deux heures avant

que ses avocats t'envoient la lettre. Selon l'un d'eux, Anderson Smith, Compton avait laissé des instructions précises sur la manière dont les membres de sa famille devaient être prévenus.

— Pourquoi, alors ?...

— Tu ne rencontreras pas le cher homme dans le bureau des avocats, comme la lettre te l'a laissé supposer. Tes sœurs et toi êtes convoquées pour la lecture du testament.

Kate en éprouva une déception qui l'étonna.

— Je ne pourrai donc pas lui poser de questions, n'est-ce pas ? Dans ce cas, fais demi-tour. Ce que cet homme pourrait me léguer ne m'intéresse pas le moins du monde.

— Tes sœurs le seraient peut-être.

— Je leur donnerai les coordonnées des avocats si elles veulent leur parler. Tu peux tourner à la prochaine sortie.

— Tes sœurs et toi n'êtes pas les seules à avoir reçu cette lettre, Kate. Tes cousins y seront aussi. Ils ne t'intéressent pas non plus ?

— Il n'y aura que des cousins ?

— Je n'en sais pas plus. L'avocat n'a parlé à Nate que de cousins. Il lui a dit aussi que ces cousins ignorent que tu viens. De fait, certains ignorent même ton existence, et celle de tes sœurs.

Cette révélation aggrava le découragement de Kate.

— Ralentis, la bretelle de sortie est juste devant.

La bretelle de sortie disparut aussi vite qu'elle était apparue.

— Je t'ai déjà dit que cette histoire ne m'intéresse pas, Dylan ! Je n'ai aucune raison d'aller à la lecture de ce testament. Si ces cousins ne savent même pas que nous existons, ils ne sauront pas répondre à mes questions. Leurs parents les ont sans doute volontairement laissés dans l'ignorance. D'un autre côté, reprit-elle au bout d'un silence, Kiera aimerait apprendre l'histoire médicale de la famille, mais...

— Ce n'est pas tout, l'interrompit-il.

— Quoi, encore ?

— L'avocat possède des photos de ton père et des objets qui lui appartenaient.

Kate réfléchit une minute.

— Dans ce cas, cela m'intéresse.

## 22

Roger MacKenna eut l'idée géniale d'arriver à la lecture du testament armé d'un automatique.

Il avait pris volontairement de l'avance, car c'était l'heure du déjeuner et le quartier abondait de bistrots à la mode, ce qui l'avait forcé à se garer au diable. À peine eut-il mis pied à terre qu'il tira sur sa cigarette une dernière bouffée, qui la consuma jusqu'au filtre, avant d'en allumer une autre. Il sentait sa tête sur le point d'éclater. Il n'était pas en état de marcher mais n'aurait manqué ce rendez-vous pour rien au monde, dût-il y aller en rampant.

Il ne pouvait se prendre qu'à lui-même de son état lamentable. En apprenant la nouvelle tant attendue de la mort de son oncle, il avait hurlé de joie et fêté l'événement jusqu'au milieu de la nuit. Une cuite mémorable… Aussi éprouvait-il une pénible nausée en marchant dans la chaleur moite. Arrivé sur la place où se trouvaient les bureaux de la prestigieuse firme Smith & Wesson, il contourna le jardin qui en occupait le centre trop bondé d'employés qui mangeaient leurs sandwichs au soleil. Lorsqu'il parvint enfin devant l'entrée de l'immeuble, épuisé, hors d'haleine et couvert de sueur, il n'avait plus qu'une hâte : se mettre au frais à l'intérieur. Une gifle d'air froid l'accueillit lorsqu'il franchit la porte. Surpris, il resta figé une seconde sur place avant de faire un pas qui activa l'alarme.

Deux gardes armés se précipitèrent. Il essaya d'abord de

les prendre de haut et de forcer le passage, mais les hommes le sommèrent de choisir entre partir sur-le-champ ou leur remettre son arme. Il dut s'exécuter.

— Il est chargé ? s'enquit le garde qui prit le pistolet.

— Bien sûr qu'il est chargé ! répliqua Roger. Pourquoi voudriez-vous que je m'encombre d'un pistolet non chargé ?

— Saviez-vous que la sûreté n'était pas enclenchée ? demanda le garde en effectuant lui-même la manœuvre. Vous n'auriez pas voulu que le coup parte par erreur ou par accident, n'est-ce pas ?

L'intervention de son collègue évita à Roger de répondre.

— Avez-vous un permis de port d'armes ?

— Naturellement ! mentit-il avec aplomb. Je veux récupérer ce joujou quand je partirai.

Son frère Ewan le lui avait prêté pour se protéger de ses « amis » malintentionnés. Possesseur d'un arsenal d'armes en tout genre et de tous calibres, Ewan en prêtait volontiers à qui le lui demandait.

Les gardes le palpèrent de la tête aux pieds afin de s'assurer qu'il ne portait pas une autre arme. Roger en fut indigné. Nul n'avait le droit de traiter de manière aussi indigne un homme tel que lui, un multimillionnaire (depuis la veille…) !

— Savez-vous au moins à qui vous parlez ? fulmina-t-il.

Ils devaient l'ignorer, car ils prirent leur temps avant de le laisser enfin passer. Fou de rage, Roger traversa le hall au pas de charge et cria son nom à la réceptionniste de manière à être entendu par ces imbéciles de gardes, qui n'en furent pas impressionnés pour autant.

La réceptionniste le pria d'attendre pendant qu'elle l'annonçait. Un instant plus tard, un jeune homme tiré à quatre épingles apparut dans l'escalier et lui demanda de le suivre. Puis il le fit entrer dans la salle d'attente de l'avocat et Roger regarda autour de lui avec respect. Moquette épaisse, meubles anciens, toiles de maîtres aux murs, l'endroit suait l'argent.

— M^e Smith vous recevra dans un instant, dit le jeune homme. Puis-je vous servir à boire en l'attendant ?

— Oui, un bourbon. Et pendant que vous y êtes, apportez la bouteille. Mon frère ne va pas tarder, nous voudrons… boire à la mémoire de notre oncle, répondit-il – en ayant de justesse évité de dire « fêter sa mort ».

Bryce fut introduit quelques minutes plus tard. Repérant immédiatement le plateau déposé sur la table, il se versa une rasade de bourbon, la but d'un trait, poussa un soupir de satisfaction et s'aperçut seulement alors de la présence de son frère.

Roger ne l'avait pas revu depuis six mois et fut choqué par son aspect. Littéralement décharné, Bryce avait les yeux jaunes, le teint terreux. Une bonne cirrhose, diagnostiqua son frère.

— Il y a un bout de temps qu'on ne s'est pas vus, dit Roger.

— Oui. Depuis quand, au juste ?

— L'anniversaire de l'oncle.

— C'est vrai, approuva Bryce.

— Comment vas-tu ? s'enquit Roger.

Bryce devint aussitôt agressif.

— Bien, très bien. Pourquoi tu me poses cette question ? Je n'ai pas l'air bien ?

Roger se demanda s'il ne le mettait pas au défi de dire la vérité.

— J'avais entendu dire…

— Quoi ? Qu'est-ce que tu as entendu dire ?

— Vanessa m'avait simplement laissé entendre que tu n'étais pas au mieux de ta forme, c'est tout.

— Ma femme raconte n'importe quoi.

Roger n'insista pas. Si Bryce ne voulait pas admettre que son foie le lâchait, c'était son affaire.

— Elle a déménagé ? La dernière fois, tu m'avais dit qu'elle menaçait de te plaquer.

Bryce se versa un nouveau verre avant de répondre.

— On fait chambres à part et vies à part. Mais ne

t'inquiète pas pour Vanessa, elle ne manque de rien. Elle a trouvé quelqu'un pour s'occuper d'elle depuis plusieurs mois. Oh ! Elle s'imagine que je ne suis pas au courant, mais je l'entends la nuit au téléphone fixer leur prochain rendez-vous. Remarque, ajouta-t-il, je ne le lui reproche pas. L'un dans l'autre, ça nous convient à tous les deux. Nous sommes aussi flemmards l'un que l'autre pour changer, et si elle me quittait elle ne pourrait plus me seriner d'arrêter de boire. Ça lui manquerait.

— Si elle veut t'en empêcher, c'est qu'elle tient encore à toi.

— On peut même dire qu'elle m'aime encore, à sa manière malsaine. Et toi, Roger ? Qu'est-ce que tu deviens ?

— J'ai de grands projets, improvisa Roger. Des investissements. Il va y avoir du changement dans ma vie.

Son frère n'éprouva aucun intérêt à entendre Roger exposer ses projets d'avenir.

— Tu as vu Ewan, ces temps-ci ?

— Il y a un moment, mais en coup de vent.

Roger s'abstint de préciser qu'il avait rencontré son frère dans un bar pour lui demander un pistolet. Bryce se croyait supérieur aux deux autres parce qu'il était l'aîné et n'aurait pas manqué de sermonner Roger. Il avait beau être alcoolique au dernier degré, il était toujours aussi pontifiant.

— Qu'est-ce qu'il devient ?

Il se moquait royalement d'avoir des nouvelles de ses frères, et ne posait ces questions que pour tuer le temps en attendant l'avocat.

— Il ne m'a rien dit de particulier.

— Il fait toujours du culturisme ?

— Je ne le lui ai pas demandé, mais je crois que oui.

— Justement, quand on parle du loup…

Ils se retournèrent à l'entrée d'Ewan. Bryce le salua en levant son verre. Roger le jaugea du regard : Ewan paraissait plus en forme que jamais. Bronzé, mince et la taille svelte, son torse et ses bras étaient développés.

Contrairement à ses aînés, en costume de ville, il portait un pantalon kaki et une chemisette en jersey qui le moulaient étroitement. En fait, nostalgique de ses exploits passés, il s'habillait toujours en jeune homme.

Roger s'abstint de tout commentaire sur sa tenue inappropriée. Ewan explosait au moindre prétexte et Roger n'était pas d'humeur à subir le tempérament irascible de son jeune frère.

Celui-ci réussit à se comporter poliment une dizaine de secondes.

— Content de vous revoir. Lequel des deux pue la cigarette ? enchaîna-t-il.

— Sans doute Roger, l'informa Bryce. La nicotine lui sort par les pores et la fumée imprègne ses fringues, déclara-t-il sans laisser à Roger le temps de protester. Tu devrais perdre cette répugnante habitude.

Le pugilat allait éclater lorsque Vanessa fit son entrée. Avec ses formes sculpturales drapées dans un tailleur-pantalon de soie gris perle, elle avait l'habitude de voir tous les regards se tourner vers elle partout où elle apparaissait. Ses cheveux noirs étaient coiffés en chignon comme seule peut se le permettre une femme sûre de sa beauté.

— Charmante réunion de famille, dit-elle d'un ton narquois en se mettant aussitôt à l'écart des trois frères. Je vois que nous sommes tous arrivés. Où est l'avocat ?

— Le rendez-vous est à treize heures, il n'est que moins dix, l'informa Bryce en consultant sa montre.

Vanessa voulut ouvrir la porte du bureau, qui était fermée à clef.

— Il n'a manifestement pas envie que nous fouinions dans ses dossiers, commenta-t-elle.

— Nous ne devrions pas faire antichambre comme les derniers des derniers, grommela Roger. C'est scandaleux. Je ne chargerai pas ces gens de gérer ma part du magot, je vous le garantis.

— Combien crois-tu qu'il y a ? demanda Bryce.

— Des millions.

— Ce n'est pas une réponse, déclara Ewan aigrement. Combien de millions ?

— Une soixantaine, je crois, dit Bryce.

— Jouer aux devinettes n'avance à rien, intervint Vanessa.

— Qu'est-ce que vous faites ici, vous ? gronda Ewan.

— Vous ne vous êtes jamais entendus, vous deux, fit observer Roger comme s'il faisait une découverte.

— C'est le moins qu'on puisse dire, répliqua Ewan. Je la déteste. Ses grands airs me font vomir. Ce n'est qu'une snob, je n'ai rien de commun avec elle

— C'est mutuel, riposta Vanessa.

— Je répète : qu'est-ce que vous faites ici ? voulut savoir Ewan.

— Bryce et moi avons chacun reçu une convocation.

— Et vous ne pouviez pas venir avec votre mari ?

— J'avais une réunion à la commission artistique et culturelle. Vous ne pouvez pas comprendre, cela dépasse votre entendement.

Enragé par sa condescendance, Ewan se tourna vers Bryce.

— Comment fais-tu pour la supporter, bon Dieu ?

— Demande-lui plutôt comment elle fait pour me supporter, répondit Bryce en souriant à sa femme.

— Ah, je t'en prie ! répliqua-t-elle. Tu me fatigues depuis des années avec ton stupide masochisme !

La porte s'ouvrit devant Anderson Smith, escorté par son élégant assistant, coupant court à tout nouveau sarcasme d'Ewan à l'endroit de sa belle-sœur.

L'avocat obtint le silence et l'attention générale sans prononcer un mot. Il présenta son assistant, prénommé Terrance, avant de serrer toutes les mains, en commençant par celle de Vanessa.

D'âge mûr, M$^e$ Smith possédait un charisme dont elle observa les effets avec un amusement fasciné, car les trois frères adoptèrent instantanément un comportement exemplaire. Terrance ouvrit la porte du bureau, où ils pénétrèrent en file indienne.

Roger remarqua aussitôt la présence du matériel vidéo.

— Qu'est-ce que c'est ? voulut-il savoir. Vous allez nous montrer un film ?

— Il ne s'agit pas d'un film à proprement parler. Veuillez prendre place, nous commencerons dans quelques minutes.

— Pourquoi pas tout de suite ? demanda Ewan, dont les bonnes manières commençaient à s'éroder.

Anderson Smith alla posément refermer la porte.

— Parce que tout le monde n'est pas encore arrivé, répondit-il.

## 23

Tout au long du trajet, Dylan s'assura qu'ils n'étaient pas suivis et, en approchant de Savannah, il quitta l'autoroute pour gagner la ville par des routes secondaires, moins fréquentées. Funeste décision car il se perdit presque aussitôt, mais, en bon Buchanan qui se respecte, il refusa d'admettre son erreur et de se renseigner auprès d'un passant. Trop occupée à lui brosser un tableau historique de la ville, sœur jumelle de Charleston, Kate ne prêtait aucune attention à l'itinéraire qu'ils suivaient.

— On appelle Savannah le joyau du Sud, mais tu le savais déjà.

— Hmm.

— Écoutes-tu ce que je te dis ?

— Bien sûr. Tu es le joyau du Sud.

— Pas moi, Savannah !

— Peut-être. Mais tu l'es aussi, Pickle.

Kate renonça à poursuivre son instruction et prit son téléphone portable pour consulter ses messages.

Dylan ne retrouvait toujours pas son sens de l'orientation. Il traversa une place qu'il était à peu près certain d'avoir déjà dépassée trois fois et continua à se diriger vers l'ouest. Quelques rues plus loin, en s'arrêtant pour laisser passer des piétons, il leva machinalement les yeux vers le nom de la rue et retint un cri de triomphe. Le hasard l'avait amené à l'endroit qu'il cherchait désespérément.

L'immeuble était situé au coin d'une grande place dont

un jardin public aux chênes centenaires occupait le centre. De belles demeures anciennes s'élevaient tout autour, abritant pour certaines des résidences privées, pour d'autres des bureaux de prestige, des galeries d'art ou des restaurants à la mode. La chance n'abandonna pas Dylan car il trouva tout de suite à se garer.

— Nous sommes arrivés, annonça-t-il en serrant le frein à main.

— Quoi ? Déjà ? s'étonna Kate.

— Oui. On a bien roulé.

— Nous sommes en avance de vingt minutes, dit-elle en regardant l'horloge du tableau de bord.

— D'à peine un quart d'heure.

Il tendit la main vers la poignée de la portière. Kate l'intercepta. Elle éprouvait maintenant de l'appréhension à rencontrer ces inconnus qui faisaient partie de sa famille.

— Non, attends ! Je ne veux pas arriver en avance. Et puis, avant d'y aller, je voudrais appeler Haley, celle qui me fournit mes emballages. Ce ne sera pas long.

— D'accord. J'en profiterai pour faire le point avec Nate.

La « dame des boîtes » était sortie déjeuner. Kate chargea son assistante de lui dire qu'elle la rappellerait avant la fin de la journée. De son côté, Dylan réussit à joindre Nate. Comme ce dernier faisait presque à lui seul la conversation, Kate dut attendre que Dylan referme son portable pour savoir ce qu'il avait appris.

— Il y a du nouveau ? demanda-t-elle.

— Un peu, répondit-il évasivement.

Il prit sa veste sur la banquette arrière, l'endossa afin de dissimuler son holster, sortit de la voiture et ouvrit la portière de Kate. Il se comporte comme un garde du corps, pensa-t-elle en le voyant balayer la rue du regard avant qu'elle descende de voiture.

— Tu ne me lâcheras pas d'une semelle, ordonna-t-il.

— Je n'en ai pas l'intention, répondit-elle en attrapant son sac.

Ils traversèrent la rue. Kate résistait de plus en plus mal à l'envie de prendre la fuite. Toute tentative pour retarder cette rencontre qui la mettait mal à l'aise était bonne, au moins le temps de clarifier ses idées.

— Regarde comme ce square est beau. Sais-tu qu'il y en a une vingtaine d'autres à Savannah, tous plus charmants les uns que les autres ? Celui-ci a toujours été mon préféré.

Dylan s'intéressait davantage aux voitures et aux piétons qu'au charme des espaces verts. Il marchait de manière à toujours être en position de protection par rapport à Kate.

— Avance, dit-il, agacé.

Kate ralentit délibérément l'allure.

— Nous aménageons un square comme celui-ci à Silver Springs.

— Oui, je l'ai remarqué en allant au poste de police.

— Et il y en a trois autres en projet. Les bâtiments qui les entourent ne sont pas aussi élégants que ceux d'ici, malheureusement.

En voyant sur la porte la plaque de cuivre gravée aux noms des avocats, Kate s'arrêta.

— Allons nous asseoir cinq minutes sur un banc du square.

— Non.

— Nous avons encore un quart d'heure.

Dylan ne comprenait pas ce que Kate avait en tête, mais il n'allait certainement pas rester à discuter avec elle sur un trottoir. Elle a sans doute besoin d'un répit de quelques minutes pour se calmer, pensa-t-il. Peut-être me dira-t-elle alors ce qui la trouble à ce point.

— D'accord. Cherchons un banc tranquille.

— Merci. Tiens, dit-elle en avisant un petit bistrot, voici l'endroit parfait. Allons prendre un café.

Ils s'installèrent à une petite table au fond de l'établissement. Des ventilateurs au plafond brassaient l'air chaud avec un cliquetis amorti qui ressemblait à des claquements de doigts.

— Nous avons de la chance de trouver une place à l'heure du déjeuner, commenta-t-elle.

— On étouffe à l'intérieur, c'est pour cela que nous avons de la place. Regarde, nous sommes les seuls. Tous les clients sont dehors.

— Nous pouvons aller ailleurs, si la chaleur t'incommode.

— Non, je suis très bien.

Kate attendit le départ de la serveuse venue prendre leur commande pour demander à Dylan ce que Nate lui avait dit.

— Ils n'ont toujours pas retrouvé Carl. Les soupçons contre lui pèsent de plus en plus lourd.

— Pourquoi cela ?

— Il a de gros problèmes avec le fisc.

— Tu parles sérieusement ?

— Je ne plaisante jamais quand il s'agit du fisc. Il a des problèmes.

— De quel ordre ?

— Des arriérés d'impôts impayés.

— Mais… il est riche ! Il a hérité d'une fortune !

— Si c'est vrai, il l'a déjà dépensée.

— Je n'en reviens pas.

— Il ne t'a jamais dit qu'il avait des ennuis d'argent ?

— Sûrement pas. Carl est un « gentleman du Sud » typique, et dans le Sud un gentleman ne parle jamais d'argent. Ce serait… obscène.

— Cela fait partie du code d'honneur des gentlemen du Sud ?

— Oui. Les hommes le prennent très au sérieux, ici.

La serveuse leur apporta leurs consommations en adressant à Dylan un sourire charmeur que Kate préféra ignorer.

— Cette histoire est invraisemblable, dit-elle. Pauvre Carl ! Lui qui cherche toujours à aider les autres.

— Comment les aide-t-il ?

— Il donne des réceptions somptueuses pour lancer les artistes. Il m'a aussi aidée pour la promotion de mon affaire.

— Il t'avait demandé d'apporter des paniers cadeaux à son dernier vernissage, n'est-ce pas ?

— Oui, pour me faire de la pub. Il faut me croire, Dylan, Carl a toujours cherché à m'aider. Il voulait même me financer en participant à mon capital parce qu'il croyait que j'avais des problèmes. S'il en avait de son côté d'aussi graves que tu le dis, comment aurait-il pu me donner de l'argent ?

— Quand te l'a-t-il proposé ? Bon sang, Kate, pourquoi ne m'en as-tu pas parlé plus tôt ?

— Parce que je pensais que c'était sans intérêt.

— Quand ? répéta-t-il.

— Il y a plus d'un an.

Dylan consulta sa montre, posa de l'argent sur la table.

— Finis ton verre, il est temps d'y aller.

— Encore cinq minutes. Nate t'a dit autre chose ?

— Il se renseigne sur tes cousins inconnus. J'espérais qu'il aurait quelque chose avant que tu les voies, mais il a été appelé à une réunion et n'a encore rien trouvé. Un de ses hommes continue à s'en occuper.

— Nous en saurons bientôt assez sur leur compte.

Trop tôt, même. Pourquoi, mon Dieu, pourquoi avait-elle accepté de venir à Savannah ?

— Je n'aime pas rencontrer des gens à l'aveuglette. Je veux savoir d'abord à qui j'ai affaire. Tu le comprends, j'espère ?

— Bien sûr.

— Tu crains toujours autant cette réunion ?

— Oui.

— Pourquoi ? Qu'est-ce qui te tracasse ?

— Rien. J'espère seulement que…

— Quoi ?

Puisqu'il était déjà au courant de sa situation financière et des décisions désastreuses de sa mère, autant le lui dire.

— J'espère que cette réunion n'est pas encore une mauvaise surprise laissée par ma mère. Je ne me crois pas la force de supporter une nouvelle... déception.

— Pourquoi l'envisager ? De mon point de vue, ce serait tout à fait improbable. Tu m'as dit que ta mère n'avait jamais fait la moindre allusion à la famille de ton père.

— Cette lettre livrée par porteur m'a amenée à réfléchir. Ma mère a pu emprunter de l'argent à cet oncle et sa succession pourrait en demander maintenant le remboursement.

Dylan l'observa un long moment.

— Dis-moi, combien de temps en voudras-tu encore à ta mère ?

— Je ne lui en veux pas, je suis... déçue, voilà tout.

— Oui, bien sûr.

— Je te dis la vérité, je t'assure.

— Non. Mais comme je suppose que tu refuses de la dire, je vais le faire à ta place. En réalité, tu es folle de rage contre ta mère.

Elle se raidit, prête à protester, mais sa rébellion ne dura pas. Des larmes lui montèrent aux yeux, qu'elle fut incapable de maîtriser.

— Oui, je suis furieuse contre elle, dit-elle d'une voix tremblante. Elle a menti sur toute la ligne et a laissé un désastre derrière elle.

Il posa sur la sienne une main apaisante.

— Allons, Kate, ce n'est pas l'argent qui est en cause.

— Quoi, alors ? dit-elle en retirant sa main.

— Ta mère est tombée malade, elle est morte, et tu as eu beau faire tu n'as pas pu l'en empêcher.

— Ce que tu dis ne tient pas debout !

— C'est exact, dit-il en se levant. Alors, tu devrais peut-être penser à lui pardonner.

Elle aurait voulu discuter, lui dire qu'il avait tort de se prendre pour un psychanalyste, mais quelque chose la retint. Et s'il y avait un grain de vérité dans ce qu'il disait ? Et si elle usait du prétexte de la colère pour se protéger de la douleur d'avoir perdu sa mère ?

Dylan lui prit la main, la força à se lever.

— Viens, Pickle. Il est temps d'aller faire la connaissance de tes cousins.

## 24

Le cabinet juridique de Smith & Wesson et Associés occupait un hôtel particulier du début du XIX<sup>e</sup> siècle qui, malgré sa transformation en bureaux, conservait son élégance surannée. La mosaïque colorée du spacieux vestibule attirait le regard. Le majestueux escalier central menait à une galerie ouverte, soutenue par des colonnes doriques de marbre blanc. Dylan s'attendait presque à voir une Belle du Sud descendre les accueillir en faisant gracieusement onduler sa robe à crinoline. Ils durent se contenter d'une réceptionniste en tailleur sombre et chemisier de soie pêche, assise derrière un imposant bureau d'acajou, qui dévoila par son sourire le collier de perles de sa parfaite dentition.

Dylan régla d'abord avec l'agent de sécurité le problème de l'alarme déclenchée par son arme, et la sonnerie cessa dès qu'il exhiba son badge. Kate n'eut ensuite pas besoin de se nommer à l'hôtesse, qui savait déjà qui elle était.

— Bonjour, mademoiselle MacKenna. M<sup>e</sup> Smith arrivera dans un instant, il attendait votre arrivée avec impatience.

Impatience ? Est-ce bon ou mauvais signe ? se demanda Kate. Moins d'une minute plus tard, l'avocat descendit en hâte. Son sourire paraît authentique, se dit-elle, mais c'est un avocat. Et un avocat fort prospère, à en croire l'opulence de ses bureaux. Il doit par conséquent être un expert dans l'art de dissimuler ses sentiments…

— Anderson Samuel Smith, se présenta-t-il, la main tendue. Je suis enchanté de faire enfin votre connaissance, chère mademoiselle MacKenna. Sincèrement enchanté.

Il serra ensuite la main de Dylan et les deux hommes échangèrent quelques politesses. Kate sentit bientôt son malaise se dissiper.

— J'ai été pendant sept ans l'avocat de votre grand-oncle Compton, reprit maître Smith, et je crois que nous avons bien veillé sur ses intérêts. Il avait une personnalité des plus intéressantes. Nous pourrions peut-être dîner ensemble un soir, j'aurais ainsi le temps de vous dire tout ce que je sais de lui.

— Connaissiez-vous aussi son frère ? demanda Kate.

— Bien sûr, mademoiselle MacKenna. Cependant, nous ne nous occupions pas des affaires de votre père.

— Appelez-moi Kate, je vous en prie.

— Avec plaisir. Kate est un très joli prénom, dit-il avec un de ses sourires les plus charmeurs. Et vous, appelez-moi Anderson.

— Volontiers. Si vous n'y voyez pas d'inconvénient, j'aimerais me rafraîchir avant la réunion.

— Bonne idée, approuva Dylan.

Qu'est-ce que ça veut dire, « bonne idée » ? se demanda Kate. Ou bien j'ai une tête à faire peur, ou bien il veut parler seul à l'avocat.

Anderson l'accompagna de quelques pas en direction des toilettes avant de rejoindre Dylan dans le vestibule.

Kate se lava les mains et s'examina dans le miroir. Bon, se dit-elle, je suis un peu ébouriffée, mais je n'ai pas trop mauvaise allure. Pas trop bonne non plus. Décidant de se rendre plus présentable, elle se brossa les cheveux, qu'elle laissa retomber sur ses épaules, puisa dans son sac un poudrier et un tube de rouge à lèvres et se fit un raccord de maquillage. Au diable la perfection ! se dit-elle enfin. Elle ne pouvait pas faire mieux avec les moyens limités dont elle disposait.

Voulant permetre à Dylan de prolonger de deux minutes

son tête-à-tête avec l'avocat, elle essaya de se remonter le moral. Sois optimiste et cesse de prendre cette mine soucieuse, s'ordonna-t-elle. Tout se passera très bien. Anderson n'aurait pas eu l'air aussi content de me voir si je devais de l'argent à la succession. Non, le raisonnement manquait de logique. Il était peut-être satisfait parce qu'elle était venue alors qu'il ne l'espérait pas. Il avait sûrement dans sa manche un atout pour la faire payer, même si elle devait y consacrer le reste de son existence…

Arrête ! se reprit-elle. Où est l'optimisme, là-dedans ? Alors, à quoi se raccrocher ? Les photos. Il devait y avoir des photos de son père quand il était petit. Ce serait au moins une bonne chose à partager avec ses sœurs. Un lien qui les rattacherait à cet homme qui avait aimé leur mère et leur avait donné la vie. Un peu réconfortée, elle posa la main sur la poignée de la porte. Elle les aimerait peut-être, ces cousins. Pourquoi pas ? Sur quoi, elle se redressa, ouvrit la porte.

Dylan, absorbé par les paroles de l'avocat, lui accorda à peine un regard. Le ton était sérieux. Kate ne voulut pas les interrompre et attendit la fin de leur conversation à côté du bureau de la réceptionniste.

Dès qu'Anderson remarqua sa présence, son sourire reparut.

— Prête ? Eh bien, montons, dit-il en les précédant.

Kate resta un instant de plus près de Dylan, se pencha vers lui pour lui parler à l'oreille.

— Tu fronces les sourcils. Qu'est-ce qui ne va pas ?

Il hésita. Devait-il la mettre au courant ou la laisser affronter sans idée préconçue le nœud de vipères que l'avocat lui avait décrit ? Il opta pour une simple mise en garde.

— Je n'ai pas l'impression que tes cousins te plairont, répondit-il.

— Peut-être que si, dit-elle, résolue à ne pas crever la bulle d'optimisme qu'elle s'était donné tant de mal à imaginer.

— J'ai bien peur que non, insista-t-il avec un sourire destiné à atténuer sa réponse.

— On ne peut pas prévoir…

Elle s'interrompit. Sa bulle se dégonflait déjà. Voyant son désarroi, il s'en voulut d'avoir parlé.

— Reste ferme, se borna-t-il à lui conseiller.

— Je suis ferme de nature, répondit-elle sans conviction.

Ils arrivaient sur le palier quand un juron ordurier leur parvint aux oreilles. Kate s'arrêta net. Dylan haussa les épaules comme s'il trouvait cela tout naturel. Anderson eut l'air mortifié.

— Accordez-moi un instant, dit-il à Kate en se hâtant dans le couloir en direction de son bureau.

Dylan en déduisit qu'il allait donner à ses visiteurs une leçon de bienséance. Mais le mal était fait. Kate n'était plus seulement soucieuse, elle avait peur.

— Anderson t'a-t-il expliqué pourquoi il m'a écrit ? demanda-t-elle.

— Pour la lecture du testament, tu le sais déjà.

— Il ne t'a rien dit de plus ?

— Nous n'avons pas du tout évoqué le sujet du testament. Je voulais seulement savoir ce que nous allions trouver en face de nous et il m'a renseigné sur le compte de tes cousins. Il tient d'ailleurs à ce que tu saches qu'il n'en représente aucun.

Elle s'avançait lentement dans le couloir quand elle entendit fuser une nouvelle bordée de jurons.

— Dans quoi suis-je venue me fourrer ? soupira-t-elle. Ce n'est sans doute pas une bonne idée de rencontrer ces gens-là maintenant.

Ou même jamais, ajouta-t-elle en son for intérieur.

Dylan ne voulait pas qu'elle aborde les fauves avec une mine inquiète. S'ils la sentaient vulnérable, ils abuseraient de sa faiblesse. Il fallait à tout prix qu'ils voient une femme forte, sûre d'elle-même, donc inattaquable. Il réfléchit rapidement, retint Kate par le bras au moment où Anderson ouvrait la porte et lui souffla quelques mots à l'oreille.

163

C'était un vieux jeu de mots, le premier qui lui était venu à l'esprit, mais il fut efficace et Kate entra dans le bureau en riant.

Une hostilité à couper au couteau régnait dans l'atmosphère, mais le silence se fit instantanément. Roger fut le premier à réagir.

— Qui sont ces deux-là, Anderson ? gronda-t-il.

— On s'en fout de savoir qui c'est ! ricana Ewan en faisant un pas vers Kate d'un air menaçant. Ils n'ont rien à faire ici.

Croit-il vraiment m'intimider ? se demanda Kate. Pas question de me laisser faire ! Elle lui jeta un regard méprisant et continua d'avancer.

— Si vous voulez bien vous calmer, dit Anderson, je vais faire les présentations. Kate, je vous présente Vanessa MacKenna.

Une femme d'une beauté remarquable était assise à l'écart des autres. Son expression ne reflétait que la curiosité.

— Bonjour, dit-elle courtoisement.

— Vanessa, enchaîna Anderson, est l'épouse de Bryce MacKenna.

Celui qu'il désigna d'un geste se borna à hocher la tête d'un air fort sec.

— Roger MacKenna est à côté de Bryce et Ewan MacKenna est à sa droite. Je vous présente maintenant votre cousine, Kate MacKenna.

— Notre cousine ? rugit Ewan. C'est une imposture ! Nous n'avons pas de cousine !

— Ewan a raison, approuva Bryce. Nous sommes les seuls membres de la famille.

— Manifestement, ironisa Vanessa, ce n'est pas le cas.

Les frères affectèrent de ne pas avoir entendu.

— Et qui c'est, l'autre ? voulut savoir Roger. Il veut se faire passer pour un cousin, lui aussi ?

— Il accompagne Kate, répondit Anderson évasivement.

— Ils espèrent peut-être un morceau du gâteau ? gronda Bryce. C'est grotesque !

Anderson leva la main pour demander le silence.

— Votre oncle m'a affirmé que la vidéo vous fournira toutes les explications que vous pourriez souhaiter. Après l'avoir vue, aucune de vos questions ne restera sans réponse. Il m'a aussi demandé qu'une copie de ce que vous allez voir soit remise à chacun de vous. Terrance, dit-il à son assistant, veuillez distribuer les copies du disque. L'original est-il dans l'appareil ?

— Oui, maître. Tout est prêt.

Anderson alla ajuster le store pour éviter les reflets du soleil sur l'écran et revint prendre sa place.

— Bien. Nous pouvons commencer.

— Il serait temps ! gronda Bryce.

— Veuillez vous asseoir, dit-il à Roger et Ewan, encore debout. Et je vous prie de vous abstenir de tout commentaire tant que votre oncle n'aura pas fini de parler.

Roger se laissa tomber sur une chaise.

— Il faut écouter ce vieux grigou avant de pouvoir toucher notre fric ? grogna-t-il à l'adresse de son frère.

— Il essaie encore de nous manipuler du fond de sa tombe, ricana Ewan. Ce vieux salaud sera resté fidèle à lui-même resté jusqu'au bout !

— Votre oncle n'est pas ici pour se défendre, intervint sèchement Vanessa. Et vous, vous êtes assez ignobles pour insulter un mort.

Ewan n'en parut guère affecté.

— Il n'y a qu'une garce pour aimer un salaud, murmura-t-il assez fort pour que tout le monde l'entende.

Kate avait l'impression de se trouver dans une mauvaise série télévisée. Que pourrait-elle dire à Kiera et Isabel sur le compte de ces méprisables cousins ? Ils lui donnaient la nausée. Elle ne se sentait rien en commun avec des êtres aussi répugnants. Bryce buvait verre sur verre comme s'il avait hâte de s'enivrer, et plus il buvait plus il devenait odieux. Ses frères semblaient prendre plaisir à provoquer son esprit tordu et l'encouragaient par leurs rires. Personne ne pouvait devenir aussi abominable sans un long entraînement...

Kate préféra accorder son attention à Vanessa. Elle l'étonnait. On aurait pu croire que cette femme, belle et distinguée, était entrée dans ce bureau par erreur. À l'évidence, elle n'avait pas sa place au milieu de ce troupeau de rustres.

Debout derrière elle, Anderson fit signe à Terrance, qui mit aussitôt l'appareil en marche. Le silence se fit lorsque Compton Thomas MacKenna apparut sur l'écran, mais il ne dura guère.

— Il vient de dire qu'il a modifié son testament, s'écria Ewan. Pourquoi nous n'en avons pas été informés ?

— Tais-toi donc et écoute, le rabroua Roger. Nous discuterons plus tard.

— Reprenez depuis le début ! récrimina Bryce. Je n'ai rien entendu à cause de mon foutu frère qui est incapable de la boucler !

Les chamailleries recommencèrent de plus belle. Kate en arriva à se demander si elle allait pouvoir en subir davantage. Conscient de son désarroi, Dylan posa sur le dossier de sa chaise un bras protecteur et se pencha vers elle.

— Tu veux t'en aller ? chuchota-t-il.

Elle en mourait d'envie, mais elle voulait aussi voir les photos de son père enfant et savoir pourquoi ses sœurs et elles avaient été invitées à ce mauvais spectacle de cirque.

— Oui, mais il faut que j'aille au bout.

Anderson parvint à rétablir le calme et l'assistant redémarra la lecture du DVD. Les frères restèrent tranquilles jusqu'à ce que leur oncle résume l'historique de la famille, qu'ils saluèrent de grognements mécontents.

Fascinée par la découverte de ses ancêtres paternels, Kate écoutait avec attention. Mais quand l'oncle Compton parla de sa mère, la curiosité de Kate fit place à la colère. Les propos du vieillard la cinglèrent comme un coup de cravache. Oser la traiter de traîne-savates ! C'était donc ça qu'il voulait ? Qu'elle l'entende dire du mal de sa mère ?

La colère de Kate redoubla lorsqu'elle apprit qu'il avait enquêté sur ses sœurs et elle. L'audace, l'arrogance de cet homme dépassaient l'entendement ! Aussi, le jugement qu'il portait sur elle la stupéfia. C'est elle qui lui ressemblait le plus ? Comment avait-il pu le croire ? Et il le disait en souriant, comme s'il lui conférait un honneur !

Kate se dit qu'elle ne pouvait pas être plus abasourdie qu'elle ne l'était déjà. Elle allait très vite se rendre compte qu'elle n'était pas au bout de ses surprises.

« Je lègue donc l'essentiel de ma succession, qui se monte à quatre-vingts millions de dollars, à ma petite-nièce Kate MacKenna... »

Non, impossible ! Elle avait mal entendu ! Elle se leva, retomba assise. Sa copie du DVD lui échappa. Elle n'entendit plus rien de ce qui suivit, pas même le vacarme qui éclata soudain autour d'elle. Paralysée par la stupeur, physiquement malade, elle ne put que rester assise en secouant la tête, en répétant « non, non » d'une voix éteinte.

Les autres s'étaient tournés vers elle comme une meute de coyotes enragés. Si elle était inconsciente du danger qu'elle encourait, Dylan en prit la mesure et se posta devant elle pour la protéger.

Bryce écumait, Roger hurlait, mais c'était Ewan le plus agressif. Les traits tordus par la rage, il bondit de sa chaise comme un taureau furieux jailli du toril et chargea, tête baissée, en rugissant :

— Comment vous avez fait, hein ? Comment vous vous y êtes prise pour lui faire changer son testament, à ce vieux cinglé ? Vous, ôtez-vous de là ! cria-t-il à Dylan en essayant de le repousser.

— Allez vous rasseoir, répondit Dylan calmement.

Ewan lui lança un coup de poing que Dylan esquiva sans peine.

— Je ne suis pas venu me battre, reprit-il. J'ai mis mon beau costume et je suis ici pour tenir compagnie à mon amie. Calmez-vous.

— Vous vous croyez plus fort que moi, hein ? éructa Ewan.

Son comportement de gamin mal élevé n'amusait pas Dylan.

— Vous allez devoir vous rasseoir, d'une manière ou d'une autre.

Avec un rugissement, Ewan tenta une nouvelle fois de frapper Dylan, puis une troisième, mais celui-ci, à bout de patience, lui assena un direct à l'estomac. L'homme s'affala sur le canapé, obligeant Roger à se décaler en hâte pour ne pas le recevoir sur ses genoux.

— Vous voilà assis, maintenant, dit Dylan en souriant.

— Appelez la police, Anderson ! cria Ewan. Faites arrêter cet individu pour coups et blessures, je porte plainte ! Qu'est-ce que vous attendez ? Je veux que la police vienne tout de suite !

— Je crains de ne pas vous avoir présenté formellement le lieutenant Buchanan, répondit l'avocat. Si vous souhaitez voir son badge, il vous le montrera très volontiers.

Un large sourire aux lèvres, Anderson prenait visiblement plaisir à voir traiter comme ils le méritaient les neveux de son client.

Vanessa n'avait pas encore desserré les dents.

— Quatre-vingts millions ! murmura-t-elle. C'est incroyable.

Ewan tourna aussitôt sa rage contre elle.

— Peut-être bien que celui qui te baise en ce moment te trouvera moins belle quand il sera au courant ! cracha-t-il. Tout ce que tu récoltes, c'est la vieille baraque et une aumône de cent mille dollars.

— J'adore cette maison, Compton le savait. Je suis enchantée qu'il me l'ait laissée.

— Épargne-nous tes airs supérieurs, ricana Bryce.

— Je ne prends pas d'airs supérieurs. Vous l'avez tous traité indignement. Oui, vous tous.

— Laisse tomber, brailla Roger. Pense plutôt à nous. Qu'est-ce qu'on va faire, maintenant ?

— Un procès. Nous ferons casser ce testament, affirma Bryce.

— Ça peut prendre des années, gémit Ewan.

— Moi, je peux pas attendre, dit Roger avec l'accent du désespoir. J'ai besoin de ce fric. Il me le faut tout de suite.

Ses paroles déclenchèrent de nouveau un chaos général.

Le vacarme assourdissant ne parvenait aux oreilles de Kate que sous la forme d'un grondement indistinct. Le même chiffre tournait et retournait dans sa tête. Quatre-vingts millions. De quoi sauver son entreprise, payer les études d'Isabel, garder la maison. Résoudre tous ses problèmes présents et futurs. La réponse à ses prières, en somme.

Elle prit son sac, se leva.

— Je n'en veux pas, déclara-t-elle dans le silence soudain retombé.

— Je comprends votre surprise, Kate, dit Anderson en tapotant l'épais dossier posé sur son bureau. Vous avez sans doute déjà compris que votre grand-oncle Compton était un gestionnaire méticuleux. Il a prévu le transfert de son héritage jusqu'au moindre détail. Ce dossier contient un état préparé par ses experts comptables. Vous allez l'emporter et le consulter afin de vous familiariser avec ses actifs liquides et autres, car il voulait que vous soyez en mesure d'apprécier ce qu'il a accompli sa vie durant. Vous reviendrez ici demain à quinze heures rencontrer ses conseillers financiers. Ils répondront à vos questions et vous offriront leurs services afin d'assurer la transition.

— Vous n'avez pas compris ? Je n'en veux pas. Rien, pas un sou.

— Accordez-vous le temps de la réflexion, insista Anderson. Vous ne pouvez pas prendre une telle décision de manière aussi hâtive.

— Vous avez entendu, oui ou non ? intervint Roger. Elle a dit qu'elle n'en voulait pas.

— Que se passera-t-il si elle ne prend pas l'argent ? aboya Ewan.

— Votre oncle était formel, sa succession doit échoir à

Kate. Persuadé qu'elle l'accepterait, il n'a pas désigné d'autres légataires.

— Oui, mais ça veut dire que si elle refuse, l'héritage doit aller à ses parents les plus proches, n'est-ce pas ?

Anderson s'abstint de lui répondre et se tourna vers Kate.

— Vous avez jusqu'à demain pour réfléchir. Prenez ce dossier, étudiez-le, nous en reparlerons à ce moment-là.

— C'est inutile, déclara Kate. Je refuse cet héritage. Je ne veux rien accepter de cet homme.

Prêt à intervenir si l'un des frères s'approchait de trop près, Dylan se rendit compte avec admiration que Kate dominait maintenant la situation et ne se laisserait pas intimider.

Vanessa se leva et se dirigea vers la porte. En passant devant Kate, elle marqua un bref temps d'arrêt.

— Il voulait vraiment vous léguer cet héritage. Ce serait sage de réfléchir avant d'y renoncer. Bonne chance, ajouta-t-elle en souriant.

— Qu'est-ce que vous attendez, Anderson ? clama Ewan. Préparez les papiers, faites-la signer !

— Je n'en ai pas le droit. En tant qu'exécuteur testamentaire, j'ai l'obligation de veiller à ce que les dernières volontés de votre oncle soient respectées. Je ne peux pas vous forcer à accepter son héritage, poursuivit-il en tendant le dossier à Kate. Je puis seulement vous conseiller de consulter ces documents avant de prendre une décision.

Kate sentit sa patience l'abandonner.

— Je vous remercie de vos conseils et je sais que vous ne faites qu'accomplir votre devoir, dit-elle en réussissant à sourire. Mais vous comprendrez aussi que je n'ai pas l'intention de changer d'avis. S'il faut signer un document pour officialiser mon renoncement, je vous saurai gré de le préparer au plus tôt.

Anderson comprit qu'il était inutile d'insister. Il n'avait plus qu'à laisser à Kate le temps de réfléchir.

— Fort bien. Il me faudra un jour ou deux pour

préparer ce document et le notifier aux parties en cause. Dès qu'il sera prêt, je vous en informerai.

— Puis-je avoir les photos de mon père, maintenant ?

Il ouvrit un tiroir de son bureau d'où il sortit une grande enveloppe.

— Bien sûr, les voici.

— Merci. Pouvons-nous partir ? demanda-t-elle à Dylan.

— Allons-y.

Il la suivit sans quitter des yeux les frères, qui manifestaient une joie indécente de ce qu'ils considéraient comme leur victoire.

— Je vous raccompagne, dit Anderson.

Ils sortirent ensemble et gardèrent le silence jusqu'à ce qu'ils soient arrivés dans le couloir.

— Je vous contacterai dès que possible, dit-il à Kate. D'ici là, je vous supplie de réfléchir. Vous changerez peut-être d'avis.

— J'aurai beaucoup de mal à expliquer tout cela à mes sœurs. En venant ici, je savais que j'allais rencontrer des parents inconnus, mais je ne m'attendais pas à ce qu'ils soient aussi…

— Je sais, l'interrompit Anderson en souriant. Il n'est pas facile de les décrire avec objectivité.

Cette fois, Kate ne put s'empêcher de rire.

C'est le moins qu'on puisse dire ! Au moins, j'ai le… Oh ! J'ai oublié mon DVD.

Elle tourna les talons et partit vers le bureau avant que Dylan ait pu la retenir.

Derrière la porte, elle entendit des éclats de rire et le tintement de verres entrechoqués. Manifestement, les frères fêtaient l'heureux revirement de leur cousine. Elle posait la main sur la poignée de la porte quand un propos obscène retint son geste. Elle tendit l'oreille, écouta quelques secondes. Elle n'eut pas besoin d'en entendre davantage.

Les rires cessèrent brusquement quand elle entra. Sans accorder un regard aux trois frères, elle alla droit à sa chaise, ramassa le disque qu'elle avait laissé tomber, fit deux pas vers le bureau de l'avocat et s'empara du dossier.

— Qu'est-ce que vous faites ? l'apostropha Roger.

— Vous m'avez fait changer d'avis, répondit-elle sèchement. J'ai envie de lire ces documents, tout compte fait.

Dylan l'attendait sur le seuil. Avant qu'il referme la porte derrière elle, elle se retourna.

— Je ne veux surtout pas vous interrompre, chers cousins, dit-elle calmement. Je vous en prie, poursuivez. L'un de vous vient de traiter ma mère de putain.

## 25

— Que diable t'est-il arrivé ? demanda Dylan, stupéfait, pendant qu'ils traversaient le hall vers la sortie.

— Sois plus précis. De quel diable parles-tu ?

Avec le sourire épanoui d'un père fier de la réussite de sa fille à un examen difficile, Anderson leur courait après.

— Mademoiselle MacKenna ! Kate, attendez s'il vous plaît !

Une seconde, Kate envisagea de partir en courant. Elle avait hâte de s'éloigner le plus loin et le plus vite possible de ces abominables cousins, mais il aurait été injuste de rendre l'avocat responsable de leur mesquinerie. Anderson paraissait d'ailleurs aussi choqué que Dylan et elle-même de la manière dont ils s'étaient conduits.

Se forçant à sourire, elle s'arrêta, se retourna.

— Je ne peux pas vous dire à quel point je suis heureux que vous acceptiez l'héritage. Vous viendrez donc demain à trois heures, n'est-ce pas ? Les comptables et les conseillers de votre oncle seront prêts à répondre aux questions que vous ne manquerez pas de vous poser après avoir lu ces rapports. Ils seront également témoins de votre signature de l'acte. Bien entendu, poursuivit-il après avoir repris son souffle, je ferai de mon mieux pour continuer à vous guider dans l'achèvement des formalités et ce, jusqu'à ce que vous ayez choisi une autre firme juridique chargée de vous représenter.

— Je n'ai pas l'intention de vous remplacer, Anderson.

— Merci mille fois, dit-il, visiblement enchanté.

— Mais en ce qui concerne ces quatre-vingts millions…

— Euh… Votre oncle en a sous-estimé le montant.

— Pardon ?

— Oui. La somme est sensiblement plus importante.

— Ah… Et vous voulez bien continuer à…

Le souffle coupé, elle ne put achever sa phrase.

— Je vous verrai donc demain à trois heures ? reprit Anderson.

Il allait trop vite. Tout allait trop vite.

— Il me faut le temps de lire… Ce soir. Demain…

D'un regard affolé, elle supplia Dylan de venir à son aide. Elle ne trouvait plus ses mots, elle se sentait devenir idiote.

Dylan comprit qu'elle perdait pied et qu'il devait intervenir.

— Kate peut-elle vous reparler de cette réunion ? Elle vous appellera demain matin pour vous demander s'il y a moyen de la retarder. Ne faites rien avant qu'elle ait repris contact avec vous.

— Oui, approuva-t-elle aussitôt. Je vous rappellerai.

— Vous avez une longue lecture devant vous, commenta Anderson en montrant le dossier qu'elle serrait sous son bras. J'y ai joint une note sur l'organisation des obsèques de votre oncle, vous pourrez la consulter, mais je ne vous engage pas à y assister. Puisque vous me faites l'honneur de me garder, je tiens à vous rappeler que vous pourrez toujours compter sur moi, de jour comme de nuit. Ma carte est agrafée dans le dossier avec tous les numéros de téléphone auxquels on peut me joindre.

— Merci.

Elle se retournait quand elle se ravisa :

— Cette réunion de demain…

— Oui ?

— Les cousins y viendront-ils ?

Elle avait réussi à prononcer le mot « cousins » sans s'étrangler.

— Je regrette de devoir vous dire que je vais être obligé de les y inviter. Votre oncle a laissé des instructions précises sur ce point. Je n'ai pas soulevé d'objection quand il a abordé le sujet, j'ignore ses motivations, mais je suppose qu'il voulait que ses neveux prennent conscience de ce que leur conduite leur a fait perdre. Leur présence n'est cependant pas obligatoire car leurs parts d'héritage leur ont déjà été remises. Il en va de même pour vos sœurs, Kiera et Isabel. Vous êtes la seule dont la présence est indispensable pour la signature des actes.

Il marqua un temps d'arrêt afin de lui permettre d'assimiler ce qu'il venait de dire.

— Si vous aviez refusé la succession, reprit-il, je pense que les trois neveux l'auraient légalement recueillie au terme d'une assez longue procédure. En ce qui concerne vos sœurs, en revanche, le testament définit précisément leurs parts, de sorte qu'elles ne peuvent pas en revendiquer davantage. Ce que je cherche à vous dire, précisa-t-il en constatant sa perplexité, c'est que tout repose désormais sur vous. Je tiens aussi à vous répéter de ne pas relâcher votre vigilance, ajouta-t-il en se tournant vers Dylan. Quant à vos cousins, soyez rassurée, ils ne feront pas irruption dans mon bureau pendant notre réunion en brandissant des armes. La sécurité sera renforcée.

Kate crut qu'il plaisantait jusqu'à ce qu'il se tourne à nouveau vers Dylan.

— Mon agent de sécurité m'a confirmé que le numéro de série du pistolet avait été limé.

— Cela ne m'étonne pas. L'a-t-il signalé et a-t-il vérifié si Roger détenait un permis de port d'armes ?

— Oui. La police sera ici d'une minute à l'autre.

— Voilà une bonne nouvelle.

De plus en plus effarée, Kate se dirigeait machinalement vers la sortie quand Dylan vit le garde qui attendait près de la porte. Kate voulut continuer, il lui happa le bras pour la retenir.

— Pas si vite ! Attends-moi.

Le garde les rejoignait déjà.

— Lieutenant Buchanan ! M^e Smith vous a-t-il informé de ce que j'ai découvert au sujet du pistolet ?

— Oui.

— Que dois-je dire aux policiers ? Ils ne vont pas tarder.

Dylan comprit que l'homme ignorait les règles de la procédure.

— Vous n'aurez rien d'autre à faire que leur remettre le pistolet. Ils sauront comment s'occuper de Roger MacKenna.

— Faut-il les mettre en garde ?

— Ils le sont déjà, le rassura Dylan, et ils savent comment s'y prendre. Vous n'aurez pas besoin d'intervenir.

— Bien, lieutenant.

— M^e Smith va les garder tous les trois dans son bureau jusqu'à l'arrivée de la police, mais si Roger insiste pour s'en aller, il descendra avec lui et l'accompagnera jusqu'à la porte. Vous ne serez donc pas obligé de l'affronter seul. Si vous préférez, ajouta Dylan, vous pouvez attendre dans votre bureau.

— Si vous jugez que je peux le faire, dit le garde avec un soulagement visible, c'est ce que je ferai.

— Bien. Allons-y, Kate.

Kate ne bougea pas. Sa mine stupéfaite était presque comique.

— C'est l'histoire du pistolet qui t'étonne ? demanda Dylan.

Après la séance dans le bureau de l'avocat, elle avait cru que plus rien ne pourrait l'étonner. Combien de surprises aurait-elle encore ? Le pire, c'est qu'elle réprimait à grand-peine un fou rire.

— Un pistolet ? dit-elle enfin. Qui diable aurait l'idée de prendre une arme à feu pour assister à la lecture d'un testament ?

— Apparemment, un certain Roger MacKenna. Mes collègues l'emmèneront au commissariat pour un bavardage amical. Ils vérifieront aussi l'arme. Espérons que Roger transpirera beaucoup et longtemps dans sa cellule. Ce serait une bonne chose, n'est-ce pas ?

— Tu ne devrais pas attendre la police ? Ils auront peut-être des questions...

— Non. Filons d'ici le plus vite possible. À moins que tu ne veuilles faire un saut là-haut pour embrasser tes charmants cousins ?

— Non merci, répondit-elle avec un frisson de dégoût.

— Je m'en doutais, dit-il en souriant. Allons-y.

Un coup de tonnerre les accueillit quand ils posèrent le pied dehors. Une pluie fine tombait, mais les nuages noirs et lourds annonçaient un déluge imminent.

— On essaie de battre l'orage à la course ? dit Dylan.

Elle n'eut pas le temps de répondre. Il lui saisit la main et partit en courant. Ils avaient à peine atteint le coin de la place que la pluie fine s'était muée en véritable douche. Kate parvenait non sans mal à soutenir l'allure qu'il lui imposait.

— Je t'attends ici, va chercher la voiture, plaida-t-elle.

— Pas question, Pickle. Tu restes avec moi et on décampe tout de suite.

Ils traversèrent le square sans ralentir. La main sur la crosse de son arme, Dylan regardait sans cesse autour de lui, scrutait les haies et les bouquets d'arbres à la recherche de quoi que ce soit, homme, animal ou objet, dont ce n'aurait pas été la place. Perchée sur ses hauts talons, Kate souffrait le martyre, mais sa fierté lui interdisait de se plaindre ou de supplier Dylan de ralentir. Plutôt mourir sur place.

Quand ils arrivèrent à la voiture, Dylan précipita Kate à l'intérieur, claqua la portière et enleva sa veste. Au même moment, les nuages crevèrent pour de bon. Le temps de contourner la voiture jusqu'à sa portière, il était à tordre.

Kate plia la veste, la posa sur la banquette arrière et mit par terre derrière elle l'épais dossier et l'enveloppe contenant les vieilles photos. Alors seulement elle essaya de se

177

calmer. Hors d'état de chasser ses cousins de ses pensées, elle se sentait aussi moulue que si elle venait de passer une heure dans un mixeur.

Avant de démarrer, Dylan vérifia la rue et les bâtiments. La pluie avait chassé des trottoirs les piétons qui s'abritaient sous les porches. Deux camionnettes passèrent sans que les conducteurs jettent le moindre regard à leur voiture. Ils étaient en sûreté. Pour le moment...

Une voiture de police les dépassa à vive allure et stoppa devant l'immeuble de Smith & Wesson. Dylan actionna le démarreur.

— Ça va, on peut y aller.

Pour chasser la buée qui commençait à se former sur les vitres, il mit en marche la climatisation, puis il démarra lentement. Kate ne prêtait aucune attention à la direction qu'il prenait. Elle ne réagit que lorsqu'il dépassa le carrefour où il aurait dû tourner pour regagner l'autoroute. Il se contenta d'un signe de tête en réponse à sa remarque.

Dylan parut ensuite tourner constamment à gauche et à droite, si bien qu'elle perdit complètement le sens de l'orientation et ne savait plus où ils étaient.

— Vas-tu enfin me dire où tu vas ? demanda-t-elle.

— Nulle part dans l'immédiat. Je m'assure simplement que nous ne sommes pas suivis.

Elle se retourna, regarda par la vitre arrière.

— Je ne vois personne.

— Moi non plus.

— Alors, pourquoi ?...

— Simple précaution.

La pluie cessait déjà. Dylan repéra un stade, se gara sur le parking. Il n'y avait pas âme qui vive aux alentours. Le soleil qui reparaissait laissait prévoir un nouvel assaut de chaleur humide. La vapeur que dégageait l'asphalte surchauffé embrumait l'ensemble du parking. Dylan déboucla sa ceinture, desserra sa cravate et poussa un long soupir. Kate attendit qu'il se soit un peu détendu.

— Dylan, je vous avais dit, à Nate et toi, que je ne voyais pas à qui ma mort profiterait. Tu t'en souviens ?

Un léger sourire apparut sur ses lèvres.

— Oui, je m'en souviens.

— Je crois pouvoir maintenant te citer quelques noms.

## 26

Kate avait le don de trouver les mots qu'il fallait pour remettre les choses en perspective ou désamorcer d'un sourire une tension qui menaçait de dégénérer. Dylan savait qu'elle avait peur. Ses cicatrices lui rappelaient qu'on voulait la tuer et qu'elle en avait réchappé de justesse. Mais, une fois sa première réaction dominée et sa peur surmontée, elle faisait preuve d'une impressionnante force de caractère. Lui, de son côté, se sentait au-dessous de tout – triste aveu de la part d'un lieutenant de police censé être sans peur et sans reproche...

Compton MacKenna mettait Kate dans une position périlleuse. Sciemment ou inconsciemment et quelles qu'aient été ses motivations, il avait donné à ses neveux quatre-vingts millions d'excellentes raisons de vouloir se débarrasser d'elle.

La seule idée qu'on puisse vouloir du mal à Kate faisait enrager Dylan autant qu'elle le terrifiait. Et ça, ce n'était pas bon, pas bon du tout. Il se laissait trop entraîner par ses émotions, ses sentiments. Il s'était trop attaché à elle. Comment diable en était-il arrivé là ?

Kate le voyait darder à travers le pare-brise un regard étincelant d'une fureur qu'elle s'expliquait mal.

— Dylan..., commença-t-elle.

— Je ne laisserai personne te faire du mal ! lâcha-t-il avec une telle intensité que sa voix en tremblait.

Kate en déduisit qu'il avait besoin d'être rassuré.

— Croirais-tu que je ne te juge pas capable de me protéger parce que tu as été blessé en service commandé ?

Qu'elle se fourre le doigt dans l'œil à ce point le fit éclater de rire.

— Oui, c'est précisément ce qui m'inquiète.

— Je connais tes citations, tes médailles, dit-elle sans comprendre la cause de cette hilarité. Tu fais remarquablement ton travail, je le sais et je ne suis pas inquiète du tout.

— Merci, ça me fait plaisir.

Considérant ce problème résolu, elle passa au suivant.

— Je suis dans un affreux guêpier, n'est-ce pas ?

— Sans aucun doute, approuva-t-il.

— Pour encore combien de temps, à ton avis ?

— Je n'en ai aucune idée.

Elle s'attendait à cette réponse, bien sûr, mais elle espérait au moins une estimation, même vague. Sa vie était au point mort, elle ne pouvait rien entreprendre sur les plans professionnel et personnel jusqu'à ce qu'une solution quelconque intervienne. À peine eut-elle émis cette pensée qu'elle se rendit compte de son idiotie. La priorité qui s'imposait, c'était de rester en vie.

Dylan prit son portable, ouvrit sa portière.

— Je vais appeler Nate. Anderson lui avait communiqué les noms de tes cousins et Nate allait les vérifier. Il a sans doute reçu des informations. Ne bouge pas.

Il laissa tourner le moteur et la climatisation, et sortit sur le parking. Nate devait attendre son appel, car il décrocha à la première sonnerie et rapporta immédiatement à Dylan ce qu'il avait appris sur le compte des frères MacKenna.

— Commençons par le plus jeune, Ewan. Il est culturiste et doté d'un caractère de chien. Son dernier bilan fait état de trois poursuites judiciaires pour coups et blessures. Ses avocats se démènent de leur mieux pour lui éviter la prison et Ewan leur doit d'énormes arriérés d'honoraires. Il y a deux ou trois ans, il avait monté avec des investisseurs une affaire de fabrication et de vente d'appareils de culture physique, mais elle s'est cassé la figure, et le bonhomme compte sur l'héritage de son oncle pour s'en sortir. S'il ne touche rien, il est bon pour la taule.

Dylan l'entendit feuilleter des papiers.

— Voyons... Bryce. C'est l'aîné, n'est-ce pas ?

— Oui.

— Casier judiciaire vierge, mais il ne vaut guère mieux. Il avait commencé à boire avant même la fin de ses études et était alcoolique au dernier degré quand il a obtenu ses diplômes. Il souffre d'une cirrhose du foie, qui lui a valu plusieurs hospitalisations et séjours en cure de désintoxication, mais cela ne l'a pas empêché de continuer à boire. Il y a environ dix-huit mois, il a voulu s'inscrire sur une liste d'attente pour recevoir une greffe du foie, mais sa demande a été refusée parce qu'il buvait toujours autant. D'après ce que j'ai entendu dire, il en a piqué une crise et a même tenté de s'acheter un foie ! Il est aussi cinglé que son frère Ewan. Il avait gagné pas mal d'argent en Bourse quand les marchés étaient en plein boom, mais il a fini par y perdre sa chemise. Vous devriez voir son rapport de crédit ! Il est endetté jusqu'au cou et paraît se moquer éperdument que sa femme se retrouve avec toutes ses dettes sur les bras. Selon Anderson Smith, les médecins ne lui donnent pas plus de six mois à vivre.

— Parlez-moi de sa femme, justement. J'ai remarqué qu'elle ne porte pas d'alliance. Ils sont séparés, divorcés ?

— Non, ils sont encore mariés. Elle voulait demander le divorce, mais, en apprenant que Bryce était sur le point de passer l'arme à gauche, elle a jugé plus digne de rester avec lui jusqu'à la fin.

— C'est aussi Anderson qui vous l'a dit ?

— Oui. Il la respecte... Comment s'appelle-t-elle, déjà ?

— Vanessa.

Dylan entendit encore un bruit de feuilles qu'on tourne.

— C'est ça, Vanessa. Rien à se reprocher, pas même une contravention pour excès de vitesse. Elle a reçu plusieurs distinctions pour ses actions sur le plan social. Elle a une petite affaire de décoration. L'oncle l'aimait bien, paraît-il.

— Et Roger MacKenna ?

— Je gardais le meilleur pour la fin. Vous avez rencontré tous ces gens, n'est-ce pas ? Vous étiez avec Kate chez l'avocat ?

— En effet.

— Ça devait être intéressant. Il paraît que Kate a tout refusé ? Je regrette de ne pas avoir vu la réaction des trois frères.

— Elle a commencé par refuser l'argent, et était même prête à signer un renoncement officiel. Mais elle a changé d'avis en entendant les trois clowns insulter sa mère.

Il y eut un long silence suivi d'un éclat de rire. Nate doit apprécier la nouvelle à sa juste valeur, pensa Dylan.

— Bravo ! commenta Nate en reprenant son sérieux.

— Alors, qu'est-ce que vous avez appris sur Roger ?

Dylan marchait de long en large en attendant que Nate trouve ses notes concernant le personnage. Kate l'observait de l'intérieur de la voiture. Elle ne pouvait pas l'entendre à cause du ronronnement du climatiseur et parce qu'il lui tournait le dos la plupart du temps. Quand il se retourna, elle vit qu'il souriait. Les nouvelles ne sont donc pas si mauvaises, se dit-elle. Mais le sourire ne dura pas et fut rapidement remplacé par l'emportement. Dylan criait dans le téléphone.

Elle crut entendre un prénom masculin comme Jack, se demanda de qui il s'agissait et arrêta le climatiseur afin de saisir quelques bribes, mais elle n'entendit rien de plus que des éclats de voix, sans distinguer le moindre mot intelligible.

Kate fronça les sourcils d'un air réprobateur. Un bon professionnel doit savoir maîtriser ses humeurs et ne pas crier, estima-t-elle, surtout après ce pauvre inspecteur surmené. Elle en ferait la remarque à Dylan quand il reviendrait.

Deux minutes plus tard, c'est elle qui hurlait au téléphone, sans en être offusquée le moins du monde.

Elle venait d'écouter un message de la « dame des

boîtes » avec un tel effarement qu'elle dut le réécouter. « Nous n'arrivons décidément pas à nous joindre, commençait Haley. Appelez-moi le plus vite possible, je vous en prie, pour me dire ce qu'il faut faire. Cette femme, cette espèce de folle, vient à tout bout de champ dans mon bureau et veut tout changer. Elle s'appelle Randy Simmons et se prétend la nouvelle propriétaire de la marque Kate MacKenna. J'ai d'abord cru à une mauvaise plaisanterie. Si vous aviez vu la manière dont elle est accoutrée, vous l'auriez cru aussi. Et puis elle est... d'une vulgarité incroyable. Je n'arrive pas à m'en débarrasser. Quand je lui ai dit que vous ne m'aviez pas informée de la vente de votre entreprise, elle m'a répondu que vous ne m'en parleriez pas parce que vous étiez trop humiliée d'avoir été obligée de vendre après n'avoir pas pu rembourser votre emprunt. »

C'est à ce moment du message que Kate avait commencé à pousser des cris de fureur. Le premier choc s'était toutefois un peu amorti lorsqu'elle écouta le message pour la seconde fois.

« J'en suis d'abord restée muette de stupeur, poursuivait Haley. Et écoutez le plus beau ! Elle m'a dit qu'il ne fallait pas m'inquiéter parce qu'elle n'avait pas l'intention de me renvoyer tant que je ferais exactement ce qu'elle voudrait. J'ai alors retrouvé ma voix pour lui dire que j'étais la patronne de mon entreprise, qu'elle ne pouvait pas me renvoyer puisque je n'étais pas son employée, mais je n'ai pas l'impression qu'elle ait compris. Elle m'a répondu, comme si je n'avais rien dit, qu'elle était tellement enchantée d'avoir une affaire à elle qu'elle allait peut-être un peu trop vite en besogne, mais qu'elle comptait faire de grands changements. Surtout, écoutez bien, dans les couleurs. Elle trouve les vôtres trop ternes ! Comme j'étais revenue de ma stupeur, je lui ai déclaré qu'elle devrait fournir la preuve qu'elle était bien la nouvelle patronne avant d'apporter le moindre changement. Elle m'a assuré que son mari s'occupait de tout et que j'aurai les documents légaux en main avant la fin du mois. Entre-temps, elle m'a défendu de commander pour vous des fournitures qu'elle ne pourrait pas rendre. Il faut absolument que vous me rappeliez, Kate, pour me dire ce que je dois faire avec cette femme. Ah, au fait ! Je ne sais pas comment elle s'y est prise, mais elle a trouvé le nom de notre fournisseur de ruban, qu'elle a appelé pour annuler la commande en cours. Elle lui a dit qu'elle était la nouvelle patronne et qu'elle voulait changer la couleur pour quelque chose de plus voyant, bleu vif avec un liseré fuchsia ! Le représentant m'a immédiatement contactée pour me demander ce qu'il devait faire. Alors, je vous en prie, téléphonez-moi le plus vite possible, je ne m'en sors plus ! »

Lorsque Dylan revint à la voiture, il surprit Kate, le téléphone à bout de bras, proférant des propos incohérents.

— Kate, écoute-moi...

Il ne put aller plus loin.

— Elle change mes rubans ! Tu te rends compte ? Elle raconte à tout le monde qu'elle est la patronne de mon affaire ! L'emprunt, ce fameux emprunt de ma mère, elle est au courant de tout ! Cette petite fouine de comptable, Simmons, manigance tout ! C'est sa femme !

Dylan avait du mal à comprendre ce qu'elle disait.

— Il faut que tu m'écoutes, Kate. Ne pense plus à ce ruban...

— Comment veux-tu que je ne pense plus au ruban ? J'appelle tout de suite un avocat, je les poursuivrai tous les deux, la Fouine et sa cinglée de bonne femme ! Elle a le culot de changer mon ruban ! Elle veut du fuchsia, tu te rends compte ! Du fuchsia !

Elle agitait son téléphone dans tous les sens. Dylan faillit le recevoir en pleine figure, parvint à lui happer le poignet et à poser l'appareil sur le tableau de bord.

— Kate, écoute-moi...

— Pour que le comptable se croie tout permis, il faut que le banquier soit complice ! Si c'est le cas, je les enverrai en prison, la Fouine et lui ! Comment osent-ils ?...

Dylan lui empoigna le visage à deux mains, la força à le regarder.

— Kate !

Elle finit par prendre en compte ses paroles.

— Quoi ?

— Tu as des problèmes beaucoup plus graves que celui du ruban.

Il la lâcha, attendit qu'elle se calme. L'impact de ce qu'il venait de dire avait dissipé sa crise de rage comme s'il avait soufflé sur une allumette, et elle se sentit honteuse de son manque de maîtrise.

— Excuse-moi. Je n'aurais pas dû crier comme cela. Tu comprends, c'est un tel choc. Ces misérables qui essaient de me voler…

— Mais tu ne les laisseras pas faire, n'est-ce pas ?

— Non, jamais.

Elle se ressaisit peu à peu. Dylan attendit encore un instant.

— Es-tu prête à m'écouter ?

— Oui, je suis prête. Qu'est-ce que Nate t'a dit ?

— Les cousins sont tous les trois des vauriens. Bryce a accumulé d'énormes dettes qui retomberont sur sa femme quand il mourra. Les médecins lui donnent au mieux six mois à vivre.

— Cela ne me surprend pas. Il avait l'air pratiquement mourant.

Il passa ensuite à Ewan. Kate ne s'étonna pas de sa réputation de brute, elle en avait eu un aperçu dans le bureau d'Anderson.

— Quant à Roger, poursuivit Dylan, c'est le joueur de la famille.

— L'oncle Compton disait en effet dans sa vidéo qu'il avait quatre cent mille dollars de dettes. Mais c'est sûrement exagéré.

— Non, c'est au-dessous de la vérité. Et Roger n'a pas ralenti son rythme. Il doit dans les sept cent mille à un usurier.

186

— Tu en es sûr ? Sept cent mille, c'est de la folie ! Je comprends maintenant pourquoi il pleurait.

— Tu n'as pas encore entendu le pire. Roger doit cet argent à Johnny Jackman. C'est le plus vicieux de tous les bandits. Il a des relations partout et une réputation à défendre par tous les moyens. Cet argent, il le récupérera d'une manière ou d'une autre.

— Tu as l'air de le connaître, ce Johnny Jackman.

— Je ne l'ai jamais rencontré en personne, mais j'en ai souvent entendu parler. Les fédéraux vont se frotter les mains en apprenant ce qui se prépare, ils cherchent à le coincer depuis des années. Nate ne peut pas les tenir plus longtemps à l'écart, il a besoin d'eux. Nous aussi, d'ailleurs.

— Alors, qu'allons-nous faire ?

— Te garder en vie.

— Je veux rentrer chez moi, soupira-t-elle.

— Tu sais bien que tu ne le peux pas.

— Pour combien de temps ? demanda-t-elle, résignée.

— Cela dépend.

— Je n'aurais pas dû accepter cet argent. Je n'en voulais pas. Mais quand je les ai entendus dire des horreurs sur ma famille, surtout sur ma mère, j'ai voulu me venger. Leur prendre cet argent me paraissait le meilleur moyen.

— L'accepter ou pas ne changerait rien, Kate. Celui ou ceux qui cherchent à se débarrasser de toi ne peuvent pas prendre le risque que tu changes d'avis une fois de plus. L'enjeu est trop important.

— Selon toi, tout ce qui m'arrive viendrait de cet héritage ?

— C'est au moins une hypothèse que nous ne devons pas écarter. Tu as entendu ce que disait Compton. Il a apporté des modifications à son testament il y a un certain temps, mais la vidéo ne date que de quelques semaines. Sachant que les bombes ont commencé à exploser après l'enregistrement de cette vidéo, la question est de savoir qui était au courant.

— Tu as vu toi-même que les frères étaient à la fois

catastrophés et fous de rage. Quant à Vanessa, sa stupeur n'était pas feinte.

— C'est vrai. Il y a donc dans cette partie soit un joueur que nous ne connaissons pas encore, soit un des membres de la famille qui est un comédien digne de recevoir un oscar.

## 27

Kate ne voulut pas rester à Savannah. Elle avait beau aimer la ville, la présence de ses cousins la poussait à s'en éloigner le plus possible. Dylan comprit et l'approuva. Il sortit donc de l'agglomération par les pittoresques routes secondaires pour éviter l'autoroute, sans paraître se soucier de chercher un endroit où passer la nuit ni même se préoccuper de la jauge à essence qui baissait à vue d'œil.

— Il ne faudrait quand même pas tomber en panne d'essence en pleine campagne, lui fit observer Kate.

— Bien sûr que non, approuva Dylan. Tu t'en inquiètes ?

— Évidemment.

— Bon, alors, arrêtons-nous. Prends la carte dans la boîte à gants, s'il te plaît, et cherche Bucyrus. Nous venons de dépasser un panneau qui l'indique à une dizaine de kilomètres.

Après avoir trouvé sur la carte où ils étaient, elle lui indiqua le chemin à suivre. Ils arrivèrent bientôt en vue de Bucyrus, modeste bourgade au creux d'une vallée, qui s'enorgueillissait, selon le panneau indicateur planté à l'entrée, d'une population de huit cent vingt-huit habitants.

Ils repérèrent un restaurant dans la rue principale. Dylan se gara en épi devant la quincaillerie qui le jouxtait et coupa le contact.

— Tu veux manger quelque chose ? Sûrement oui,

enchaîna-t-il sans lui laisser le temps de répondre. Pour ma part, je crève de faim.

Il passa deux coups de téléphone pendant qu'elle s'étirait les jambes et s'efforçait de chasser le nœud qui lui tordait l'estomac. Sans être vraiment malade, elle éprouvait une nausée chaque fois qu'elle pensait à ses cousins. De toute façon, elle n'avait aucun appétit – jusqu'à ce qu'elle entre dans le restaurant. Accueillie par l'arôme des épices et du pain frais sortant du four, elle aurait dévoré un bœuf entier lorsqu'ils s'assirent à table.

Le décor était kitsch au possible, mais la cuisine simple et excellente. Dylan engloutit sa part et la moitié de celle de Kate. Comme ils étaient les seuls clients et que la serveuse était fort occupée à regarder une série sentimentale sur le petit téléviseur posé au bout du comptoir, Dylan se pencha vers Kate de manière à ne pas être entendu.

— Et maintenant, parle-moi de la Fouine et du ruban.

— Tu sais déjà que ma mère avait contracté un emprunt en donnant en garantie tout ce que nous possédons, y compris mon affaire.

— Oui. Alors ?

— Il semblerait que le comptable qui gérait les affaires de ma mère s'apprête à s'emparer de mon affaire avec sa femme, et ce, dès la date d'échéance du remboursement de cet emprunt.

— Quel rapport avec le ruban ?

Kate lui rapporta en détail le message de Haley. Quand elle eut terminé, Dylan réfléchit en silence un long moment.

— À mon avis, dit-il enfin, cela mérite qu'on y regarde de plus près.

Avant de payer et de quitter le restaurant, il demanda le chemin de la station-service la plus proche. Pendant qu'il faisait le plein, Kate essaya d'appeler son amie Jordan. Elle tomba sur le répondeur et laissa un message. Dylan remonta en voiture, regarda la carte et démarra.

— Tu sais où nous allons ? demanda-t-elle.

— Que dirais-tu d'une surprise ?

— Si les chambres sont propres, je serai contente.

— Pas *les* chambres, *la* chambre. Je ne te quitterai pas des yeux.

Elle jugea inutile de discuter.

— Aurai-je au moins un lit à moi ?

— Si tu y tiens...

En se rappelant son petit discours sur leur folie d'un soir qui devait appartenir au passé, elle se sentit idiote.

— Si tu veux encore téléphoner, reprit-il, fais-le tout de suite, parce qu'une fois sortis de ce bled je ne veux plus que tu appelles qui que ce soit avec ton portable.

— Pourquoi ?

— Simple précaution.

Elle dut se contenter de cette réponse énigmatique.

— Je devrais appeler mes sœurs, j'aurais déjà dû le faire. J'espère tomber sur leur répondeur, cela m'éviterait de me lancer dans de longues explications.

Kate eut de la chance. Elle laissa à chacune le même message : « Les cousins sont abominables. Je te montrerai une vidéo du grand-oncle que nous n'avons pas connu, grâce à Dieu, et je te raconterai tout plus tard. Pour le moment, je suis débordée, tu ne pourras pas me joindre. Laisse-moi un message en cas de besoin. »

— Tu ne leur parles pas de l'héritage ? s'étonna Dylan.

— C'était sans importance... Pourquoi souris-tu ?

— Pour rien.

Une nouvelle inquiétude détournait déjà l'attention de Kate.

— Et mes sœurs, au fait ? Sont-elles en danger, elles aussi ? Leurs parts leur ont déjà été virées, je crois, mais malgré tout...

— Si tu renonces à la fortune, elles n'en hériteront pas, donc elles ne risquent rien. J'en ai quand même parlé à Nate : il s'occupe de leur fournir une discrète protection rapprochée. Espérons qu'elles ne s'en rendront pas compte. Ne t'inquiète pas à leur sujet, d'accord ?

— D'accord. Et merci d'y avoir pensé.

— As-tu d'autres coups de fil à passer ? Fais vite.

Elle appela Haley, qu'elle manqua une fois de plus, et lui laissa un long message confirmant qu'elle était toujours propriétaire de son affaire et que les embrouilles seraient prochainement réglées. Elle lui demanda aussi de ne rien dire à la femme de Simmons car elle préparait à ce couple diabolique une « surprise de taille ».

Elle appela ensuite Jordan, à qui elle laissa un nouveau message.

— Je ne comprends pas, dit-elle en éteignant son portable. Ta sœur n'a répondu à aucun de mes appels. Cela ne lui ressemble pas.

— Tu n'arrives plus à la joindre depuis que je suis arrivé sur le pas de ta porte, c'est bien ça ?

— Oui. Mais quel rapport ?

— Elle te laisse le temps de te calmer. Telle que je la connais, elle pense que tu es furieuse contre elle de s'être mêlée de tes affaires.

— En te chargeant de veiller sur moi ?

— Exactement.

— J'en ai été agacée un moment, je l'avoue. L'idée de voir débarquer un homme qui joue les chevaliers blancs ne m'a jamais plu et j'en ai un peu voulu à Jordan de m'expédier son frère en guise de protecteur. Elle t'en a chargé parce que tu es un professionnel et que tu sais mieux que quiconque comment agir en pareil cas, je le sais. Je ne lui en veux plus, mais je tiens quand même à lui dire ce que je pense. Te forcer à faire tout ce chemin rien que pour...

— Jordan ne m'a jamais forcé à agir contre mon gré.

Kate retint de justesse un éclat de rire. Jordan et sa sœur Sydney avaient toujours réussi à obtenir tout ce qu'elles voulaient de leurs frères. Cajolerie, ruse, culpabilité, tous les moyens leur étaient bons. Kate devait quand même admettre que la présence de Dylan la rassurait. Elle savait, bien sûr, que Nate et ses collègues de Charleston étaient de

192

bons policiers, mais elle préférait être placée sous la protection de Dylan, à qui elle savait pouvoir faire pleine et entière confiance.

Le téléphone de Dylan sonna. Dès qu'il reconnut le numéro de son correspondant, un large sourire lui vint aux lèvres. Encore une de ses conquêtes, fulmina Kate intérieurement. Jamais elle ne se serait crue capable d'autant de jalousie. Elle n'avait pourtant aucune raison de s'intéresser à la vie sentimentale de ce don Juan ! Il n'était rien pour elle, n'est-ce pas ?

Les bras croisés, elle affectait de ne pas entendre les gentillesses qui coulaient des lèvres de Dylan comme des perles de miel, mais elle ne pouvait s'empêcher de les écouter.

— Bien sûr, tu peux m'appeler quand tu veux... Non, non, c'est très bien comme ça... Parfait, mon chou. À bientôt.

De quoi vomir ! Combien en gardait-il en réserve qui brûlaient d'impatience de lui exprimer leurs tendres sentiments ? Attendait-il que ce soient elles qui le rappellent ou prenait-il l'initiative de les rappeler ? Inutile de s'en donner la peine, il n'avait que l'embarras du choix après tout... Eh bien, oui ! dut-elle admettre avec un accès de rage contre elle-même. Elle était jalouse !

— Kate ?

— Oui ? cracha-t-elle comme une insulte.

— Isabel t'embrasse.

— Hein ? Isabel ? Qu'est-ce que ?...

Si elle avait été debout, elle serait tombée raide.

— Elle t'embrasse, c'est tout. Pourquoi es-tu aussi désagréable ?

S'il le savait, elle courrait cacher sa honte dans un trou de souris.

— Je ne suis pas désagréable.

— Et tu es rouge comme un coquelicot.

— Quoi ?

— Tu es toute rouge. Qu'est-ce qui ne va pas ?

— Rien. Pourquoi Isabel t'a appelé ?

— Parce qu'elle avait mon numéro. Elle voulait me dire qu'elle avait changé sa serrure.

— Ah bon. Je croyais...

— Quoi ? Qu'est-ce que tu croyais ?

— Rien. Pourquoi elle ne m'a pas appelée, moi ? Je venais de lui laisser un message sur son répondeur. Elle te l'a dit ?

— Bien sûr. Elle regrette que vos cousins ne pratiquent pas mieux l'hospitalité.

Kate ne put s'empêcher de pouffer de rire.

— L'hospitalité ! C'est bien d'Isabel. Elle croit sans doute qu'ils auraient été plus aimables si je leur avais offert à boire.

— Isabel est loin d'être aussi idiote ou futile qu'elle en donne l'impression, tu sais. Elle a un cerveau bien fait sous ses beaux cheveux blonds. Et elle brisera des milliers de cœurs, crois-moi.

— C'est ce qui m'inquiète. Elle est trop confiante.

— Tu la préférerais cynique ?

— Comme moi, tu veux dire ?

— Tu n'es pas cynique, tu as peur.

— Peur ? De quoi ?

— De moi.

Son esprit de repartie resta aux abonnés absents.

— Pourquoi ne m'as-tu pas dit que c'était Isabel au téléphone ?

— Parce que je trouvais trop amusant de te voir fulminer.

Kate commit l'erreur de vouloir bluffer.

— Pourquoi aurais-je fulminé ?

— Parce que tu croyais que je parlais à une de mes petites amies.

J'aurais mieux fait de me taire, pensa-t-elle, mortifiée. Elle décida de faire comme s'il n'existait pas et affecta de s'absorber dans la contemplation du paysage.

— Tu veux savoir ce que je trouve curieux ?

demanda-t-il au bout d'un long silence. C'est que tu considères encore notre nuit à Boston comme une erreur.

— Elle l'était ; ça ne se reproduira plus. Les circonstances étaient exceptionnelles. Maintenant qu'elles sont redevenues normales...

— Tu les trouves normales ? s'esclaffa-t-il.

Elle dut attendre qu'il cesse de rire pour pouvoir répondre.

— Faut-il encore que je m'explique ?

— Ah, non ! Épargne-moi ton petit speech, je le connais par cœur. Mais ce qui m'amuse, si tu veux le savoir, c'est que tu refuses que je te touche et que tu es folle de rage en croyant que je parle à une autre fille. C'est plutôt contradictoire, non ?

Pourquoi suis-je une fois de plus sur la défensive ? se demanda-t-elle avec découragement.

— Je ne vois pas d'inconvénient dans la contradiction. Tu sais aussi bien que moi que nos rapports tourneraient au désastre. Nous serons obligés de nous quitter un jour. Si c'est toi qui en prends l'initiative, tu en souffriras, et si c'est moi, j'en ferai une maladie. Il vaut donc mieux ne pas commencer. C'est simple.

— Tu oublies de me parler de Jordan, cette fois-ci.

— Que veut dire « cette fois-ci » ?

— Tu avais fait de ma sœur un des principaux arguments de ton beau raisonnement.

— Il faut vraiment que je recommence ? Je tiens trop à son amitié pour risquer de... Oh ! la barbe ! explosa-t-elle Je suis fatiguée, je suis stressée, tu le sais aussi bien que moi. Depuis mon retour de Boston, j'ai l'impression d'être un punching-ball. J'ai le droit d'avoir envie de donner des coups à mon tour, cela me détendrait peut-être.

— Tu as parfaitement raison, approuva-t-il. À condition de savoir sur qui taper.

— J'ai quelques noms en tête, sois tranquille.

Le silence retomba. La route défilait.

— Pourquoi tu ne veux pas que je me serve de mon portable ? demanda-t-elle enfin.

— Peut-être par excès de prudence, mais, quand j'ai appris que Jackman était dans le coup, j'ai décidé de ne prendre aucun risque inutile. Un portable est facile à repérer si on a le matériel qu'il faut.

— Tu m'as dit que c'était un usurier. Il est capable de faire ce genre de chose ?

— Il est bien plus qu'un simple usurier. S'il ne dispose pas lui-même de l'équipement, il connaît les gens qui l'ont.

Kate frémit.

— Tu n'as dit à personne où nous passerons la nuit ?

— À personne. Je pensais nous rapprocher de Charleston. Nous trouverons peut-être un hôtel aux environs.

— Plus nous serons près de Silver Springs, plus je serai contente.

— Il faudra aussi prévoir ce que nous ferons demain. Nous ne pouvons pas retourner à Savannah.

— Sûrement pas, approuva-t-elle. Du moins, tant que je n'aurai pas signé ces papiers.

## 28

L'hôtel affichait complet, mais Dylan réussit le tour de force de leur obtenir la plus belle chambre. Du fond du hall, Kate l'observa négocier avec la jeune et jolie réceptionniste. Champion du monde du charisme, il ne lui fallut pas cinq minutes pour qu'elle lui tende la clef en rosissant d'émoi. Kate la soupçonna même de lui avoir donné en même temps son numéro de téléphone personnel.

La chambre, spacieuse et confortable, offrait une vue spectaculaire sur l'océan et comportait deux grands lits jumeaux.

— Qu'est-ce que tu as promis à cette fille pour qu'elle nous attribue une chambre aussi agréable ? demanda Kate dès que le bagagiste eut refermé la porte derrière lui.

— Secret professionnel, répondit-il en commençant à ranger ses affaires.

— C'est plus fort que toi, n'est-ce pas ? dit-elle en souriant.

Elle crut qu'il ne l'avait pas entendue, car il alla dans la salle de bains déposer sa trousse de toilette.

— C'est immense, ici ! Qu'est-ce qui est plus fort que moi ?

Il avait quand même écouté…

— Séduire les filles. C'est chez toi une seconde nature, ou plutôt un talent inné. Tous les frères Buchanan en sont doués, d'ailleurs. Vous l'avez dans vos gènes.

— J'ai des tas d'autres talents, Pickle, dit-il du pas de la porte.

— Je sais, admit-elle.

— Lesquels sont innés, à ton avis ?

Kate s'en voulut d'avoir aiguillé la conversation dans ce sens. Elle le connaissait assez pour savoir qu'il se ferait un malin plaisir de la poursuivre rien que pour accroître sa confusion.

— Un tigre ne peut pas s'empêcher d'avoir des rayures comme tu ne peux pas t'empêcher de draguer les filles. Mais c'est très bien, s'empressa-t-elle de préciser. Réussir à faire croire à chacune qu'elle est unique est un don merveilleux.

— Un don, vraiment ?

Elle n'aurait su dire s'il était flatté ou agacé.

— Oui, un don. Quel lit veux-tu ? enchaîna-t-elle.

— Celui près de la porte. On dirait que ce don te plaît.

Elle n'irait pas jusqu'à dire cela !

— Disons que je le comprends, mais ça ne me fait ni chaud ni froid. Je suis immunisée contre ton charme, Dylan.

— C'est bon à savoir, répondit-il sans chercher à dissimuler qu'il s'amusait énormément.

Il était beaucoup plus tard qu'elle ne le croyait. Ils s'étaient attardés au restaurant. Désespérant de réussir à changer de sujet, elle sortit de son sac son nécessaire de toilette, son pyjama et son peignoir.

— Je voudrais prendre une douche et me coucher, déclara-t-elle.

— C'est tout naturel.

Elle passait devant lui quand il tendit le bras, lui prit la nuque et posa les lèvres sur sa bouche. Elle n'eut pas même l'envie de le repousser ni de s'écarter. Lorsque leurs langues se caressèrent, elle se sentit frissonner de plaisir de la tête au pied. Elle s'apprêtait à nouer ses bras autour de son cou quand il recula d'un pas. Elle avait le souffle court, le cœur battant, mais lui restait imperturbable au point d'ouvrir derrière elle la porte de la salle de bains. Elle ne bougea pas.

— Pourquoi as-tu fait cela ?

— Quoi ? T'embrasser ?

— Oui.

— Tu ne me l'avais pas demandé ?

— Bien sûr que non !

— J'aurais pourtant juré t'avoir entendu le dire. Excuse-moi.

Elle eut le temps d'apercevoir son sourire ironique avant de refermer derrière elle la porte à double tour. En défaisant sa trousse de toilette, elle s'efforça, en vain, de ne plus penser à ce baiser.

Un coup d'œil au miroir l'horrifia. Avec ses cheveux qui tombaient en mèches autour de sa figure et ses yeux cernés, elle était affreuse. Et pourtant, il l'avait embrassée... Ou bien Dylan n'avait aucun goût, ou bien il embrassait la première fille qui passait à portée de main, belle ou hideuse.

Elle se sentit un peu moins repoussante après une longue douche chaude qui détendit ses muscles contractés, ce qui l'amena à penser à la blessure de Dylan. Il n'avait reçu aucuns soins depuis plusieurs jours. Souffrait-il ? S'il avait été moins macho et moins susceptible, elle le lui aurait demandé.

Elle prit le temps de se faire un shampooing, de se brosser les dents, de s'enduire de crème hydratante avant de ranger soigneusement la salle de bains. Elle savait que Dylan était méticuleux et ne supportait pas le désordre, ce qui avait provoqué de nombreux conflits avec ses frères. Enfin, satisfaite du résultat, elle vérifia une dernière fois son aspect dans le miroir et n'en fut pas mécontente.

— À ton tour, dit-elle en ouvrant la porte.

En s'approchant, il la toisa en connaisseur, s'attarda sur les jambes. Kate déglutit. Pourquoi était-elle aussi nerveuse ? Elle avait déjà fait l'amour avec lui, non ? Il l'avait vue nue, elle l'avait vu dans le même état. Alors ?

Arrête d'y penser ! s'ordonna-t-elle. Fourre-toi au lit, remonte les couvertures et cache-toi – comme une froussarde.

Il s'arrêta devant elle, posa les mains sur ses hanches, l'attira contre lui et se pencha comme s'il allait l'embrasser. Pas question, je ne le laisserai pas faire, pensa-t-elle en tendant ses lèvres.

— Écoute, Dylan, je ne crois pas que...

— Tu ne crois pas quoi ? Je veux simplement voir où en sont tes hématomes. Celui du front a l'air d'aller mieux.

Il la lâcha, recula d'un pas. Elle se sentit une parfaite idiote.

— Oui, il va mieux, bredouilla-t-elle.

— Une dernière chose, dit-il en la retenant par une main.

Elle se tourna vers lui alors même qu'il lui effleurait la joue et posait sur ses lèvres un petit baiser à peine appuyé – mais dont l'effet ne fut pas moins dévastateur. Elle en aurait voulu plus, beaucoup plus, et ne s'écarta qu'au prix d'un effort.

— Écoute...

— Quoi ? Cela ne t'a pas plu ? À moi non plus, enchaîna-t-il.

Et, avant qu'elle ait préparé ses défenses, il l'enveloppa dans ses bras et recommença, sérieusement cette fois. En dépit des cris d'alarme de sa voix intérieure, elle réagit avec passion et se sentit fondre au sens propre du terme.

Il la lâcha si brusquement qu'elle faillit tomber et il dut la rattraper avec un sourire amusé.

— Cela me plaît davantage que la première fois, commenta-t-il.

Un seul baiser, et elle était à ramasser à la petite cuiller...

— Je ne sais pas comment tu fais, bredouilla-t-elle.

— C'est facile. Tu vois, je pose mes lèvres sur les tiennes, ma langue et la tienne se caressent...

— Seigneur ! Je ne te demande pas un cours de

technique, je voudrais seulement savoir comment tu fais pour me mettre aussi facilement dans des états...

— Tu veux que je recommence ? l'interrompit-il.

— Des états pareils, poursuivit-elle. Tu me donnes le vertige.

— C'est bon à savoir.

Sur quoi il entra dans la salle de bains. Elle essaya de froncer les sourcils, de trouver en elle-même un peu d'irritation, voire de simple agacement. Par instinct de conservation, bien entendu. Si elle parvenait à s'abriter derrière la colère, elle ne serait pas obligée de regarder la vérité en face.

Un sourire lui vint aux lèvres malgré elle et elle se laissa tomber sur le lit. Les pensées qui lui traversaient l'esprit l'étonnaient. Dylan s'était montré envers Isabel plein de sollicitude, comme un grand frère qui donne de sages conseils. Envers elle aussi, d'ailleurs, mais ce n'était pas la même sollicitude et elle devait admettre qu'elle préférait cette variété-là. Kate découvrait chez cet homme bien plus que ce qu'il laissait voir de lui-même pendant ses séjours chez ses parents à Nathan's Bay. Il était fort et tendre à la fois. Déterminé, mais il prenait le temps et la peine d'écouter les autres. Il était gentil, intelligent, séduisant...

Bref, elle était amoureuse de lui.

Admettre la vérité lui causa un choc. Quand avait-elle succombé à cette maladie ? Elle eut beau chercher, elle n'arriva pas à déterminer le moment exact. Il lui faudrait des années de psychothérapie pour s'y retrouver. De tous les représentants du sexe masculin qui sévissaient sur la planète, il avait fallu qu'elle tombe amoureuse de l'archétype du dragueur aussi irrésistible qu'impénitent !

Tout bien pesé, elle encaissait plutôt bien le coup. Si elle ne sanglotait pas de désespoir, elle ne sautait pas de joie non plus. Elle ne pouvait s'en prendre qu'à elle-même. Mais rien ne m'oblige à souffrir en silence, décida-t-elle en enfouissant la figure dans son oreiller. Si un cri lui échappait, au moins le bruit serait amorti.

— Kate ! Tu essaies de t'asphyxier ?

Tiens, en voilà une bonne idée ! Elle se redressa en riant.

— Je me mets toujours la figure dans un oreiller pour réfléchir.

Il était vêtu en tout et pour tout d'un short kaki qui dévoilait un ventre plat et dur. Il était sexy, nul ne pouvait en douter. Kate évita de le regarder dans les yeux de peur qu'il constate l'effet qu'il lui faisait. Pour faire diversion, elle s'empara du bloc-notes posé sur la table de chevet.

— Je vais faire la liste des gens qui auraient envie de me tuer.

Il s'étendit commodément sur son lit, ajusta les oreillers, croisa les mains sous sa nuque.

— Ce ne serait pas plus simple de faire la liste de ceux qui n'ont pas de raisons de te tuer ?

— Très drôle ! Les gens me trouvent sympathique, je t'assure.

— Moi, par exemple.

Elle n'était pas d'humeur à se laisser taquiner. La meilleure solution consistait donc à ne pas relever. Sans le regarder, elle commença à écrire et, en quelques minutes à peine, s'aperçut qu'elle avait déjà rempli deux feuilles et attaquait la troisième. Cette prise de conscience la frappa. Les feuilles n'étaient pas grandes, certes, mais deux et demie ! Le crayon en l'air, elle s'arrêta net.

— Qu'est-ce qui t'arrive, Kate ?

— Je me rends compte de ce que je fais et j'en suis effarée ! Si on m'avait dit il y a un mois que je ferais une liste comme celle-ci, je ne l'aurais pas cru. Bon sang, Dylan, regarde tous ces noms !

— Tu ne vas pas paniquer maintenant, j'espère ? Tu es en sécurité, ne pense qu'à ça.

— Je ne suis pas en train de piquer une crise de nerfs, alors arrête de me dire de garder mon calme, je te prie ! J'ai reçu un choc, voilà tout. Deux en une soirée, cela fait quand même beaucoup.

— Deux chocs ? Quel est l'autre ?

Il ne lui accorderait aucun répit sur ce lapsus, c'était certain. Le fait de s'avouer qu'elle l'aimait lui avait d'ailleurs causé une commotion infiniment plus forte que sa longue liste de suspects. Peut-être parce que la vérité l'avait frappée avec la violence de la foudre…

— Kate, je t'ai posé une question. Quel choc ?

— Rien d'important, c'est au sujet de mon travail. Je ne réussirai pas à dormir avant d'avoir effacé au moins un nom de cette liste, enchaîna-t-elle pour éviter une autre question. Il faut que je me concentre mieux. Tu pourrais m'aider, tu sais.

Il garda le silence si longtemps qu'elle crut qu'il s'était endormi.

— Commence par effacer le nom de cette artiste peintre, dit-il.

— Cinnamon ? Elle sera catastrophée d'apprendre que la bombe ne lui était pas destinée, c'était pour elle une publicité inespérée. Mais comme je n'avais pas inscrit son nom, je ne peux pas le supprimer.

Elle écrivit des noms, les ratura, recommença avec une nervosité croissante. Il fallait qu'elle se calme. Mais comment ?

— L'attente est toujours frustrante, dit-il au bout d'un moment. Des gens de confiance recherchent des informations pour moi, il faut que je sois patient. Toi aussi.

— Facile à dire. Tu ne regrettes pas de t'être mêlé de cette histoire de fou ? ajouta-t-elle.

— Non. Et la Fouine et sa femme qui t'ont volé ton ruban ? Les as-tu mis sur ta liste ?

— Ils n'ont pas volé mon ruban, ils veulent voler mon entreprise.

— Mais tu as un plan pour les en empêcher, n'est-ce pas ?

— Oui, répondit-elle en retrouvant le sourire. Et quand j'en aurai fini avec eux, ils auront vraiment envie de me tuer, je te le garantis.

— Bravo ! approuva-t-il en riant.

Une minute plus tard, elle jeta le bloc et le crayon sur la table de chevet et éteignit la lampe. La chambre n'était plus éclairée que par la lune, dont les rayons filtraient à travers le voilage de la fenêtre.

— Bonne nuit, murmura-t-elle.

Il ne répondit pas. Dormait-il déjà, ou faisait-il semblant pour qu'elle cesse de parler et le laisse enfin tranquille ? Pour sa part, elle savait qu'elle ne trouverait pas le repos. Dylan envahissait toutes ses pensées. Elle essaya de se convaincre qu'elle n'attendait rien de plus qu'être serrée dans ses bras, mais elle ne pouvait pas se mentir à elle-même. Ce qu'elle voulait réellement, c'était faire l'amour avec lui.

— Kate ?

Le son de sa voix la fit presque bondir.

— Oui ?

— Qu'est-ce qui ne va pas ?

— Rien.

— J'ai cru t'entendre grogner ou gémir.

— Peut-être. Je n'arrive pas à m'endormir.

— Tu viens à peine d'éteindre. Accorde-toi au moins deux minutes avant de décider que tu ne peux pas dormir. En quoi pourrais-je t'être utile ?

S'il savait !...

— Comment cela ?

— C'est à toi de me le dire.

Est-ce qu'il se moquait d'elle ? Se rendait-il compte de l'effet que lui faisait sa présence à trente centimètres d'elle ? Et elle, avait-elle sur lui le même effet ?

— Je ne vois vraiment pas en quoi tu pourrais m'être utile, répondit-elle en s'efforçant de prendre un ton sec.

Elle attendit sa réaction et fut déçue qu'il n'en ait pas. Plusieurs longues minutes s'écoulèrent dans un silence si profond qu'elle ne l'entendait même pas respirer.

— Kate, dit-il enfin.

— Oui, Dylan ?

— C'est moi qui viens dans ton lit ou toi dans le mien ?

## 29

Le matin arriva trop vite et Kate se réveilla sans aucun regret. Après la nuit qu'ils venaient de passer, en se remémorant tout ce qu'il lui avait fait – et tout ce qu'elle lui avait fait –, elle aurait pu éprouver au moins un certain embarras ou se sentir gênée de le regarder dans les yeux. Mais non. Pas l'ombre d'un seul regret.

Dylan dormait encore profondément. Oreillers, draps, couvertures, tout avait atterri par terre dans la plus grande confusion. Oui, la nuit avait été mouvementée. Et fabuleuse !

Ses inquiétudes ne lui revinrent qu'une fois sous la douche. Avait-elle laissé échapper des mots qu'elle n'aurait pas dû dire dans les moments d'abandon passionnés qui lui avaient fait perdre la tête ? Lui avait-elle dit qu'elle l'aimait ? Elle eut beau chercher, elle ne se souvenait de rien. Si l'aveu fatidique n'avait pas franchi ses lèvres, tant mieux. Mais que faire si elle avait prononcé ces mots ? Prétendre n'avoir rien dit ? Oui. Elle ne voyait pas d'autre solution. Après tout, les hommes politiques passent leur temps à affirmer ou à démentir certaines choses qui n'ont rien à voir avec la réalité. Si cela ne troublait pas la conscience d'un élu du peuple, elle n'allait pas faire la fine bouche.

Parce que durant cette nuit, Dylan avait magistralement parachevé ce qu'il avait commencé à Boston : il l'avait rendue folle d'amour.

Kate finit par se secouer mentalement. Elle ne sortirait jamais de cette douche si elle continuait à penser à Dylan. Elle avait trop de choses importantes à faire aujourd'hui pour se permettre de perdre son temps. Et d'abord, étudier le dossier remis par Anderson. Il avait insisté pour qu'elle le lise, peut-être afin qu'elle comprenne comment son oncle avait amassé sa fortune. De toute façon, les experts et conseillers répondraient à toutes ses questions, elle n'avait donc pas d'autre choix que de se plonger dans ces chiffres.

Il y avait aussi l'enveloppe contenant les photos de son père. Elle avait été trop lasse pour l'ouvrir la veille au soir.

Elle termina sa toilette, s'habilla, rangea ses affaires et sortit de la salle de bains alors que Dylan commençait à bouger. Il n'avait pas l'air bien réveillé, d'ailleurs. Nu comme un ver et les cheveux ébouriffés, il s'avança vers elle d'un pas mal assuré. Elle sentit son cœur accélérer.

— Bonjour ! lança-t-elle gaiement.

Il répondit par un grognement indistinct. La pensée qu'il n'était pas du matin l'avait à peine effleurée que déjà il lui happait un bras et lui donnait un baiser si brûlant qu'elle céda presque à l'envie de s'appuyer contre lui, de se laisser emporter par une nouvelle vague de passion.

— Non, dit-elle en se dégageant. J'ai de la lecture et toi, tu as grand besoin de te réveiller.

Il n'aurait pas eu à beaucoup se faire prier pour qu'elle se précipite au lit avec lui. Comme il n'insista pas, elle courut prendre le dossier et l'enveloppe. En entendant la porte de la salle de bains se refermer, elle poussa un soupir de soulagement. Pour un moment, du moins, elle était à l'abri de ses propres fantasmes érotiques. Et si la chance voulait bien se mettre de son côté, il serait habillé quand il reparaîtrait devant elle.

Elle s'assit en tailleur sur son lit, ouvrit le dossier, commença à lire... et eut la nausée au bout de cinq minutes. L'horrible vieillard relatait avec un luxe de détails les méthodes qu'il avait employées pour bâtir sa fortune. En un mot comme en cent, il s'était spécialisé dans le rachat à vil prix d'entreprises en difficulté qu'il dépeçait afin d'en revendre les actifs.

Si l'avocat lui avait dit que Compton avait été un homme d'affaires avisé ayant habilement diversifié et géré ses investissements, elle n'en aurait pas éprouvé une telle répulsion. Pour réussir, les hommes et les femmes doivent savoir négocier au mieux de leurs intérêts, parfois au prix de décisions brutales. Mais la découverte du comportement cynique et impitoyable de Compton tout au long de sa carrière dépassait toutes ses réserves de compréhension ou d'indulgence. Il n'avait reculé devant aucun moyen pour parvenir à ses fins. Et en plus il s'en vantait. Il avait détruit les emplois, les familles de centaines, voire de milliers d'employés innocents, et cela n'avait jamais eu la moindre importance à ses yeux. Imperméable à tout sentiment humain, il ignorait jusqu'aux notions de scrupules ou de compassion. L'argent et le souci d'en gagner toujours plus constituaient son unique intérêt dans la vie.

S'il n'avait jamais rien commis d'illégal, ses actes étaient à tout le moins immoraux. Malgré cela, il allait reposer dans sa tombe avec la fierté du devoir accompli. Avait-il érigé ce monument à sa douteuse gloire posthume dans le but d'impressionner sa nièce ? Et dire qu'il croyait la flatter en disant qu'elle lui ressemblait !

Plus Kate avançait dans la lecture du dossier, plus elle se sentait en conformité avec sa décision initiale de tout refuser. Elle ne voulait ni même ne se sentait capable de dépenser un seul de ces dollars mal acquis au profit de son entreprise, de sa famille ou d'elle-même.

Compton MacKenna avait été un homme cruel et égoïste. N'ayant rien de commun avec lui, elle avait l'intention de le prouver. Quelle que soit la décision qu'elle prendrait pour disposer de cette fortune, il fallait qu'elle soit juste et inattaquable et que, du moins l'espérait-elle, Compton MacKenna se retourne dans sa tombe.

Elle referma le dossier et prit l'enveloppe. Son humeur

s'améliora dès qu'elle découvrit les dix photos en noir et blanc.

Son père avait été un bel enfant, d'une élégance naturelle qui transparaissait même sous l'uniforme de son école. Un enfant choyé aussi, se dit-elle en le voyant en tenue de polo devant un cheval qu'il tenait fièrement par la bride. Une autre photo le montrait, à l'âge de quatre ou cinq ans, debout sur une pelouse devant une demeure aux allures de château. Y a-t-il vécu ? se demanda-t-elle.

Il n'y avait aucune photo de lui avec des parents ou des amis. Kate s'en étonna. Peut-être existait-il d'autres clichés quelque part. Elle ne manquerait pas d'en parler à Anderson.

Elle remettait la dernière photo dans l'enveloppe lorsque Dylan sortit de la salle de bains.

— Tu es prête ? demanda-t-il.

— Presque.

Elle mit le dossier et l'enveloppe dans son sac de voyage pendant que Dylan repliait et rangeait la literie tombée par terre.

— Tu veux garder ce dossier pour le lire en voiture ? demanda-t-il.

— Je l'ai déjà regardé.

— Tu es favorablement impressionnée ? Je crois que c'était le but recherché.

— Impressionnée, oui, mais pas favorablement du tout.

Elle vérifia que plus rien ne traînait dans la penderie ou la salle de bains et ils descendirent prendre leur petit déjeuner au restaurant de l'hôtel. Mais ni l'un ni l'autre n'avait faim. Ils furent bientôt prêts à partir. Dylan consulta d'abord la carte afin de déterminer un itinéraire évitant les routes principales jusqu'à Silver Springs.

— Je devrais appeler Anderson pour lui dire qu'il ne compte pas sur moi à trois heures, dit Kate.

— Tu pourrais quand même y aller voir comment la situation évolue, lui fit observer Dylan.

— Retourner à Savannah ? explosa-t-elle. Ce serait

beaucoup trop dangereux ! Je te préviens que, si je vois un panier de fleurs dans ce bureau, je serai capable de faire n'importe quoi. Je ne répondrai plus de mes actes ! Je ne supporte pas l'idée que des bombes me sautent à la figure à tout bout de champ et que, en plus, tu risques ta vie pour rien ! Non, pas question de retourner là-bas.

Il attendit le retour au calme avant de prendre la parole.

— Nous ne savons pas si nous sommes obligés de retourner voir Anderson, Kate. Il pourrait t'apporter les papiers, par exemple.

— Ah bon ?...

— C'est tout ce que tu trouves à dire, maintenant ?

— Je me suis peut-être un peu énervée...

— Un peu ?

— Si tu me l'avais dit plus tôt, je ne me serais pas autant emportée, bougonna-t-elle.

— Qu'est-ce que c'est ? demanda Dylan en la voyant sortir un dossier de son sac qu'elle avait pris sur la banquette arrière.

— Les papiers des emprunts contractés par ma mère. Je veux les relire et revoir aussi son dossier médical. Pendant sa dernière année, elle a passé plus de temps à l'hôpital qu'à la maison.

Le silence retomba. Au bout de vingt minutes d'une lecture attentive, Kate avait les larmes aux yeux. Elle comprenait maintenant ce qui lui avait échappé lors de ses premières lectures. Désespérée de voir épuisée la maigre réserve de son assurance, sa mère avait donné en garantie tout ce qu'elle possédait dans l'espoir de ne pas léguer uniquement ses dettes à ses filles. Les frais d'hospitalisation se montaient à des sommes astronomiques. Sa pauvre mère avait dû souffrir le martyre en gardant pour elle ses angoisses.

Kate ne put cacher ses larmes à Dylan.

— Que se passe-t-il ? demanda-t-il calmement.

— Il me faut des informations, répondit-elle en se mouchant.

— D'accord. Lesquelles ?

— Si Anderson doit me représenter, je veux savoir s'il est honnête et scrupuleux. Peut-on le vérifier très vite ?

— J'ai déjà lancé des recherches sur son compte. Nous devrions en connaître bientôt le résultat.

— Il m'a fait bonne impression, sauf qu'il représentait ce vieux forban de Compton MacKenna. C'est ce qui m'inquiète.

— Il est certainement bon avocat, sinon ton oncle ne l'aurait pas engagé. Tu n'es quand même pas naïve au point de croire qu'un avocat doit aimer ou respecter tous ses clients.

— Non, bien sûr. Il y a d'autres gens que je voudrais vérifier. Peux-tu trouver un bon enquêteur ?

— Je peux très bien enquêter moi-même. Il s'agit de ton affaire, n'est-ce pas ?

— Oui. Mais tu en as déjà assez sur les bras et j'ai besoin de ces renseignements le plus vite possible.

— D'accord. J'y penserai.

Elle remit les dossiers à leur place et s'efforça de dominer son agitation.

— Que comptes-tu faire de cet argent, quand tu auras signé les documents ? demanda-t-il au bout d'un long silence.

Sa question amena Kate à penser à autre chose.

— Il faut que j'aille à la banque à Silver Springs.

— Si c'est pour y faire virer l'argent, Anderson s'en occupera.

— Pas du tout ! Il faut que j'obtienne un prêt.

## 30

Dylan avait le sentiment agaçant d'oublier quelque chose. Il repassait dans sa mémoire les conversations de ces derniers jours, il en réexaminait les détails et, malgré tous ses efforts, n'arrivait pas à mettre le doigt sur ce qui lui échappait. Un morceau du puzzle manquait, il le savait. Mais lequel ? Qu'est-ce qu'il ne voyait pas qui se trouvait pourtant sous son nez ?

Consciente de ses préoccupations, Kate respectait son silence. Ils étaient désormais si bien ensemble qu'elle n'en éprouvait ni malaise ni impatience. Ils n'échangèrent pas trois mots jusqu'à leur arrivée dans la banlieue de Silver Springs.

— Où vas-tu ? s'étonna Kate en le voyant prendre une direction inattendue.

— Dans un endroit sûr et tranquille.

— C'est parfaitement sûr, chez moi. Pourquoi ne pas y aller ?

Sans répondre, il dépassa le quartier et continua à se diriger vers le commissariat de police.

— Qu'avons-nous à faire ici ? demanda Kate.

— Je vais au rapport, répondit-il en mettant pied à terre.

— Je ne comprends pas, dit Kate quand il lui ouvrit la portière. Tu n'es pas obligé d'aller au rapport comme un simple agent.

— Même si ce n'est qu'à titre temporaire, je suis sous l'autorité du chef Drummond à qui je dois rendre des comptes. Je n'aime pas le faire par téléphone et je crois aussi que Drummond pourrait te rendre service dans tes affaires.

— Comment cela ?

— Tu m'as dit que tu voulais enquêter sur celui que tu surnommes la Fouine. Drummond est bien placé pour rassembler les informations nécessaires et acceptera volontiers de s'en charger. Tu lui expliqueras ce que tu souhaites, cela restera strictement confidentiel. Il me rend service à moi aussi, ajouta-t-il. Je l'ai déjà appelé plusieurs fois pour lui donner des noms. Il devrait avoir des résultats à nous communiquer.

— Tu as vraiment dû l'impressionner, dit-elle en souriant. Surtout quand on pense à ce que Nate avait dit à son sujet.

— Qu'est-ce qu'il a dit, déjà ?

— Qu'il avait un caractère difficile et que, étant près de la retraite, il se moquait de froisser les gens.

— Il est près de la retraite, c'est exact. Je ne sais pas quel âge il a ni depuis combien de temps il est dans le métier, mais je peux te dire qu'il n'a pas perdu la main. Après l'avoir rencontré, j'ai passé quelques coups de fil de mon côté pour savoir si je pouvais lui faire confiance.

— Et alors, tu peux ?

— Oui, à deux cents pour cent. Il a des états de service extraordinaires, c'est un type bien et je le respecte.

— Dans ce cas, je lui ferai confiance moi aussi. Attends ! Je prends mes dossiers. Le chef voudra sans doute consulter les papiers qui concernent ma mère, s'il a le temps de s'en occuper.

— Il le prendra, j'en suis sûr.

— Tu es certain aussi que tout restera confidentiel ?

— Tout à fait. Tu n'as d'ailleurs pas à te sentir gênée de...

— Je ne me sens pas gênée, l'interrompit-elle. Je cherche simplement à protéger la réputation de ma mère. Tu me prends pour une idiote, je sais, parce que ma mère n'y

212

attacherait pas d'importance, mais je ne veux pas qu'on pense du mal d'elle ou qu'on ternisse sa mémoire. Je suis contente que le chef veuille bien t'aider, ajouta-t-elle.

— J'essaie surtout de décharger un peu Nate. Il fait tout ce que je lui demande, mais il est déjà surmené. En plus, il essaie de retrouver la trace de Jackman – il a disparu de Las Vegas – et il garde un œil sur Roger et ses deux frères. Il ne demande pas d'aide extérieure parce qu'il est nouveau à Charleston et veut faire ses preuves. Les agents du FBI se concentrent avant tout sur le poseur de bombes et, d'après ce que j'ai appris, ils ont déjà deux ou trois pistes sérieuses. Eux aussi recherchent Jackman ; en définitive, tout le monde se marche sur les pieds. Si Nate réussissait seul à coincer cette crapule, il aurait à coup sûr de l'avancement. Ici, au moins, nous serons tranquilles.

Le chef Drummond devait les avoir vus traverser le parking, car la porte s'ouvrit et il les accueillit sur le seuil.

— Vous n'écoutez pas vos messages ? demanda-t-il à Dylan en guise de bienvenue.

— J'allais le faire.

— Vous m'entendrez donc vous dire de m'appeler au plus vite. Nous avons ici une situation très intéressante. Bonjour, mademoiselle MacKenna, enchaîna-t-il.

— Bonjour, chef Drummond. Appelez-moi Kate, je vous en prie.

— Avec plaisir.

— Alors ? demanda-t-il en dominant son impatience. Quelle situation avez-vous ?

Drummond s'effaça pour les laisser entrer et referma la porte derrière lui.

— Très intéressante, comme je vous le disais. Un individu est arrivé ici il y a une demie-heure. Il dit s'appeler Carl Bertolli.

— Carl est ici ? s'exclama Kate.

— Oui, en personne.

Kate brûlait d'impatience, mais Drummond prit le temps de les accompagner jusqu'à son bureau.

— Pourquoi est-il ici ? demanda-t-elle à peine entrée.

— Il m'a déclaré avoir fait tout le chemin en voiture pour venir vous voir, Kate, mais comme vous n'étiez pas chez vous il a décidé de se rendre à la police. Asseyez-vous, je vous en prie.

Stupéfaite, Kate se laissa tomber sur une chaise.

— Carl, se rendre ? Mais pourquoi ?

— Parce qu'il est responsable, a-t-il dit.

Kate était au comble de la stupeur et de l'incrédulité. Elle se tourna vers Dylan, qui paraissait prendre la nouvelle avec calme.

— Mais de quoi Carl se prétend-il responsable ?

— Bonne question, répondit Drummond. Je lui ai laissé le temps de se calmer dans l'espoir de pouvoir en tirer une réponse cohérente.

— Se calmer ? s'étonna Dylan.

— Je compte bien l'interroger, croyez-moi, mais il faudrait d'abord trouver le moyen de l'arrêter de sangloter.

Kate comprit la perplexité du chef Drummond. Il n'avait manifestement pas encore eu l'occasion de se trouver en présence d'une personnalité aussi exubérante que celle de Carl.

— Il est un peu… comédien, expliqua-t-elle.

— C'est le moins qu'on puisse dire, commenta Drummond.

— C'est un artiste, voyez-vous. Il a étudié l'art dramatique à l'université et a joué dans plusieurs pièces de théâtre. Comme beaucoup d'artistes, il est très sensible et contrôle mal ses émotions.

— Je m'en suis rendu compte, approuva Drummond.

— Comment savait-il que tu le cherchais ? demanda Kate à Dylan.

— Par sa fiancée, je suppose. La police lui a demandé si elle savait où il était, elle a dû l'en informer.

— Voulez-vous lui poser des questions ? demanda Drummond à Dylan. Il devrait être à peu près calme, maintenant.

— C'est moi qui vais lui parler, déclara Kate.

— Je ne crois pas que…, commença Drummond.

— Si ! Où le faites-vous attendre, chef ? Dans une salle de conférences, une salle de repos ? Je le trouverai, même si je dois ouvrir toutes les portes du bâtiment !

— Nous avons une belle salle de conférences et une salle de repos très confortables avec un distributeur de boissons fraîches. Mais votre ami Carl ne se trouve dans aucune des deux. Il est dans une cellule.

— Quoi ? Vous avez enfermé le pauvre chéri dans une cellule ?

— Attendez ! se hâta de reprendre Drummond devant l'indignation naissante de Kate. Ce n'est pas moi qui ai voulu l'y mettre.

— Qui, alors ?

— Lui. Il a exigé que je l'enferme.

— Mais enfin, chef, pour quelle raison l'avez-vous arrêté ? demanda Kate, de plus en plus déconcertée.

— Il n'est pas en état d'arrestation. Il voulait à tout prix que je l'enferme, alors j'ai accédé à sa demande. D'autant plus qu'une cellule est l'endroit idéal pour se calmer quand on est surexcité.

— Où sont vos cellules ?

— À l'étage.

— Emmenez-moi près de lui, je vous en prie ! Il doit être malade d'angoisse.

— Non, je ne vous emmènerai pas dans sa cellule. En revanche, je peux le faire descendre dans une salle d'interrogatoire où vous pourrez lui parler.

— Merci, chef.

— Ne me remerciez pas encore. Il vous reste à l'attendrir, lui, dit-il en désignant Dylan.

— C'est moi qui lui parlerai, déclara Dylan. Je vous rapporterai tout ce qu'il m'aura dit.

— Kate pourrait se tenir derrière la glace sans tain, suggéra Drummond. Nous venons de la faire installer.

215

— C'est une idée, admit Dylan. Kate voudrait aussi vous parler d'un problème. Pourquoi pas tout de suite ?

— Cela peut attendre, dit-elle. Je veux voir Carl d'abord.

— Je ne bougerai pas de la journée, la rassura Drummond.

— Écoute, Dylan, Carl et moi sommes amis de longue date. Il me parlera à moi plus qu'à n'importe qui. Il ne me fera aucun mal, si c'est ce que tu crains. Et puis, toi, tu risques de l'intimider. De lui faire peur. Ne m'empêche pas de le voir.

— Quel âge il a, ce type ? demanda Dylan, exaspéré. Dix ans ?

— Il est sensible. Pas comme toi.

Dylan était resté debout, adossé à la porte. Il dut s'écarter pour laisser passer Drummond, et Kate saisit l'occasion de quitter le bureau dans le sillage du chef.

Dans le couloir, Drummond décrocha un trousseau de clefs d'un clou fixé au mur et se dirigea vers l'escalier.

— La salle d'interrogatoire est la deuxième porte à droite. Allez m'y attendre tous les deux. Et décidez lequel parlera et lequel écoutera, parce que vous ne disposerez pas de beaucoup de temps, Dylan. Vous devrez appeler Charleston pour dire à l'inspecteur Hallinger que Carl est ici. De son côté, il devra transmettre l'information au FBI, ce qui veut dire qu'il s'écoulera à peine une heure entre votre appel et le moment où ils débarqueront tous ici pour embarquer Carl.

— Ils attendront, répondit Dylan. Je n'appellerai qu'après avoir fait parler Carl. J'ai aussi quelques idées que je voudrais vous soumettre avant de…

— Après que *nous* aurons parlé à Carl ! intervint Kate.

— D'accord, répondit Dylan de guerre lasse. Mais à trois conditions. Si je juge qu'il te mène en bateau, tu sors. Si la manière dont il te parle me déplaît, tu sors. Et s'il fait seulement mine de te menacer…

— Laisse-moi deviner, l'interrompit-elle. Je sors. C'est bien ça ?

— Exact.

— Tu veux savoir ce que j'en pense ?

— Pas particulièrement, dit-il en souriant.

— Tu le sauras quand même. Si je sens qu'il me mène en bateau, je lui dirai d'arrêter. Si la manière dont il me parle me déplaît, je lui dirai de changer de ton. Et s'il me fait des menaces, je lui en ferai des plus graves. Compris ?

À peine plus grande qu'une cellule, la salle d'interrogatoire comportait pour tout ameublement une table rectangulaire et quatre chaises. Dylan fit asseoir Kate et resta debout. Lorsque Drummond fit entrer Carl, Dylan fut déconcerté de découvrir un individu ne correspondant en rien aux idées préconçues qu'il avait à son sujet.

Carl fut si heureux de voir Kate qu'il la serra dans ses bras.

— Tu n'as rien, Dieu soit loué ! s'écria-t-il. Tout cela est ma faute, mon chou. Je suis submergé de remords.

Kate présenta Dylan et fit asseoir Carl en face d'elle. Il posa affectueusement une main sur la sienne.

— Tu as l'air fatigué, commença-t-elle.

— Je suis épuisé, c'est pourquoi j'étais parti, j'avais besoin de me ressourcer. Mais je n'ai pas trouvé le repos tellement je me rongeais d'inquiétude en pensant à toi !

— Tu as dû être bouleversé d'apprendre que la police te recherchait, dit Kate avec compassion.

— J'en suis encore accablé, répondit-il, les larmes aux yeux. Mais pas autant que cette pauvre Dalila. Ma fiancée est très inquiète pour moi, vois-tu. D'ailleurs, je devrais l'appeler pour la rassurer. J'ai droit à un coup de téléphone, n'est-ce pas ?

Dylan approcha une chaise et s'assit à côté de Kate.

— Vous pouvez passer autant de coups de téléphone que vous voulez, dit-il. Vous n'êtes pas en état d'arrestation.

— Mais je suis un suspect ?

— Oui.

— Non, dit Kate en même temps.

— Cela dépendra de ce que vous allez me dire, expliqua Dylan.

— Il faut m'arrêter. Je suis responsable de tout ce qui est arrivé à Kate. Je suis heureux et soulagé de te voir en bonne santé, lui dit-il avec un sourire forcé.

— Moi aussi, je suis heureuse de te voir. Veux-tu boire quelque chose ?

— Un cappucino me ferait plaisir, mais il n'y en pas dans le quartier, j'imagine ?

— Non, désolée.

— Assez bavardé, intervint Dylan avec brusquerie. Dites-moi pourquoi vous vous estimez responsable.

— Parce que c'est moi qui en avais eu l'idée.

— Quelle idée ? insista Dylan.

— Celle d'exposer les productions de Kate au vernissage que j'organisais. Toute l'élite de Charleston devait y venir. Personne n'aurait osé ne pas s'y montrer, précisa-t-il. Alors, je pensais que ce serait l'occasion idéale de la présenter à tous ces gens.

— La présenter ?

— La lancer, si vous préférez.

— Je ne comprends toujours pas.

— Sans vouloir paraître prétentieux, un produit que je soutiens démarre toujours en flèche, c'est un fait avéré.

C'est prétentieux, en effet, pensa Dylan.

— Cela vous confère le pouvoir exorbitant de lancer ou de briser une carrière.

— Je n'ai jamais cherché à briser qui que ce soit, ce serait vulgaire. Je me contente de ne rien dire des personnes ou des produits que je n'approuve pas.

Il n'use donc de son pouvoir que pour faire le bien ? se dit Dylan en réfrénant un éclat de rire. Il se prend pour Superman ou quoi ?

— Et qu'est-ce que cela vous rapporte ?

— La satisfaction de me rendre utile.

— Soit. Venons-en à l'entrepôt. Pourquoi ne vouliez-vous pas que Kate sache que vous en étiez propriétaire ?

— Je n'en suis qu'un des copropriétaires, précisa Carl. Même si j'en détiens la majorité des parts.

— Vous n'avez pas répondu à ma question, insista Dylan.

Il allait dire à Kate de partir quand, à sa surprise, Carl le prit de vitesse.

— Kate, mon chou, voudrais-tu nous laisser seuls un moment ?

Celle-ci commença par protester. Elle voulait rester, pour empêcher Dylan de rudoyer Carl, mais elle ne put faire autrement que s'incliner. En partant, elle lança à Dylan un regard appuyé.

— Sois patient, je t'en prie, lui souffla-t-elle.

Les deux hommes s'étaient levés. Dylan accompagna Kate à la porte, qu'il referma derrière elle. Alors, avisant l'interrupteur du système audio de la pièce, il décida de le fermer. Personne n'entendrait le dialogue qui allait suivre.

Carl et lui reprirent leurs sièges face à face.

— Kate serait très gênée d'apprendre ce que je vais vous dire, commença Carl, c'est pourquoi je compte sur votre discrétion. En contrepartie, je serai franc. J'ai caché à Kate le fait que je suis propriétaire de ce local parce que j'avais l'intention de le lui offrir, par l'intermédiaire d'un agent immobilier, bien entendu, à un prix considérablement réduit. Je voulais l'aider à démarrer, voyez-vous. Elle a des qualités admirables et les épreuves qui se sont abattues sur elle depuis un an me brisent le cœur. Elle était dans la course pour gagner, elle avait de grands projets. Elle parlait de transférer son affaire à Boston, où elle dispose de beaucoup de relations. Je ne lui donnais pas un an pour faire de sa petite entreprise un géant dans sa branche, cinq ans pour couvrir le monde entier. Elle est surdouée et elle mérite une réussite éclatante.

Il s'interrompit le temps d'ajuster son col de chemise avant de poursuivre :

— Maintenant, elle ne veut plus s'installer ailleurs. Elle est pétrie du sens des responsabilités, voyez-vous. Elle fait passer tout le monde avant sa propre personne. Elle restera à Silver Springs parce qu'elle estime que c'est son devoir. Elle est longtemps restée pour s'occuper de sa mère, elle fera pareil pour ses sœurs. Isabel est la plus jeune, vous le savez. Eh bien, Kate ne bougera pas d'ici avant au moins deux ans, trois peut-être, pour veiller sur sa petite sœur. Je serais enchanté qu'elle s'installe définitivement à Silver Springs, parce qu'elle serait capable de rendre célèbre la ville. Il lui faudrait sans doute plus longtemps pour réussir sur le plan international, mais je suis certain qu'elle y parviendrait malgré tout, si tel était son objectif, parce qu'elle a les qualités qu'il faut. Kate réussirait n'importe où, mais ses racines sont ici, et elle y tient.

— Que pensaient les autres copropriétaires de la vente du local à un prix réduit ?

— Je l'ignore, je ne leur en avais pas parlé. Je détiens la majorité des parts, comme je vous l'ai dit, et les autres feront ce que je voudrai. Nous possédons des surfaces importantes dans ce secteur et, depuis qu'il est en cours de rénovation, ils savent qu'ils réaliseront des gains considérables. Silver Springs est une petite ville qui offre à ses résidents un rythme de vie plus paisible, un environnement plus sûr. Elle est donc de plus en plus attrayante, mais nous voulons aussi développer son économie. Aider Kate en réduisant le prix du bâtiment revenait donc à accorder notre soutien à l'industrie locale.

— Il me faudra les noms des autres copropriétaires.

— Cela va sans dire.

— Baisser le prix du bâtiment était donc pour vous une décision judicieuse. Un investissement rentable, si vous préférez.

— Bien sûr, mais je voulais aussi le faire parce que je savais que Kate avait des problèmes financiers.

— Comment l'avez-vous appris ?

Les sourcils froncés, Carl réfléchit quelques instants.

— Je ne sais pas trop, répondit-il enfin. Quelqu'un a dû me le dire... Mais je suis incapable de me souvenir de qui il s'agit. J'ai été invité dans tellement de cocktails, de dîners, de réceptions où chacun y va de sa petite confidence ! J'entends des rumeurs souvent déformées ou sans fondement, mais comme tout le monde connaît mon affection pour Kate on me rapporte tous les bruits qui courent sur elle. Je me répands toujours en compliments sur ses produits afin que le bouche à oreille fonctionne. Ma Dalila adore ses bougies et ses lotions corporelles. Ses parfums sont divins. Celui qu'elle doit sortir à la fin de l'année est le plus sublime de tous ! Elle l'appellera Sassy.

Dylan craignit de voir son interlocuteur fondre une nouvelle fois en larmes. Jamais encore il n'avait interrogé quelqu'un d'aussi sensible que Carl. Celui-ci avait en plus la facheuse tendance à se lancer dans des digressions, il fallait constamment le ramener au sujet.

— Pouvez-vous me donner les noms des gens qui vous savaient propriétaire de l'entrepôt ?

— Impossible ! s'exclama Carl. J'ai passé mon temps à promouvoir le secteur à rénover, j'en ai parlé à des milliers de personnes à Charleston, à Silver Springs, à Savannah.

— Pourquoi à Savannah ?

— J'y ai des tas d'amis et j'y vais très souvent.

— Y avez-vous jamais rencontré les frères MacKenna ?

— Pas que je sache. Kate et ses sœurs sont les seules MacKenna que je connaisse. Mais je rencontre tellement de gens dont je ne retiens pas les noms...

— Vous ne m'avez toujours pas expliqué pourquoi vous vous considérez responsable des explosions.

— Voyez les circonstances ! J'invite Kate dans ma propriété, j'insiste pour qu'elle y expose ses produits et *boum* ! Elle se fait presque tuer. Je demande à mon agent immobilier de lui faire visiter mon entrepôt et *boum* ! Elle échappe encore de justesse à la mort. Ces deux propriétés sont à moi, voyez-vous, j'en suis donc responsable. Je ne sais pas au juste pourquoi ni comment, mais j'espère que vous pourrez vous l'expliquer – et à moi aussi.

Tout ce dont Carl était coupable, en fin de compte, c'était de trop parler, et à n'importe qui. Quelqu'un s'était servi des informations qu'il répandait sans discernement.

— Quelle est votre situation financière ? demanda Dylan.

— Pour le moment, désastreuse. Disons même catastrophique ! Je suis couvert de dettes, mais ce n'est que temporaire. Je termine la construction d'une galerie d'art dans ma propriété – elle sera superbe, croyez-moi – et j'ai englouti mes derniers dollars dans le quartier en cours de rénovation. Mais les bénéfices qui en découleront compenseront plus que largement les risques que j'ai pris, j'en réponds.

La franchise de Carl déconcertait Dylan. Il avait une personnalité peu commune et pleine de contradictions. Volontiers prétentieux, il pouvait se montrer aussi sincère que serviable et paraissait incapable de dissimuler ses sentiments

— Comment avez-vous fait la connaissance de Kate ?

Dylan posait la question par curiosité, tant l'amitié entre deux êtres aussi dissemblables l'intriguait.

— Je l'ai rencontrée à l'hôpital il y a plusieurs années, répondit Carl en souriant. Elle y accompagnait sa mère et j'y étais venu voir ma sœur, Susannah. Kate allait encore à l'école, mais elle était déjà très belle. Et quelle présence ! Comprenez-vous ce que je veux dire ?

— Oh, oui ! répondit Dylan avec sincérité.

— C'est ma sœur qui nous a présentés. Kate attendait que sa mère sorte de la salle de radiographie, ma sœur attendait d'y entrer ; elles ont commencé à bavarder et sont vite devenues les meilleures amies du monde. Susannah avait deux ans de moins que Kate, précisa-t-il. Kate lui a parlé des bougies parfumées qu'elle commençait à fabriquer, des arômes qu'elle expérimentait et elle a demandé à Susannah de lui donner son avis sur certains d'entre eux.

Ma sœur était aux anges ! Grâce à Kate, elle se sentait très importante, comprenez-vous ?

Carl fit un effort pour dominer son émotion avant de continuer.

— Susannah est restée longtemps malade. Elle devait si souvent être hospitalisée qu'elle passait plus de temps à l'hôpital qu'à la maison. L'état de Mme MacKenna s'étant amélioré, Kate venait moins souvent à l'hôpital, mais elle n'avait pas oublié Susannah. Elle lui rendait de fréquentes visites, même quand elle allait à l'université, et venait la voir chaque fois qu'elle était en vacances. Toutes les semaines, où qu'elle soit, elle envoyait quelque chose à Susannah, une bougie, un flacon de lotion, une fleur, pour lui dire qu'elle pensait toujours à elle. Dès que Kate essayait un nouveau produit, elle demandait l'avis de Susannah. Elle n'en avait pas besoin, bien sûr, mais elle ne manquait jamais de la mêler à ses affaires. Cela donnait à Susannah un but, un espoir, surtout les derniers temps, quand sa maladie empirait. Nous l'avons perdue en septembre, dit Carl, dont la voix se brisa. Mais Kate, ma chère, très chère Kate, ne l'a jamais oubliée. Elle m'a dit un jour qu'elle voulait lancer un nouveau parfum qui porterait le nom de ma sœur. Elle s'appelait Susannah, mais nous l'appelions Sassy.

Cette fois, Dylan ne s'offusqua pas de le voir fondre en larmes.

## 31

Dylan ne se résignait pas à ce que Kate aille dans les bureaux de Smith & Wesson sans s'être au préalable assuré qu'elle ne risquait rien. Mais la coordination des mesures de sécurité entre Nate, la police de Charleston, celle de Savannah et le FBI serait si longue et poserait de tels problèmes que le rendez-vous de quinze heures devrait être reporté à une date ultérieure.

La meilleure solution aurait consisté à ce que l'avocat se déplace pour recueillir la signature de Kate au commissariat de Silver Springs, par exemple, ou n'importe où ailleurs qu'à Savannah, loin des frères MacKenna. Malheureusement, ce déplacement était impossible. Lorsque Dylan avait appelé Anderson pour le lui suggérer, l'avocat avait invoqué les instructions impératives de Compton MacKenna.

— Il a stipulé que la réunion devait avoir lieu dans nos bureaux, en précisant même que Kate ne signerait les actes qu'après avoir entendu les exposés des comptables et des conseillers financiers.

— Pourquoi avoir imposé ces conditions ? s'étonna Dylan.

— Pour plusieurs raisons. Il s'attendait à ce que Kate marche sur ses traces et pensait, par conséquent, que ses conseillers seraient les mieux placés pour la guider afin d'accroître sa fortune. Le testament, toutefois, n'impose pas que Kate continue à les employer. En tant que son avocat, je lui conseille même fortement de s'en débarrasser. Je crois aussi que Compton a voulu l'impressionner ou, en un sens, se pavaner devant elle. Dans son esprit, Kate devait hériter de sa fortune parce qu'elle avait hérité de ses gènes.

— Je crois pouvoir affirmer qu'elle n'aimerait pas l'entendre dire.

— Bien que je ne la connaisse encore que fort peu, j'ai déjà jugé qu'elle n'a rien en commun avec Compton, commenta Anderson en riant. Encore moins avec ses conseillers.

— On pourrait croire qu'une personne qui lègue une telle fortune à une autre aurait eu au moins envie de la connaître, fit observer Dylan.

— Je lui ai dit la même chose il y a quelques mois, mais il a réagi avec indignation. Son enquête lui avait appris tout ce qu'il avait besoin de savoir sur Kate et ses sœurs. Compton était un excentrique qui vivait en reclus, à l'époque. Il avait le plus grand mal à établir des rapports personnels avec qui que ce soit. Il se bornait à ses transactions d'affaires parce qu'il était en mesure de les contrôler alors que les êtres humains lui échappaient. De fait, il ne travaillait plus que par l'intermédiaire de ses partenaires financiers.

— Combien sont-ils ?

— Six en tout, quatre conseillers et deux comptables. J'ai déjà donné leurs noms à l'inspecteur Hallinger.

Dylan marchait de long en large dans le couloir. En passant devant la porte ouverte de la salle de repos, il remarqua le distributeur de sodas et chercha de la monnaie dans sa poche. Il demanda en même temps à l'avocat de lui transmettre par e-mail les noms et les coordonnées de ces six personnages afin de procéder de son côté à quelques vérifications. Peut-être découvrirait-il un détail ayant échappé à Nate. C'était peu probable, mais deux précautions valaient mieux qu'une.

— Compton voulait-il imposer aussi l'heure de la réunion ou peut-elle être reportée ? Il le faudra, de toute façon, ajouta-t-il, nous n'aurons pas le temps de nous y rendre cet après-midi.

— Je comprends. En fait, Compton m'a laissé une certaine latitude à ce sujet. La seule raison, je crois, pour laquelle il tenait à ce que cette réunion ait lieu quarante-huit heures après son décès, c'était qu'il voulait être sûr que les gens viendraient à Savannah assister à ses obsèques. Que diriez-vous de demain soir à dix-neuf heures ? Cela conviendrait-il à Kate ? Ou après-demain, à la rigueur ? Les autres n'habitent pas Savannah, mais ils resteront en ville aussi longtemps qu'il le faudra. J'estime cependant que plus vite ces documents seront signés, mieux cela vaudra pour la tranquillité de tous.

Sans parler des chances de survie de Kate, pensa Dylan.

— Combien de temps à l'avance faut-il vous le confirmer ?

— Aussi vite que vous pourrez.

— Comptez-vous convoquer les MacKenna ? Vous aviez dit qu'ils devaient l'être, n'est-ce pas ?

— Quand nous aurons fixé l'heure, je les préviendrai par téléphone, mais je doute qu'ils se donnent la peine de venir.

— Pourquoi Compton voulait-il qu'ils soient présents ?

— Il ne me l'a pas dit, mais c'est sans doute par méchanceté pure. Il voulait leur faire sentir ce qu'ils avaient perdu par leur faute.

— Pour le moment, tenons-nous-en à demain dix-neuf heures. S'il fallait modifier l'horaire, je vous en avertirais le plus tôt possible.

Dylan se rendit compte qu'il allait falloir que Kate valide toutes ces décisions.

Après avoir mis fin à la communication, il consulta ses messages. Nate l'avait appelé quatre fois et, à chaque message, se fâchait un peu plus de ne pas pouvoir le joindre. Dylan comprit sa colère mais n'en tint pas compte. Moins de gens sauraient où se trouvait Kate, mieux cela vaudrait pour sa sécurité.

226

Il sortit une canette de soda du distributeur et prit le temps de la boire avant d'appeler Nate. Il tomba sur son répondeur et lui demanda de le rappeler. Cette fois, se dit-il en souriant, il sera furieux.

Kate était toujours dans le bureau du chef. Dylan estima qu'elle avait eu le temps de lui exposer ses problèmes et descendit les rejoindre. Elle remettait les dossiers dans son cartable pendant que Drummond finissait de prendre des notes.

— Je m'en occupe tout de suite, promit-il. Kate veut passer la nuit chez elle, poursuivit-il en se tournant vers Dylan. Je crois que nous pouvons lui accorder ce petit plaisir, n'est-ce pas ? Je ferai examiner la maison par quelques hommes et j'en posterai deux autres pour patrouiller le terrain. Comme la maison est dans une impasse, ce sera simple.

— C'est toi qui lui as soufflé cette belle idée ? demanda Dylan d'un ton accusateur.

— J'ai simplement dit que cela me ferait plaisir de passer cette nuit dans mon lit, pour changer.

— Vous avez fait plus que de le « dire simplement », la corrigea Drummond. Vous m'avez aussi supplié d'en convaincre Dylan.

— Je ne supplie jamais, déclara-t-elle. Sais-tu que le chef Drummond a été détective à Los Angeles ? enchaîna-t-elle. Il a quitté la ville au bout de vingt ans de service et s'est installé ici parce qu'il ne supportait plus la circulation.

— J'ai l'impression qu'elle essaie de vous persuader que j'ai les qualifications requises pour faire ce travail, intervint Drummond d'un air amusé.

— Je le sais déjà, Kate, répondit Dylan, de même que lui sait tout sur mon compte. Il n'ignore pas non plus que je respecte son expérience.

— Bien. Je peux donc rentrer chez moi, dit Kate en se levant.

— Rasseyez-vous, ordonna le chef. Vous n'allez nulle

part avant que votre maison et la rue aient été passées au peigne fin. L'avocat viendra-t-il faire signer les papiers ici ?

— Non, c'est malheureusement impossible, répondit Dylan. Si Kate est d'accord, nous irons le voir demain soir à sept heures. Cela nous laissera le temps de nous organiser.

— Vous irez à Savannah ?

— Oui.

— Dommage. Tout le monde sera sur le coup sauf moi.

— Tout le monde ? demanda Kate. Qui est « tout le monde » ?

— Savannah est dans un autre État : le FBI sera obligatoirement convoqué, la police de Charleston ne voudra pas être mise sur la touche, puisque la première explosion a eu lieu sur son territoire. Et vous ne pourrez pas non plus écarter la police de Savannah, surtout si vous craignez qu'il se passe quelque chose.

— Mais... pourquoi la police de Savannah ? s'étonna Kate.

— Parce que vous serez sur son territoire, expliqua Drummond avec patience. Imaginez sa réaction s'il y avait une fusillade ou une explosion sans qu'elle ait été mise au courant.

— On n'aurait pas fini d'en entendre parler, approuva Dylan.

Ils plaisantent sûrement ! pensa Kate, effarée. Si tout ce monde doit intervenir, l'immeuble entier de Smith & Wesson ne suffira pas à les abriter. Mais la réalité s'imposa brutalement à elle : s'il devait y avoir une fusillade ou une explosion, ces gens risqueraient leur vie.

— Non ! s'exclama-t-elle. Personne ne m'accompagnera à Savannah. Je veux y aller seule.

— Je vous laisse régler le problème, dit Drummond à Dylan en se levant. J'ai du travail.

Après son départ, Dylan s'assit sur un coin du bureau et attendit que Kate lui explique sa réaction. Elle s'attendait à ce qu'il la contredise, qu'il discute. Son silence la désarçonna.

— Tu as entendu ce que j'ai dit ?

— Oui, j'ai entendu.

— Alors ?

— Si tu veux y aller seule, vas-y seule.

La réponse éveilla ses soupçons. C'était trop facile !

— Merci, dit-elle, faute de mieux.

— Comment iras-tu ?

— En voiture.

— La tienne a été démolie, si mes souvenirs sont bons.

Comment diable l'avait-elle oublié ?

— J'en louerai une.

— Qu'est-ce qui te passe par la tête au juste, Kate ?

Toi, gros imbécile ! Tu risquerais de te faire tuer, voilà ce qui me passe par la tête ! Elle ne pouvait même pas se résoudre à en envisager l'éventualité, pas plus que celle d'un massacre de tous ces inconnus engagés pour sa protection. Comment le lui expliquer ?

— Qu'est-ce qui te passe par la tête ? répéta-t-il.

Il n'a donc rien compris, rien deviné ? Seigneur !...

— Il m'est venu en tête que des gens pourraient se faire tuer pour me protéger, admit-elle piteusement, les larmes aux yeux.

Dylan la fit lever, l'attira contre lui, la serra dans ses bras.

— Ce n'est pas grave. Tu es juste un peu... dépassée, voilà tout.

— Peut-être.

Elle attendit qu'il continue, qu'il dise quelques mots de consolation, de réconfort. N'importe quoi pour lui remonter le moral. Mais il se contenta de la tenir dans ses bras et, au bout d'un moment, elle se rendit compte qu'elle n'avait besoin de rien de plus.

## 32

Peu après, rassérénée, Kate s'écarta.

— Et Carl ? demanda-t-elle.

— Quoi, Carl ?

— Es-tu maintenant convaincu qu'il n'a rien à voir avec ce qui s'est passé ?

— Moi, oui.

— Il peut donc rentrer chez lui ?

— Pas encore. Il va d'abord devoir en convaincre d'autres.

Deux agents du FBI et un inspecteur de Charleston arrivèrent une heure plus tard et interrogèrent Carl à tour de rôle. Satisfaits de ses explications, ils lui rendirent sa liberté.

— Sois courageuse, ma chérie, dit-il en embrassant Kate avant de partir.

Celle-ci fut elle aussi soumise à une nouvelle série de questions. Elle était lasse de tout répéter jusqu'au moindre détail, mais elle coopéra et répondit de son mieux. Quand les questions furent épuisées, sa patience l'était aussi.

— Venez, Kate, lui dit Drummond. Il est temps de rentrer chez vous. Votre maison a été fouillée de la cave au grenier.

— Merci, chef. Où est Dylan ?

— Il vous attend sur le parking. Allez, tout ira bien.

Si elle n'avait pas douté de ses intentions à son égard, elle aurait pu croire qu'il la chassait pour s'en débarrasser.

— Je vous apporterai le dîner, ajouta-t-il en ouvrant la porte.

— Voyons, chef, vous n'avez pas besoin de...

— Si. J'ai regardé dans votre réfrigérateur, il est vide, dit-il d'un ton faussement bourru.

Elle se félicita de ne pas avoir protesté, parce qu'en arrivant dans sa cuisine elle constata que le frigo était réellement vide. Son estomac commençait à gargouiller. Dylan et elle n'avaient rien mangé depuis le petit déjeuner et il était déjà près de six heures du soir.

— Le temps passe vite, même quand on ne s'amuse pas, fit-elle observer en montant l'escalier.

Dylan la suivit en portant leurs bagages. Il ne lui demanda pas s'il pouvait partager son lit ; il déposa directement son sac dans la chambre d'amis. De toute façon, j'ai envie de dormir seule, pensa-t-elle avant de s'enfermer dans la salle de bains, où elle prit une longue douche. Après avoir enfilé un vieux jean et un T-shirt, elle se sentit un peu mieux et descendit.

Dylan parlait à un policier dans le jardin. Elle les observa par la fenêtre de la cuisine en mastiquant une tige de céleri ramollie, oubliée au fond du tiroir à légumes. Dylan lui parut fatigué, mais aussi merveilleux que jamais. Il supportait ces épreuves cent fois mieux qu'elle, qui se sentait constamment à deux doigts de s'effondrer.

Afin d'éviter qu'il la surprenne en train de l'épier, elle quitta la fenêtre et écouta les messages sur le répondeur. Ils étaient presque tous destinés à Isabel et ne présentaient aucun intérêt.

Énervée, elle tourna en rond, prit un sachet de chips dans un placard, l'y remit sans l'avoir ouvert. Elle connaissait la cause de son malaise : Dylan. Combien de temps lui faudrait-il pour cesser d'être amoureuse de lui ? En serait-elle capable ou était-elle condamnée à éprouver des remords jusqu'à son dernier jour ? Elle ne pouvait s'en prendre qu'à elle-même. Dès le début, elle avait su dans quel guêpier elle s'était fourrée en tombant amoureuse d'un homme qui séduisait les femmes avec autant de facilité qu'il les abandonnait. Il n'invoquait aucune excuse, il était volage de nature, voilà tout. Et elle, elle était une triple idiote de s'être laissé prendre au piège.

Sans doute était-ce le stress qui la mettait d'une humeur aussi sombre. Oui, le stress, voilà le vrai coupable. Et le fait de se sentir désemparée, sans savoir que faire…

Un coup de sonnette à la porte lui ordonna de ne plus s'apitoyer sur son sort. Pensant que Drummond apportait le dîner, la faim la reprit soudain et elle courut ouvrir. Ce n'était pas Drummond qui se tenait sur le seuil mais Nate Hallinger, qui parut stupéfait de la voir.

— Qu'est-ce qui vous prend d'ouvrir cette porte ? cria-t-il.

Kate ne put s'empêcher de sursauter.

— Vous avez sonné, il est normal d'ouvrir.

— Vous êtes seule ici ? gronda-t-il en entrant. Vous perdez la tête ou quoi ? Vous ne savez pas qu'on cherche à vous tuer, ou bien vous vous en moquez ?

— Oui, je le sais et non, je ne m'en moque pas. Et je vous prie d'arrêter de crier, vous me cassez les oreilles.

Il prit une longue inspiration, parut se calmer.

— Il faut bien que je crie pour me soulager. Où est Dylan ?

— Dans le jardin. Il y a des policiers devant et derrière la maison. Je ne prenais donc aucun risque en ouvrant la porte.

— Ce n'est pas pour ça que je suis furieux.

— Pourquoi, alors ? demanda-t-elle en le poussant vers la cuisine.

— Parce que je n'avais aucune idée de l'endroit où vous étiez la nuit dernière. C'est invraisemblable ! Vous avez disparu tous les deux. Et si j'avais eu des informations capitales à vous transmettre, hein ? Dylan ne répondait pas au téléphone, ni vous non plus ! Qu'est-ce qui lui a pris ? Il devrait pourtant savoir que c'est absurde de s'évanouir dans la nature sans prévenir personne ! Où est-il ?

— Je viens de vous le dire.

— Eh bien, redites-le.

— Dans le jardin. Allez passer vos nerfs sur lui.

— N'ouvrez plus cette porte ! Compris ?

Sans attendre de réponse, il sortit de la cuisine en claquant la porte derrière lui.

Il vient de perdre une invitation à dîner, pensa Kate. Quel culot de l'attraper comme cela ! Elle n'était plus une gamine !

Il a quand même raison, admit-elle à contrecœur. Ils auraient dû le tenir au courant de ce qu'ils faisaient. Ils n'avaient pas voulu se cacher de lui, ils ne savaient d'ailleurs pas où ils iraient passer la nuit mais, une fois à l'hôtel, ils avaient eu... autre chose à faire. S'il savait, Nate comprendrait et ne leur en voudrait pas. Peut-être...

Le chef Drummond arriva quelques minutes plus tard, muni d'assez de provisions pour nourrir la moitié de la ville.

— Que se passe-t-il dehors ? demanda-t-il en posant les sacs sur le comptoir de la cuisine. On dirait que Hallinger engueule Dylan.

Kate le mit au courant en quelques mots. Drummond regarda par la fenêtre.

— Dylan n'a pas l'air de se repentir. En fait, c'est plutôt lui qui passe un savon à Hallinger. Qu'ils s'arrangent entre eux. Dînons.

Le chef avait vu juste, ils finirent par s'arranger. Nate ne demanda pas s'il pouvait rester dîner, il prit une assiette, des couverts et se servit copieusement.

— Je ferai venir des hommes d'ici une heure pour vous décharger, chef, annonça-t-il entre deux bouchées.

— Inutile, tout est mis en place. Vous avez déjà fort à faire pour organiser la sécurité avant la réunion de demain.

— C'est définitif ? La signature doit bien avoir lieu demain à sept heures du soir ? Plus de contrordre ?

— C'est définitif, sauf si le contrordre vient de vous, répliqua Dylan. Nous en avons déjà parlé dans le jardin.

— Oui, mais je tiens à le savoir une fois pour toutes. Ne me faites pas encore le coup de la disparition, compris ?

— Vous feriez mieux de laisser tomber, gronda Dylan.

— Et vous, vous feriez mieux de…, commença Nate.

Drummond les interrompit d'un geste impérieux.

— Suffit ! Kate a besoin de toute l'assistance nécessaire, alors arrêtez de vous chamailler et faites votre travail.

— Bien, chef, dit Nate d'un air contrit.

Tout en dînant, les trois hommes mirent au point leur stratégie du lendemain.

— Au fait, demanda Dylan, vous avez trouvé quelque chose au sujet de la vidéo ? Savez-vous qui l'a enregistrée ?

— Non. Nous savons seulement que les DVD et les photos ont été livrés par porteur au bureau d'Anderson Smith. Il affirme que personne ne connaissait l'existence du matériel vidéo jusqu'à ce qu'il reçoive les disques et les instructions de Compton MacKenna.

— Quelqu'un était pourtant au courant, insista Dylan. Pendant que Compton parlait, il regardait régulièrement derrière la caméra. Il y avait donc quelqu'un d'autre que lui dans la pièce. Un serviteur, un employé ?

— Nous n'avons trouvé personne capable de nous renseigner.

Dylan se tourna vers Kate, qui luttait visiblement pour garder les yeux ouverts.

— Tu devrais monter te coucher, Kate. Nous n'en avons plus pour très longtemps.

Elle obéit sans se faire prier. Pendant qu'elle se préparait, elle entendit les hommes parler puis, quelques minutes plus tard, Nate et Drummond qui prenaient congé.

Malgré sa fatigue, elle voulut appeler Isabel avant de se coucher et, pour une fois, elle entendit la voix de sa sœur au lieu du répondeur. Elle avait à peine eu le temps de lui dire bonsoir qu'elle n'ouvrit plus la bouche pendant un bon quart d'heure. Sans doute sa sœur jugeait-elle que la lecture du testament avait été un non-événement car elle n'y fit pas allusion ; elle se répandit en informations sur sa nouvelle vie sociale. Kate finit par se sentir obligée de lui rappeler qu'elle était à l'université pour étudier, et non pour se faire des relations. Elle était au moins soulagée de constater que sa petite sœur était heureuse et en sécurité.

— As-tu des nouvelles de Reece Crowell ? demanda Kate quand elle put placer un mot.

— Il est toujours en Europe, je crois, mais ne t'inquiète pas. S'il recommence à me harceler, je me chargerai de le remettre à sa place, affirma Isabel avant de passer à des sujets plus intéressants.

Kate écoutait un portrait dithyrambique du voisin de classe d'Isabel en cours de sociologie quand un bip dans l'écouteur lui signala un autre appel. Pensant qu'il pouvait s'agir de nouvelles importantes, elle mit fin au bavardage de sa sœur et lui recommanda d'être prudente. En prenant la communication, elle eut la surprise d'entendre s'annoncer Vanessa MacKenna. Déconcertée, elle marqua une pause avant de répondre. Au début, Vanessa fut elle aussi empruntée, mais devint plus naturelle au fil de la conversation.

— Anderson m'a appelée pour me dire combien les photos de votre père vous ont fait plaisir. Il m'a proposé de chercher dans la maison de Compton, qui est désormais la mienne, pour voir si j'en trouvais d'autres. Le grenier est plein de boîtes que j'avais déjà décidé de ranger, or l'une d'elles contenait des objets qui appartenaient à votre père – des photos, des trophées, des rapports scolaires. Je les emballerai proprement et je vous les enverrai ou bien, si vous préférez, je les déposerai au bureau d'Anderson. Mais je continuerai à fouiner, il y en a peut-être d'autres. Je me suis installée à la maison pour le moment parce que Bryce a dû retourner à l'hôpital hier soir ; c'est plus commode pour aller le voir. Vous pouvez aussi venir visiter la maison, si vous voulez. Je serais très heureuse de vous y accueillir.

— Un de ces jours, avec plaisir.

— Faites-moi savoir quand cela vous conviendra. La semaine prochaine, peut-être, ou celle d'après ? J'aimerais mieux vous connaître, Kate. Vous êtes si différente de Bryce et de ses frères. Comme une bouffée d'air frais dans la famille.

En raccrochant, Kate eut des remords de ne pas avoir demandé, par politesse, si Bryce était dans un état grave, mais exprimer sa sympathie aurait été le comble de l'hypocrisie.

Dylan entra dans sa chambre pendant qu'elle était encore assise sur son lit, le téléphone à la main.

— Vanessa MacKenna vient de m'appeler pour m'inviter à aller visiter la maison de Compton, lui dit-elle. Elle y a trouvé d'autres souvenirs de mon père, m'a-t-elle dit.

— Tu ne t'approcheras ni de cette maison ni d'un quelconque MacKenna avant que nous ayons mis la main sur celui qui veut te tuer ! ordonna-t-il.

— Mais non, sois tranquille.

Elle n'était pas d'humeur à se faire sermonner. Elle avait subi plus de pressions au cours de cette journée que sa vie durant et se hâta de changer de sujet.

— J'ai parlé à Isabel, reprit-elle. Elle a l'air heureuse. Je ne lui ai pas dit que tu étais ici. Inutile qu'elle sache... tu sais.

— Qu'elle sache quoi ?

— Je lui ai dit que tout allait bien. Si je lui avais appris que tu étais ici, elle aurait posé des tas de questions... Qu'est-ce que tu fais ?

— Tu ne le vois pas ? Je me déshabille avant d'aller prendre une douche et de me coucher.

— Il y en a une dans la chambre d'amis...

Il avait déjà fermé la porte de la salle de bains. Une seconde plus tard, elle entendit l'eau couler.

Elle aurait dû faire preuve de plus d'autorité et le forcer à aller dans la chambre d'amis, mais elle n'en avait pas envie, c'était bien là le problème. Elle savait qu'elle lui tomberait dans les bras dès qu'il rouvrirait la porte. « Au secours ! » marmonna-t-elle, dégoûtée d'elle-même. Après tout, c'est la faute de Jordan, se dit-elle pour tenter de se consoler. C'est elle qui avait envoyé Dylan ; elle savait très bien ce qui se passerait.

Elle reprit le téléphone, composa le numéro de Jordan, qui ne pourrait quand même pas l'éviter éternellement. Et si elle ne répondait pas, Kate lui laisserait un message qui la forcerait à la rappeler.

Comme prévu, elle tomba sur le répondeur. Kate avait commencé à dire « Il faut que tu saches que... » quand elle stoppa net. Et si quelqu'un d'autre écoutait le message et apprenait ainsi qu'elle couchait avec Dylan ? Non, impossible ! « Peu importe », ajouta-t-elle.

Elle était en train de raccrocher quand elle entendit une voix dire : « Qu'est-ce qu'il faut qu'elle sache ? » Une voix d'homme.

— Qui est là ? voulut-elle savoir.

— Michael Buchanan. C'est Kate ?

Dieu merci, elle s'était reprise à temps !

— Michael ? Que fais-tu à Boston ?

— Je suis en permission. Je reste chez Jordan jusqu'au prochain week-end et j'irai ensuite à Nathan's Bay, les parents y seront de retour à ce moment-là.

Diplômé d'Annapolis, Michael suivait une formation de plongeur de combat dans la marine. De tous les frères Buchanan, il était le plus casse-cou.

— Quand reviens-tu à Boston ? demanda-t-il. Je tiens à prendre ma revanche.

— Pourquoi ? Tu perdrais une fois de plus.

— C'est ce que nous verrons !

Son rire était exactement le même que celui de Dylan.

— Tu savais que Dylan était ici ?

— Oui. Jordan m'a dit qu'il te donne un coup de main pour régler un petit problème.

Un *petit* problème ? Elle me le paiera, celle-là !

— C'est exact, se borna-t-elle à confirmer.

Ils bavardèrent encore quelques minutes. Kate promit de dire à Dylan que son frère était en permission et Michael promit de forcer Jordan à la rappeler.

Elle venait de raccrocher quand Dylan sortit de la salle de bains. Vêtu d'un short, il descendit vérifier que les policiers de garde étaient bien à leur poste. Ma sécurité devient pour lui une obsession, se dit Kate.

Il resta longtemps en bas. Kate essayait de s'endormir, mais elle était incapable de trouver le repos. Au lieu de cela, elle ne cessait de réfléchir à qui pouvait chercher à la tuer. Ce ne pouvait être qu'un des MacKenna, mais lequel ? Et pourquoi pas tous ? Ce serait le comble ! Vanessa faisait peut-être elle aussi partie du complot. Au point où en étaient les choses, plus rien ne paraissait impossible.

## 33

Kate se tournait dans son lit depuis ce qu'il lui semblait être une éternité lorsque Dylan reparut enfin à minuit passé. Sans lui en demander la permission, il enleva son short et se glissa à côté d'elle. Elle s'apprêtait à le repousser quand il la prit dans ses bras.

— Tu ne dors pas, Pickle ?

— Non, je suis trop énervée en pensant à demain.

— Tant mieux.

Sur quoi il écarta ses cheveux et commença à lui mordiller la nuque. Elle se rapprocha de lui, frémissant de la tête au pied.

— Pourquoi dis-tu « tant mieux » ?

— Parce que je n'ai pas besoin de te réveiller pour te faire l'amour.

Puis Kate ne se souvint plus s'il y eut d'autres paroles. La manière dont il la caressait la mettait hors d'état de former une pensée cohérente.

Ils firent l'amour avec plus de passion, plus d'intensité que la veille. Et, lorsqu'ils atteignirent ensemble le sommet du plaisir, il continua à la tenir dans ses bras et à lui caresser le dos. Le menton posé sur sa tête, il lui donnait de petits baisers dans les cheveux.

À peine la brume de passion fut-elle dissipée que Kate sentit de nouveau le malheur la submerger. Elle aurait voulu décrire à Dylan ce qu'elle éprouvait mais y renonça aussitôt. Parce que le moyen le plus sûr et le plus rapide de le faire fuir était précisément de lui dire qu'elle ne voulait plus jamais le quitter. Ce rêve impossible, elle désirait de toutes ses forces le réaliser. Mais comment réagirait-il si elle lui disait qu'elle n'aspirait qu'à rester avec lui sa vie entière ? Il se trouverait mal, probablement. Elle réussit à esquisser un sourire en pensant à l'effet qu'auraient sur lui ces simples petits mots : « Je t'aime. »

Dylan ne vit pas son sourire car il était couché sur le dos et fixait le plafond.

— Dis-moi, Kate, pourquoi veux-tu aller demander un prêt à la banque ? Tu l'as dit sérieusement ou tu plaisantais ?

— Je ne plaisantais pas. Je dois emprunter de quoi rembourser un emprunt. Ce n'est qu'une solution temporaire, mais elle me fera gagner du temps.

— Tu sais pourtant qu'en signant ces papiers demain tu seras multimillionnaire.

— Bien sûr, mais je ne le resterai pas longtemps. Quand je signerai le contrat de l'emprunt, j'indiquerai le montant de mes avoirs. Dans l'immédiat, du moins.

— Ils te prendront pour une folle.

— Je le suis peut-être, murmura-t-elle en se blottissant contre lui.

Dylan estima qu'elle ne se souciait guère de l'opinion d'autrui sur son état mental, car elle s'endormit moins d'une minute plus tard. Il eut beaucoup plus de mal à trouver le sommeil, trop préoccupé par le lendemain et toutes les mauvaises surprises susceptibles de se produire.

Bien qu'ayant dormi profondément cette nuit-là, Kate, accablée par l'appréhension de la journée à venir, ne se sentit pas reposée quand elle se réveilla le lendemain matin. Elle espérait que les MacKenna ne se montreraient pas. Bryce devait encore être à l'hôpital, mais Roger et Ewan l'inquiétaient bien davantage. Elle ne se sentait pas la force d'affronter une fois de plus leur grossièreté et leur méchanceté. S'ils s'avisaient encore de calomnier sa mère, elle ne répondrait pas de ses actes.

Kate entendait Dylan parler avec quelqu'un dans la cuisine et crut reconnaître la voix du chef Drummond. Elle eut peine à croire qu'il était déjà neuf heures du matin. Elle ne s'était pas réveillée aussi tard depuis l'adolescence ! Mais, après tout, elle n'avait aucune raison de se dépêcher. Le rendez-vous dans les bureaux d'Anderson n'étant prévu qu'à sept heures du soir, Dylan et elle ne quitteraient sans doute pas Silver Springs avant le milieu de l'après-midi.

Anderson ne serait d'ailleurs pas de retour à son bureau avant cinq heures. Pour une raison que Kate ignorait, Compton avait stipulé que ses obsèques devaient avoir lieu à quatorze heures précises. Il avait écrit le programme de la cérémonie, y compris les noms de ceux qui devaient prononcer un speech. Kate se demanda s'il était allé jusqu'à écrire sa propre oraison funèbre.

Elle pensa au vieil excentrique tout en faisant sa toilette et en s'habillant. Dans l'éventualité où ils devraient passer la nuit à Savannah, elle prépara aussi un sac de voyage qu'elle laissa dans le vestibule avant de rejoindre Dylan à la cuisine.

— Bonjour ! lança-t-elle en entrant.

Il l'embrassa avec une fougue qui la fit rougir, lui avança une chaise et la fit asseoir à table.

— Qu'est-ce que tu veux comme petit déjeuner ?

— Des toasts. À qui parlais-tu ? J'ai cru reconnaître la voix du chef Drummond.

— C'était lui. Il vient de partir.

Il versa un grand verre de jus d'orange qu'il posa devant elle.

— Je peux préparer mon petit déjeuner moi-même, tu sais.

— Je sais. Dès que tu auras fini, nous prendrons la route.

Il sortit deux tartines du grille-pain, les mit sur une assiette – sans beurre ni confiture. Même s'il ne paraissait pas très doué pour la cuisine, Kate en mordit un coin par politesse.

— Pourquoi tant de précipitation ? s'étonna-t-elle. Nous avons presque toute la journée devant nous.

— Il y a eu un changement de programme.

— Quel changement, dans quel programme ?

— Nous avions un programme et nous l'avons modifié, c'est simple. Allons, mange. As-tu préparé un sac pour la nuit ?

— Oui, il est dans l'entrée.

— Bien, je vais le mettre dans la voiture. Dépêche-toi.

Il était à peine sorti qu'elle jeta les toasts dans la poubelle, avala le jus d'orange et rinça le verre et l'assiette. L'évier étincelait. Dylan l'avait visiblement astiqué. Il n'avait pas l'étoffe d'un chef, mais pour la propreté et le rangement il était imbattable. Bref, un homme avec qui on aimerait vivre – entre autres raisons…

Kate monta chercher son cartable et son ordinateur portable. Elle n'avait pas consulté ses e-mails depuis Dieu sait quand et elle espérait avoir le temps de le faire avant ou après la réunion.

Quand elle sortit de la maison, le chef Drummond montait dans sa voiture, garée derrière celle de Dylan.

— Tu aurais dû me dire qu'il attendait, je me serais pressée.

— Je t'avais dit de te dépêcher.

— Ce n'est pas pareil.

Il préféra ne pas lui demander de lui expliquer la nuance.

— Le chef voulait vérifier lui-même la voiture pour s'assurer qu'il n'y aurait pas de mauvaises surprises, expliqua-t-il.

— Une bombe, par exemple ? Alors, il en a trouvé ?

— Rien, tout va bien.

— Il vient avec nous ?

— Non, mais il m'a laissé des instructions écrites. Nous devrons prendre des routes qui ne figurent pas sur les cartes.

Kate avait passé le plus clair de sa vie à Silver Springs et était allée d'innombrables fois à Savannah. Elle croyait donc connaître la région mieux que personne, et pourtant elle dut admettre qu'elle ignorait jusqu'à l'existence des routes empruntées par Dylan. Certaines étaient d'ailleurs de simples chemins de terre.

Moyennant quoi le parcours fut pittoresque et plein de charme. Dylan découvrait des paysages qu'il trouvait fascinants, s'extasiait devant les saules pleureurs et les fleurs sauvages poussant dans des champs en jachère. Il ignorait leurs noms et fut impressionné par les connaissances de Kate qui les lui indiquait.

— Comment pourrais-tu vouloir quitter un endroit pareil ? lui demanda-t-il. C'est tellement beau.

— Je n'en partirai pas avant longtemps, voire jamais. Ma destinée veut que j'y reste, je crois.

— Moi, je pourrais très facilement y vivre.

Ne voulant pas se donner le faux espoir de le garder auprès d'elle, elle décida de penser plutôt à toutes ses raisons de partir.

— Tu t'ennuierais, déclara-t-elle.

— Je ne crois pas.

— Boston te manquerait. C'est une ville tellement vivante.

— Boston me manquerait peut-être au début, admit-il, mais je suis prêt pour un changement. Et puis, Silver Springs n'est pas loin de Charleston, qui a tous les avantages et les inconvénients d'une grande ville. Pour trouver de la vie, il suffit d'y aller. Je me passerais volontiers des embouteillages, malgré tout. Je me demande quel est le taux de criminalité à Silver Springs.

— Avant ou après mon retour à la maison ?

Il retint de justesse une réponse ironique.

— Nous y voilà, dit-il. Regarde le panneau, nous sommes officiellement entrés sur le territoire de la ville de Savannah.

— Je refuse de rester enfermée dans un poste de police jusqu'à la réunion, déclara-t-elle. Pouvons-nous attendre dans les bureaux d'Anderson ? Je pourrais au moins travailler un peu pendant ce temps.

— Bonne idée, approuva-t-il.

Un quart d'heure plus tard, Dylan s'arrêta devant l'immeuble de Smith & Wesson.

— Nate est au courant ? demanda-t-elle.

— Bien sûr.

— Alors, nous pouvons entrer ?

Elle n'avait pas fini sa phrase que deux policiers sortaient déjà du bâtiment et attendaient devant la porte que Kate et Dylan descendent de voiture. Un troisième arriva de la rue droit sur eux.

— Vous pouvez laisser votre voiture ici, dit-il. Je veillerai à ce que personne ne s'en approche.

Dylan coupa le contact et laissa les clefs sur le tableau de bord. Kate et lui entrèrent dans le hall avec les deux premiers policiers.

— Lequel de vous a vérifié l'immeuble ? leur demanda Dylan une fois la porte refermée.

— L'équipe de déminage sort d'ici, rien à signaler, répondit l'un d'eux. Un de nos hommes surveille l'entrée et deux agents de sécurité sont postés dans l'immeuble. Où voulez-vous que nous nous tenions ?

— Vous pouvez rester ici, dans le hall, c'est le meilleur endroit. Qui est présent dans les locaux en ce moment ?

— La plupart du personnel est à l'enterrement, les autres sont en vacances. Il ne reste que la réceptionniste et l'assistant de Me Smith, Terrance, je crois. Il est dans le bureau de son patron. Nous pouvons le faire sortir, si vous voulez.

— Pas la peine, il peut rester.

Terrance devait avoir entendu les bruits de voix dans le hall car il descendit l'escalier en toute hâte.

— Mademoiselle MacKenna ! Je suis désolé, Me Smith n'est pas encore revenu des obsèques de…

— Je sais, nous sommes très en avance, répondit Kate.

Pourrais-je disposer d'un bureau en attendant ? Je voudrais travailler jusqu'au retour de M^e Smith.

Il paraissait nerveux et mal à l'aise. Kate comprit que c'était la présence et la fonction de Dylan qui le terrorisaient.

— Je voudrais voir la salle de conférences, annonça Dylan.

Terrance les précéda dans le couloir de l'étage jusqu'à la salle de conférences, située à côté du bureau d'Anderson.

— J'étais en train de disposer les noms devant chaque place, expliqua l'assistant, qui semblait se remettre de ses émotions.

— Pourrais-je rester travailler ici ? demanda Kate. S'il y a une prise pour mon ordinateur…

— Bien entendu, bien entendu, s'empressa de répondre Terrance.

Il approcha un siège de la table, indiqua l'emplacement de la prise de courant et du raccordement à Internet.

Pendant que Kate s'installait, Dylan sortit explorer le couloir en ayant soin de laisser la porte ouverte derrière lui. Dans un renfoncement à gauche, il repéra une issue de secours équipée d'un clignotant rouge qui signifiait qu'elle était branchée sur le système d'alarme. Une épaisse barre métallique transversale en renforçait la fermeture. À droite, un escalier de service menait au rez-de-chaussée. Dylan le descendit jusqu'à une porte donnant accès au parking privé. Un garde s'y tenait en faction. Dylan s'identifia et échangea quelques mots avec lui avant de remonter.

Satisfait du dispositif de sécurité, il regagna la salle de conférences où Kate, attablée devant son ordinateur, consultait déjà ses e-mails et commençait à y répondre. Il allait parler quand il entendit quelqu'un crier son nom. Dans un instinct de protection, il se rapprocha d'elle, la main posée sur la crosse de son arme. Au second appel, il reconnut la voix et se détendit. Deux secondes plus tard,

Nate arriva dans la pièce en courant, hors d'haleine et un large sourire aux lèvres.

— C'est fini ! annonça-t-il en jubilant.

— Fini ? répéta Kate ? Vraiment fini ?

— Vraiment fini ! Vous pouvez respirer tous les deux et reprendre une vie normale. L'affaire est classée, ou du moins le sera dès que la paperasse sera en ordre.

— Racontez-moi ça en détail, dit Dylan.

Nate se rengorgeait, visiblement enchanté d'être le porteur de la bonne nouvelle.

— C'était Roger MacKenna, je m'en doutais depuis le début ! Le salaud était derrière tout ça. Quand j'ai visionné la vidéo, j'ai compris qu'il était le suspect numéro un. J'avais demandé un mandat de perquisition, mais il est maintenant sans objet, nous avons toutes les preuves qu'il nous faut. Roger avait tout manigancé, avec de l'aide, bien entendu.

— Jackman ?

— Gagné ! C'est lui qui disposait des contacts pour exécuter le travail. Il n'avait d'ailleurs pas d'autre choix que d'aider Roger, c'était pour lui le seul moyen de récupérer l'argent qu'il lui devait.

— Comment avez-vous réussi à obtenir ses aveux ? s'étonna Kate. Il ne m'a pas paru du genre à coopérer avec la police.

— Il n'a pas avoué. Il s'est suicidé.

Kate en resta bouche bée de stupeur.

— Il s'est... quoi ?

— Suicidé, répéta Nate. Nous le filions, poursuivit-il en s'adressant à Dylan, mais, l'appartement de Roger étant à un étage élevé, notre homme n'a pas entendu le coup de feu. Il surveillait l'entrée de l'immeuble de sa voiture quand il l'a vu entrer. D'après ce qu'il m'a dit, c'est par la radio de service qu'il a été informé. Une voisine avait entendu la détonation et appelé la police. Il est entré immédiatement et a trouvé Roger par terre. Mort. Une seule balle dans la tête. Il a aussi découvert énormément d'indices étalés sur une table – auxquels il n'a pas touché, bien entendu. Je crois que Roger a fait cette mise en scène volontairement afin d'incriminer Jackman. J'ai hâte d'aller voir tout ça par moi-même.

— L'équipe scientifique est-elle déjà sur place ?

— Ils sont en route, peut-être même déjà arrivés. Voulez-vous m'y accompagner ? L'appartement est à moins de deux kilomètres d'ici. Je peux vous y emmener, si vous voulez. Je dois d'abord m'arrêter au QG de la police de Savannah et j'irai tout de suite après.

— Je veux voir ça, moi aussi, mais je tiens à ce que rien ne soit déplacé avant que j'arrive. Vous pouvez faire le nécessaire ?

— Le FBI a dit la même chose, répondit Nate en souriant. Plus vite nous y serons, mieux cela vaudra.

— D'accord. Où Roger s'est-il procuré l'arme ?

— Je ne sais pas encore.

— Il avait un pistolet quand il est venu à la lecture du testament, intervint Kate. Vous vous en souvenez ?

— La police ne lui a sûrement pas rendu l'arme. Roger était en liberté sous caution avant son procès pour port d'arme prohibée.

— Avait-il dit à la police où il s'était procuré ce pistolet-là ?

— Oui. Ce serait son frère Ewan qui le lui aurait donné, et celui-ci l'aurait acheté dans la rue à un inconnu.

— Savez-vous où est Ewan en ce moment ?

— Il a décidé de se rendre. Il doit déjà être en route pour le commissariat, sans doute accompagné d'un avocat susceptible de négocier sa libération sous caution. Il apprendra la mort de Roger quand il arrivera. Je me suis aussi renseigné sur Bryce. Il ne saura probablement jamais ce qui est arrivé à son frère, il est dans le coma. Sa femme est avec lui et le veillera jusqu'à la fin, qui ne tardera plus.

— Et Jackman ?

— Le FBI l'a arrêté à Las Vegas. Il est désormais entre

ses mains pour l'interrogatoire. À tout à l'heure là-bas, conclut Nate en se dirigeant vers la porte.

— Alors, c'est vraiment fini ? demanda Kate.

Dylan hocha la tête, mais elle vit qu'il restait soucieux.

— Quelque chose qui ne va pas ? insista-t-elle.

— Non, rien, mais je préfère que les policiers restent jusqu'à ce que tu aies signé ces papiers.

Dylan descendit avec Nate demander aux policiers de continuer à monter la garde jusqu'à ce que Kate quitte le bâtiment.

— Je croyais que tu voulais voir ces preuves et ces indices ? dit-elle lorsque Dylan revint quelques instants plus tard.

— Oui, bien sûr.

— Alors, vas-y. Je ne risque rien ici.

— Oui, mais…

— Vas-y, et ferme la porte derrière toi. Je n'irai nulle part toute seule, sois tranquille.

## 34

Kate n'arrivait pas à assimiler la nouvelle. L'homme qui avait essayé de la tuer était mort, son complice sous les verrous. Et elle était là en train de répondre à ses e-mails comme si de rien n'était ! Elle craquerait probablement quand elle serait seule cette nuit, puisque Dylan serait peut-être déjà en route pour Boston.

En y pensant, elle eut un accès de panique et s'en voulut aussitôt. Pourquoi se mettre dans un état pareil ? Elle avait toujours su que Dylan la quitterait, ce n'était pas une surprise. Elle encaisserait ce coup-là comme elle avait encaissé tous les autres. Calme-toi, se reprit-elle, Dylan ne partira pas ce soir. Il allait la reconduire chez elle à Silver Springs et passer la nuit avec elle pour ne s'éclipser que le lendemain quand elle dormirait encore.

Elle savait pourtant qu'il tenait à elle, d'une certaine manière. Elle avait presque dû le supplier pour qu'il la laisse travailler seule pendant qu'il allait avec Nate à l'appartement de Roger. Il lui avait même proposé de venir avec eux. Elle ne ferait décidément rien d'utile si elle conti-nuait à penser à Dylan ! Il venait de la quitter et il lui manquait déjà. C'est absurde ! se dit-elle en se forçant à se remettre au travail.

Elle avait répondu à plusieurs e-mails quand elle fut interrompue par Terrance, l'assistant d'Anderson, qui frappa timidement à la porte avant d'entrer sur la pointe des pieds.

— Mademoiselle MacKenna, il y a un appel pour vous sur la ligne une. C'est un monsieur qui n'a pas voulu donner son nom, mais il insiste pour vous parler et affirme qu'il est un ami.

Qui pouvait bien l'appeler au bureau de l'avocat ? Les seules personnes au courant de sa présence ici avaient son numéro de portable.

— Dois-je lui dire que vous êtes indisponible ? demanda Terrance en voyant son air perplexe.

— Non, je vais prendre l'appel.

Il alla chercher un appareil sur une console et le posa devant Kate.

— Puis-je vous être utile ? Avez-vous besoin de quelque chose ?

— Non, Terrance, mais je vous remercie de votre obligeance.

— Si vous avez besoin de moi, je suis dans la bibliothèque. Vous n'aurez qu'à presser le bouton de l'interphone.

Quand il se fut retiré, Kate décrocha le combiné.

— Mademoiselle MacKenna ?

Kate ne reconnut pas la voix, mais elle était plaisante.

— Oui. Qui êtes-vous ?

— Je préfère ne pas me nommer, mais je désire vous rendre service et je vous assure que je ne vous veux aucun mal. J'ai des informations importantes à vous communiquer. Allez-vous m'écouter ?

— Oui, je suis tout ouïe, mais pourriez-vous d'abord m'expliquer pourquoi vous refusez de me donner votre nom ?

— Je suis recherché par la police, voyez-vous. Je n'ai jamais tué personne, volontairement du moins, précisa-t-il avec un éclat de rire. Non, je plaisante, s'empressa-t-il d'ajouter. Sincèrement, je n'ai jamais tué personne. C'est vrai, croyez-moi.

Kate ne savait que penser. Avant qu'elle ait pu lui

demander pourquoi il était recherché par la police, l'inconnu reprit la parole.

— Les autorités ignorent mon vrai nom et je préfère qu'elles ne le découvrent jamais. Est-ce que vous me promettez de garder votre calme et d'écouter jusqu'au bout ce que j'ai à vous dire ? Je veux vous aider, c'est pourquoi il serait fort incommode que vous piquiez une crise de nerfs avant que j'aie terminé.

— Je resterai calme. Dites-moi simplement qui vous êtes.

— Vous êtes obstinée ! dit-il en riant. Je ne vous dirai pas mon nom, mais celui sous lequel la police me connaît.

— Lequel ?

— Le Fleuriste.

Kate en lâcha presque le combiné.

— Ce n'est pas drôle... Je ne peux pas croire... Pourquoi me...

— Allons, allons, vous m'avez promis de garder votre calme.

Kate regarda la porte close. Si seulement elle pouvait s'ouvrir sur quelqu'un, Terrance ou n'importe qui à qui elle pourrait faire signe. On devrait pouvoir retracer cet appel.

— Si c'est une mauvaise plaisanterie..., commença-t-elle.

— Ce n'est pas une plaisanterie et je serais la dernière personne à me moquer de vous. Je suis le Fleuriste et je cherche à vous aider.

— M'aider ? Si vous êtes celui que vous dites, vos bombes ont failli me tuer deux fois !

— Je ne voulais pas vous tuer, répondit-il, agacé. Je n'ai fait que préparer les explosifs.

— Cela ne tient pas debout !

— Il faut que vous écoutiez ce que j'ai à vous dire.

Il avait l'air raisonnable, sensé. Allait-il lui présenter des excuses ?

— Bien, je vous écoute.

— Pour commencer, voyez-vous, j'aime faire exploser des choses.

251

Il est fou, en déduisit Kate.

— Voulez-vous m'expliquer pourquoi ?

Si elle le gardait assez longtemps en ligne, quelqu'un finirait peut-être par venir et elle pourrait faire détecter l'appel.

— Le pourquoi est sans intérêt. Cela me procure de bons revenus, ce qui me fait d'autant plus plaisir que je gagne de l'argent en faisant quelque chose que j'aime faire.

— Des bombes ?

— J'aime travailler avec des explosifs et je n'ai jamais laissé personne s'approcher de mes bombes. Enfin, jusque très récemment. Un ami d'un ami d'un ami, vous savez ce que c'est, m'a demandé d'en fabriquer en échange d'une très grosse somme d'argent. Ma foi, j'ai cédé à l'appât du gain, d'autant plus qu'il m'avait dit qu'elles devaient exploser dans le désert. Il m'a submergé de détails sur des cavernes, des souterrains, que sais-je ? C'était un mensonge évident, mais tellement élaboré que je m'y suis laissé prendre. Je suis à la fois très naïf et très avare, vous comprenez ?

Kate commençait surtout à comprendre qu'il n'était peut-être pas tout à fait fou.

— J'ai donc pris l'argent et je suis retourné à mes occupations sans plus y penser. Jusqu'au jour où, en ouvrant le journal, j'ai vu les photos d'une explosion à côté d'une galerie d'art. L'événement était repris par tous les médias. J'ai immédiatement reconnu mon travail et j'étais furieux de m'être laissé avoir comme un amateur. Après avoir lu l'article qui décrivait comment vous aviez échappé à la mort par miracle, j'ai eu peur et je me suis senti terriblement coupable envers vous. Si, c'est vrai ! J'ai même voulu vous envoyer des fleurs ! J'ai cherché à retrouver l'individu qui m'avait passé la commande, mais il avait disparu. C'est alors que j'ai lu dans la presse qu'une autre explosion avait démoli un entrepôt et que vous aviez une fois de plus échappé de justesse à la mort. J'ai tout de suite compris que vous étiez la cible. Je fais un métier dangereux, ajouta-t-il avec un long soupir.

Il s'en rendait seulement compte ? Un comble !

— En effet, se borna-t-elle à répondre.

— Alors, j'ai décidé d'abandonner.

— Vous m'appelez pour m'apprendre que vous prenez votre retraite ? demanda Kate, effarée.

Son sac était posé sur une chaise près de la fenêtre. Son téléphone portable était dedans. Si elle réussissait à le prendre, elle pourrait appeler, demander de l'aide. Il fallait donc continuer à faire parler le Fleuriste le plus longtemps possible.

— Puis-je vous poser une question ?

Elle se leva, déplaça le téléphone sur la table aussi loin que le permettait la longueur du fil.

— Bien sûr, si je suis en mesure d'y répondre. Je dois aussi vous dire que je ne suis pas du tout fleuriste. Mon jardin est dans un état…

— Ce n'est pas l'objet de ma question, l'interrompit-elle. J'ai entendu dire que vous mettez toujours vos explosifs dans des paniers. Je suis simplement curieuse de savoir pourquoi.

— Voilà une idée fausse que se font beaucoup de gens. Je ne mets pas mes explosifs *dans* des paniers, ils *sont* les paniers. C'est un travail très délicat, voyez-vous. J'aime me considérer comme un virtuose. Le Beethoven du big bang, en un sens, ajouta-t-il en riant.

— Allez-vous quand même me dire la vraie raison de votre appel ?

— C'est juste, je dois redevenir sérieux, soupira-t-il. Je veux vous sauver la vie, je crois vous l'avoir déjà dit.

— Comment pensez-vous y arriver ?

— En vous communiquant une information capitale. La première explosion a creusé un cratère dans une colline.

Kate tendit le bras, attrapa son sac du bout des doigts.

— En effet.

— Vous vous en êtes tirée presque sans une égratignure.

D'après les statistiques, vous aviez une chance sur je ne sais combien de millions. La deuxième explosion a démoli un bâtiment et vous vous en êtes encore tirée presque indemne. C'est phénoménal ! Phénoménal !

— En effet.

Où diable veut-il en venir ? se demanda-t-elle en fouillant dans son sac à la recherche du portable.

— Mais les statistiques ne mentent pas, c'est pourquoi je suis très inquiet. Vous ne survivriez pas à une autre explosion.

— Une autre ?

— Oui. J'ai fabriqué trois bombes, voyez-vous.

— Quoi ? Qu'est-ce que vous dites ?

— Il reste une de mes bombes en circulation, c'est pourquoi vous devez maintenant m'écouter très attentivement.

Kate écouta avec une telle attention qu'elle n'entendit pas la porte s'ouvrir derrière elle.

## 35

L'appartement de Roger MacKenna sentait la vieille poubelle restée des heures au soleil. L'odeur en imprégnait Roger comme s'il s'était roulé dans les ordures avant de se tuer. Il était couché sur le dos au milieu de son living, le pistolet encore dans la main. Le sang formait une flaque noire autour de sa tête et de ses épaules. Ses traits exprimaient le désespoir. Il avait un œil ouvert et l'autre enfoncé dans le crâne.

Ce n'était pas beau à voir.

Le FBI était venu en force. Joel Kline, l'agent chef du détachement, se révéla étonnamment accommodant. Il avait à peu près l'âge de Dylan, mais les coins de la bouche déjà marqués de rides profondes et le dos voûté comme s'il s'était trop souvent et trop longtemps penché sur des scènes de crime. Après que Dylan lui eut assuré avec diplomatie qu'il n'avait aucune intention de se mêler de son enquête, Kline lui donna une paire de gants en plastique, lui dit de regarder partout à sa guise et que son point de vue l'intéresserait.

Le Dr Parrish, médecin légiste entre deux âges, était agenouillé à côté du corps. Dylan s'accroupit près de lui et se présenta. Le Dr Parrish aimait apparemment bavarder.

— J'ai habité un moment Silver Springs. Belle région. Mais il n'y avait pas assez d'homicides pour m'occuper, alors je suis venu m'installer ici. Savannah est très agréable aussi. D'après votre accent, vous devez être du Nord-Est. Je me trompe ?

— Exact. De Boston.

— Et vous vous exilez ici ?

— Non, je suis juste venu à titre temporaire.

Les deux hommes accordèrent ensuite leur attention au défunt.

— Celui-ci au moins savait ce qu'il faisait. Une seule balle bien dirigée. Beaucoup de suicidés ne savent pas s'y prendre, ils tirent n'importe comment.

Le Dr Parrish récupéra le pistolet, qu'il mit dans un sachet en plastique avant de le tendre à un agent qui attendait.

— Il empeste, ce type ! Il n'a pas dû prendre une douche de sa vie, ma parole. Il n'est pas mort depuis long-temps, c'est donc qu'il puait comme ça de son vivant. Comment peut-on vivre de cette manière ? Regardez, l'endroit est une porcherie. On pourrait croire que quelqu'un qui a les moyens de s'acheter des beaux meubles ferait un peu attention. Le canapé de cuir vaut bien dans les deux mille dollars.

Parrish n'exagérait pas, l'appartement était dans un état de saleté repoussant. Il y avait des cendriers débordants sur tous les meubles, des bouteilles de whiskey vides un peu partout. Avec ses coussins crevés et ses accoudoirs pleins de brûlures de cigarettes, le beau canapé de cuir était bon pour la décharge. Le seul meuble propre était la table basse sur laquelle les papiers étaient étalés en bon ordre.

— Avez-vous trouvé une note expliquant son geste ? demanda Dylan à l'agent Kline.

— Non, pas encore, mais il a laissé tous ces papiers. J'ai comme l'impression qu'il voulait nous aider à épingler Jackman.

— Y a-t-il dedans de quoi l'inculper ?

— Nous n'avons pas encore fini de les éplucher.

Donc, en déduisit Dylan, les preuves seraient insuffisantes.

— Pouvez-vous me dire ce que vous avez trouvé, à ce stade ?

— Nous avons comparé les éléments ici présents avec les informations communiquées par Nate Hallinger. Il sera sans doute enchanté de voir tout ça quand il arrivera. Ce que nous savons avec certitude, c'est que Roger n'ignorait rien sur le compte de Kate MacKenna. Il avait ses numéros de téléphone, ses adresses personnelle et professionnelle, la marque et l'immatriculation de sa voiture, les coordonnées de ses clients et de ses fournisseurs, ainsi que les numéros de portable de ses sœurs. Il avait même le numéro de téléphone de l'ex-petit ami d'Isabel.

— Reece Crowell ? s'étonna Dylan.

— Oui. Il avait même souligné l'adresse de Carl Bertolli et la date du grand vernissage à sa galerie. Il avait aussi l'adresse de l'entrepôt.

— Il n'avait rien manqué, si je comprends bien ?

— Et j'ai à peine commencé à consulter les documents. Nous avons saisi un calendrier dans la cuisine, à côté du téléphone. Il est couvert d'empreintes et je crois que quelqu'un d'autre que Roger y a pris des notes, on distingue deux écritures différentes. Je l'ai envoyé au labo il y a une heure en demandant un examen d'urgence, nous devrions avoir les premiers résultats d'une minute à l'autre. Il y avait des dates, des noms de lieux et même des numéros de vols, ceux de Kate. Il savait donc quand elle est allée à Boston et la date de son retour.

Dylan dominait à grand-peine sa fureur. Combien de temps ce salaud avait-il épié Kate ? S'était-il introduit chez elle ? Il aurait pu le faire sans difficulté, elle ne se donnait jamais le mal de fermer ses portes à clef !

— Vous avez pu examiner sa voiture ?

— Oui, une berline Ford, blanche aux vitres teintées. Très probablement celle qui a failli écraser Kate dans le parking de l'aéroport et qu'elle avait décrite à Hallinger.

— Il lui a fallu du temps et du travail pour réunir autant d'informations, commenta Dylan. Autre chose ?

— Il y a sur le calendrier deux dates entourées.

— Celles des explosions ?

— Exact. Roger avait aussi noté des observations intéressantes, comme celle-ci : « Jackman a reçu les paniers » avec la somme de deux cent mille dollars à côté. Sans doute le prix qu'il a payé les paniers.

— Nate m'a dit que Jackman avait été appréhendé.

— Oui. En ce moment, il est à Las Vegas dans une cellule où il attend son avocat.

— Les notes de Roger ne suffiront pas à le garder longtemps. Et vous ne savez toujours pas qui manœuvrait la caméra pendant le discours d'adieux de Compton MacKenna.

— Nous sommes sûrs que ce n'était pas un des neveux, le vieil homme ne leur faisait aucune confiance et il ne voulait pas qu'ils se doutent qu'il les déshéritait. Nous avons quand même quelques candidats, parmi lesquels sa gouvernante. Nous avons découvert qu'elle avait fait un gros dépôt sur son compte en banque il y a près de six semaines. Nous aurons avec elle une petite conversation. Nous nous intéressons aussi à l'avocat de Compton. Mais je ne suis pas inquiet, nous finirons bien par trouver celui ou celle qui a des talents de cinéaste amateur.

Dylan prit son temps pour explorer l'appartement, consulter les documents et les notes. Un beau paquet-cadeau, se dit-il. Roger n'aurait pas pu se montrer plus obligeant même s'il l'avait voulu. Il laissait assez d'indices pour incriminer Jackman, pas assez pour le condamner.

Quelque chose ne collait pas. Chaque information répondait à une question mais en soulevait une autre. Qu'est-ce que Reece faisait dans l'agenda de Roger, par exemple ? Pourquoi avoir laissé autant de documents sans même quelques lignes pour expliquer son suicide, comme le font neuf suicidés sur dix ? La vie de Roger s'était apparemment écoulée dans le plus grand désordre. Alors, pourquoi tout cela était-il si bien rangé, si bien organisé ? Rien ne cadrait. Une seule balle, bien dirigée. Trop bien dirigée ?...

Les brancardiers venaient chercher le corps. En s'écartant pour les laisser passer, Kline remarqua que Dylan fixait les documents d'un air songeur, les sourcils froncés.

— Quelque chose vous tracasse ? demanda-t-il.

— Je ne le sens pas – au sens figuré, bien sûr, précisa-t-il en souriant. Je ne suis pas convaincu. Vous avez là un trop joli paquet-cadeau, bien ficelé, bien emballé.

— Cela peut arriver, commenta Kline. Les morceaux du puzzle tombent parfois bien ensemble.

— Depuis quand les coupables laissent-ils des preuves et des indices bien en vue, bien en ordre, de manière à être repérés au premier coup d'œil ? Il ne manque sur cette table qu'une flèche avec une pancarte disant « Voici les preuves, servez-vous ». Non, voyez-vous, je n'aime pas les paquets trop bien ficelés. Et vous savez pourquoi ? Parce qu'ils me font croire qu'il peut fort bien s'agir d'une mise en scène.

## 36

Après s'être attardé à l'appartement de Roger plus qu'il ne le prévoyait, Dylan avait hâte de rejoindre Kate. En descendant par l'escalier, il l'appela sur son portable pour lui dire qu'il revenait au bureau de l'avocat. Il n'était qu'à dix minutes des lieux, mais il avait besoin d'entendre sa voix – et dut se contenter de celle de sa boîte vocale. Pourquoi ne répond-elle pas ? Où est-elle ? Dominant son accès de panique, il appela le numéro de Smith & Wesson.

— Mademoiselle MacKenna est en ligne, répondit la réceptionniste. Voulez-vous attendre ou lui laisser un message ?

Rassuré, Dylan la remercia et raccrocha. Kate se trouvait là où elle devait être, donc tout allait bien. Il traversait la rue pour reprendre sa voiture quand son portable sonna.

— On a un gros problème, annonça Nate. Ewan MacKenna ne s'est pas présenté au commissariat comme prévu. Son avocat l'y attend encore et jure qu'il ignore où est son client. On ne retrouve pas non plus sa voiture. Nous avons envoyé des hommes chez lui, pas d'Ewan ni de véhicule. Il a dû partir en courant car la porte d'entrée était grande ouverte. Nos gens se sont précipités à l'intérieur, ont fouillé, mais ils n'ont rien trouvé.

— Ewan était censé avoir une surveillance permanente.

— Bien sûr, mais je ne sais quel imbécile l'a annulée quand Roger a été retrouvé avec toutes les preuves. J'ai chargé des hommes de faire la tournée de ses clubs de gym.

— Vous feriez bien d'en envoyer aussi à l'hôpital vérifier si Bryce et Vanessa ne se sont pas envolés.

— J'allais le faire. Je vous tiendrai au courant.

En ouvrant sa portière, Dylan vit l'agent Kline traverser la rue au pas de course en lui faisant signe de l'attendre.

— Je suis content de vous rattraper ! Ewan MacKenna a disparu.

— Je viens de l'apprendre.

— Mais ce n'est pas tout. J'ai reçu un appel du labo. Ils ont identifié une des empreintes sur le calendrier et il se trouve que c'est celle d'Ewan MacKenna. Vous devez avoir raison, ce suicide n'est peut-être qu'une mise en scène. Cela changerait tout.

Kline se croisa les bras en regardant par terre d'un air concentré.

— Je vais vous dire l'hypothèse qui m'est venue. Une personne en qui le vieux avait confiance a enregistré la vidéo et s'en est fait une copie qu'il a vendue à Roger. En la voyant, Roger sait qu'il doit se débarrasser de Kate sinon il n'aura pas un sou. Alors, il appelle Jackman et le met dans le coup parce qu'il a besoin de ses contacts. Jusqu'ici, ça se tient, n'est-ce pas ? Mais il y a un autre facteur à considérer. Ou bien Ewan est en cheville avec Roger et Jackman, ou bien c'est lui qui a acheté la copie à l'insu de Roger. Dans ce cas, c'est Ewan qui met Jackman dans le coup et ils décident ensemble de faire porter le chapeau à Roger. Ce n'est pas impossible, voyez-vous, parce que l'amour fraternel ne me paraît pas évident dans cette famille. Ça se tient aussi, d'accord ? Il reste quand même une question qu'il faut se poser. Pourquoi Roger s'est-il tué maintenant et pas plus tôt ou plus tard ?

— Je ne crois pas qu'il se soit tué, fit observer Dylan.

Kline se voûta un peu plus.

— C'est possible, je sais, admit-il.

Dylan monta dans sa voiture, baissa sa vitre.

— Espérons que nous en trouverons les preuves.

— Si Roger a vraiment été assassiné, Ewan devient le suspect numéro un. Cet homme est capable de meurtre.

— Dans cette famille, commenta Dylan, ils en sont tous capables.

— Je vous préviendrai quand nous aurons retrouvé Ewan, conclut Kline avant de s'éloigner au petit trot.

Dylan n'arrivait pas à se défaire du sentiment agaçant qu'il ratait un indice qui était sous son nez et qu'il ne voyait pas. Revenant à l'hypothèse de Kline, il repensa à la chronologie. Oui, c'était peut-être cela qui le tracassait. L'enchaînement des faits ne collait pas.

Au premier feu rouge, il prit son téléphone et appela Anderson. L'avocat, qui avait oublié d'éteindre son téléphone, répondit immédiatement en murmurant : « Je peux vous rappeler ? »

— Non, répliqua Dylan. Il faut que vous répondiez tout de suite à une question.

— Nous sommes au milieu du service…

— Ça ne peut pas attendre.

— Un instant, je sors. Que voulez-vous savoir ? demanda-t-il d'un ton normal.

— Il me manque une pièce essentielle du puzzle. J'ai besoin de votre aide pour la trouver.

## 37

La chronologie était en effet l'élément essentiel et les relevés téléphoniques de Smith & Wesson allaient confirmer ce que Dylan avait enfin réussi à reconstituer. Loin de le libérer, la découverte de la vérité le rendit fou de rage. Comment avait-il pu être aussi aveugle ? Pourquoi lui avait-il fallu aussi longtemps pour distinguer enfin ce qui était sous ses yeux depuis le début ?

Il conduisait comme un fou, mais la panique qui le submergeait primait tout le reste. Une seule pensée l'obsédait : rejoindre Kate le plus vite possible. Il fallait qu'il la voie de ses yeux, qu'il constate qu'elle était indemne. Elle était inconsciente du danger et confiante jusqu'à la naïveté ! Sans même s'en rendre compte, elle était plongée dans un essaim de guêpes venimeuses. Le salaud savait où elle était et ne tarderait plus à porter l'estocade.

Il prit son dernier virage sur deux roues, bloqua les freins et sauta à terre. Son plan d'action était au point, il l'appliquerait sans états d'âme. Après s'être assuré que Kate était en bonne santé, il tuerait le salopard. De ses mains.

Il s'engouffra dans le bâtiment au pas de course. Deux policiers vinrent à sa rencontre en dévalant l'escalier. En voyant leur expression, il comprit qu'il y avait un problème.

— Où est Kate ?

— Elle est partie, répondit l'un d'eux.

— Nous avons fouillé tout le bâtiment, enchaîna l'autre. Elle a dû sortir très vite.

Ils se mirent à parler tous les deux en même temps :

— Le téléphone était décroché, son sac et son ordinateur sont encore sur la table.

— Quelqu'un a désactivé l'alarme de la porte de derrière. Ce n'est sûrement pas elle.

Un garde arriva en courant, visiblement secoué.

— C'est ma faute. Elle est sortie par la porte de derrière. J'avais été appelé par l'interphone pour venir dans le hall d'entrée, je n'ai pas demandé pourquoi. Je croyais que c'était un des policiers.

— Nous avons signalé son départ dès que nous nous en sommes rendu compte, dit l'un des deux policiers. Le FBI est en route, l'agent Kline nous a dit d'attendre ici.

Dylan était arrivé trop tard. Kate était entre les mains du tueur.

## 38

La lumière revenait peu à peu dans le trou noir où Kate était plongée. Elle lutta sans succès pour rouvrir les yeux. Quand elle y parvint enfin, la pièce où elle se trouvait resta brouillée, indistincte. Les pensées qui se bousculaient dans sa tête refusaient de prendre forme.

Elle était couchée sur quelque chose de dur. Une table ? Une pierre tombale ? Non, elle n'était pas morte puisqu'elle respirait. Avait-elle eu un accident ? Elle n'en gardait aucun souvenir, en tout cas. Elle ne souffrait pas, elle paraissait n'avoir rien de cassé. Avec précaution, elle remua ses bras puis ses jambes afin d'en être sûre. Elle pouvait donc bouger, même si c'était difficile, mais elle se sentait faible, comme en léthargie et elle ne comprenait pas pourquoi. Qu'est-ce qui avait bien pu lui arriver ?

Aurait-elle encore été secouée par une explosion ?

Un accès de panique finit de la réveiller. Mon Dieu, Isabel ! Sa sœur était en danger. Quelqu'un l'avait enlevée. Il fallait qu'elle la retrouve avant que son ravisseur lui fasse mal. Où était-elle ? Elle essaya de l'appeler, mais sa voix refusa de lui obéir.

Droguée. Voilà, on l'avait droguée ! Elle se rappelait maintenant l'odeur bizarre appliquée sur son visage. Ensuite, on lui avait pincé ou piqué le bras. Elle ignorait combien de temps elle était restée inconsciente, mais son esprit s'éclaircissait peu à peu, ses forces revenaient. Elle réussit à s'asseoir, éprouva une nausée qui se dissipa très vite.

La pièce autour d'elle devint enfin nette. Elle était assise sur un parquet dur. Il y avait des livres sur des rayons aux murs, un bureau devant elle. Était-elle dans une bibliothèque ? Pourquoi ce décor lui paraissait-il familier ? Oui, la vidéo. C'est dans la vidéo qu'elle avait vu ce bureau. Compton MacKenna y était assis. Kate se trouvait donc dans sa bibliothèque. Le tableau visible derrière lui sur le film était toujours au mur. Une scène de chasse, quelque part en Écosse.

Mais que faisait-elle ici ?

Elle essaya de se lever, faillit retomber. Elle agrippa le bras d'un fauteuil pour y prendre appui, fit une nouvelle tentative. Elle était sur le point de réussir quand elle entendit une porte claquer et des voix se rapprocher.

— Es-tu sûr de lui en avoir donné une dose assez forte ? Il ne faudrait surtout pas qu'elle se réveille avant que je sois prête.

Kate se figea en reconnaissant la voix. Celle de Vanessa.

Une autre voix répondit, mais trop éloignée ou trop assourdie. À qui Vanessa parlait-elle ?

— Il me faut un quart d'heure, mais il vaudrait mieux vingt minutes, reprit Vanessa. Je me demande même si cela suffira. Bon, d'accord, j'arrête de me tracasser, mais nous devons quand même nous dépêcher. Traîne-le jusqu'à la bibliothèque. Et fais vite ! ordonna-t-elle après qu'une autre porte eut claqué. Il faut que tu sois de retour avant qu'on se demande où tu es !

Vanessa était maintenant derrière la porte de la bibliothèque.

Kate plongea par terre et se recoucha sur le dos. Le cœur battant, elle entendit un choc et un bruit de verre cassé suivi d'un éclat de rire.

— Ne t'en fais pas ! Rien n'a de valeur dans cette masure. Quand je pense que ce vieux gâteux croyait que je me réjouirais d'avoir hérité de sa vieille baraque et d'une

266

aumône de cent mille dollars pendant qu'il donnait sa fortune à une étrangère ! Si j'avais pu, je l'aurais tué à coup de caméra, tu peux me croire ! Vieil imbécile ! Je n'ai pas supporté un ivrogne pendant des années pour me contenter de ça ! D'ailleurs, mon chéri, à ce propos, Bryce devrait claquer d'une minute à l'autre. Il était trop saoul pour compter les pilules que je lui ai fait avaler. J'ai prévenu les médecins que j'avais peur qu'il augmente sa dose de lui-même pour calmer ses douleurs. Tu peux ouvrir la porte ? J'ai les mains pleines.

Il y eut un bruit de pieds, un léger appel d'air à l'ouverture de la porte, le frou-frou de la jupe de Vanessa qui se dirigeait vers Kate. Elle s'arrêta à côté d'elle, lui lança un petit coup de pied sur la cheville. Kate sentait son regard fixé sur elle. Vanessa lui assena ensuite un nouveau coup de pied sur la cuisse, un coup violent, vicieux. Kate réussit à ne pas broncher.

— Bon, elle est toujours dans les pommes.

Vanessa s'approcha du bureau. Que faisait-elle ? Et où était le « chéri » ? Kate devina alors qu'il entrait en traînant quelque chose de lourd, qu'il laissa retomber sur le parquet avec un choc sourd.

Un téléphone sonna. Vanessa poussa un léger cri.

— C'est sûrement ton portable, le mien est dans la voiture ! Dépêchons-nous, je t'en prie. Va, va, je te rejoins tout de suite. Oh ! J'allais oublier. Arrache les fils du téléphone et emporte-le. Je fermerai la porte à clef par acquit de conscience.

Il y eut des pas rapides, le bruit de la clef dans la serrure, un autre claquement de porte. Celle de l'entrée, sans doute. Étaient-ils réellement partis ou était-ce une ruse ? Le silence était retombé. Pendant plusieurs secondes, Kate ne bougea pas. Elle osa enfin ouvrir les yeux.

Ils étaient partis, en effet, mais elle n'était pas seule.

Ewan MacKenna était couché sur le parquet en face d'elle, les yeux clos. Était-il mort ou vivant ? Kate rampa jusqu'à lui, posa une main sur sa poitrine, sentit qu'il respirait. Avait-il été drogué lui aussi ?

Il fallait à tout prix appeler les secours. Kate réussit à se mettre à genoux, prit appui sur le bord du bureau pour se relever. C'est alors qu'elle vit ce que Vanessa avait posé sur le bureau.

Un panier de fleurs.

## 39

Jugeant l'ascenseur trop lent, Nate escalada en courant les trois étages menant aux soins intensifs, ouvrit les portes battantes à la volée et ne s'arrêta qu'au bureau des infirmières.

— Où est Vanessa MacKenna ? demanda-t-il, hors d'haleine. Son mari est hospitalisé ici.

L'infirmière et l'infirmier de garde échangèrent un regard soucieux. L'infirmière s'approcha.

— Êtes-vous un membre de la famille, monsieur ?

— Non, je suis l'inspecteur Hallinger, dit-il en montrant son badge. Répondez, je vous prie.

— Madame MacKenna n'est pas ici. Elle est sortie après avoir reçu un appel téléphonique sur notre poste.

— Oui, c'est moi qui ai répondu, intervint l'infirmier. C'était un homme qui m'a dit s'appeler Ewan MacKenna, le frère de Bryce MacKenna. Je me souviens du nom parce qu'il l'a répété deux ou trois fois. Il paraissait énervé et voulait parler d'urgence à Mme MacKenna. Je suis allé la chercher et elle a parue bouleversée par ce qu'il lui disait. Je l'ai entendue à plusieurs reprises répéter « Calme-toi » et elle était désemparée quand elle a raccroché. N'est-ce pas, Lee Anne ?

— C'est exact, approuva l'infirmière.

— Après, elle m'a dit qu'il y avait un problème urgent et qu'elle devait sortir.

— Vous a-t-elle dit où elle allait ? demanda Nate avec

impatience, sans quitter des yeux l'horloge murale.
Réfléchissez !

— Non.

— Ce ne devait pas être très loin, intervint Lee Anne.
Elle m'a dit qu'il ne lui faudrait pas longtemps pour revenir
en cas de besoin.

— Elle a dit aussi qu'elle serait de retour le plus vite
possible, précisa l'infirmier.

— La maison de Compton MacKenna n'est pas loin
d'ici, insista Nate. Vous en a-t-elle parlé ?

— Non, elle n'a rien dit.

— Appelez-la ! Vous avez son numéro. Il faut savoir si
elle y est.

— Nous avons déjà appelé, mais il n'y a pas eu de
réponse. Nous l'avons même fait appeler par haut-parleurs
dans l'hôpital, pour le cas où elle serait revenue.

— Essayez encore.

L'infirmière composa le numéro.

— Ça sonne, dit-elle.

— Comment va son mari ? demanda Nate à l'infirmier.

— M. MacKenna a expiré il y a quelques minutes, c'est
la raison pour laquelle nous avons essayé de joindre Mme
MacKenna. Elle espérait être au chevet de son mari pour
recueillir son dernier soupir. C'est une femme admirable.
Elle s'était préparée à son décès.

— Le répondeur s'est enclenché à la quatrième sonnerie,
dit alors l'infirmière. Faut-il laisser un message ?

— Non, répondit Nate en tendant la main vers l'appareil. Donnez-moi une ligne extérieure, il faut que je
prévienne les autorités de sa disparition.

## 40

Vanessa allait bientôt jouer le rôle d'une femme terrifiée fuyant une mort imminente.

Pour être convaincante, il fallait bien sûr qu'elle s'en donne l'allure. Elle sortit donc de la maison en courant, ferma les yeux, se jeta à terre, tomba sur le ciment en se faisant une grosse écorchure au genou droit, qui se mit à saigner comme elle l'espérait. Se relevant tant bien que mal, elle se débarrassa d'une chaussure et se précipita dans un buisson en se protégeant instinctivement le visage avec les bras, pas assez toutefois pour ne pas être couverte d'égratignures. Elle se roula par terre, veilla à récolter des brindilles dans les cheveux et de la poussière sur les joues. Son genou lui faisait mal, mais c'était un prix dérisoire à payer pour les millions qui allaient lui échoir.

Elle n'avait pas pensé à déchirer ses vêtements. Quand elle se releva, elle entendit craquer sa jupe et, avec un sourire satisfait, agrandit la déchirure.

Un coup d'œil à sa montre lui confirma qu'il lui restait un peu de temps avant le coup de téléphone convenu. Elle avait déjà déplacé la voiture d'Ewan pour garer la sienne derrière, afin qu'elle soit en sûreté quand la maison exploserait. Elle pourrait ainsi expliquer à la police qu'Ewan avait bloqué le passage et qu'elle n'avait pas pu s'approcher plus près de la maison. Il ne fallait négliger aucun détail, même insignifiant. Le sort lui vint en aide quand elle fit une chute, involontaire cette fois, à côté de sa voiture et se cogna le front sur le coin du pare-chocs.

Elle ouvrit la portière, s'assit au volant. Il lui restait moins de trois minutes. Parfait, pensa-t-elle. La vieille bâtisse victorienne au-dessus d'elle lui tira un ricanement sarcastique. Fallait-il être idiot pour s'imaginer qu'elle aurait voulu s'encombrer de cette horreur ! En trente ans, le vieux n'avait rien fait pour la moderniser ni même l'entretenir. Ce n'était qu'un monument à son existence égoïste et malfaisante.

Elle était censée appeler au secours après l'explosion, mais elle se dit qu'il serait plus convainquant d'implorer de l'aide au moment où la maison sauterait. Le fracas déciderait les plus sceptiques à intervenir. Deux minutes. Allons-y, murmura-t-elle en pressant les touches 911. Une opératrice décrocha à la première sonnerie.

— Au secours ! cria-t-elle. Envoyez de l'aide, vite ! Il a une bombe, il va la tuer ! J'ai pu m'enfuir, mais elle est encore dans la maison avec lui et je ne peux rien faire... Vite, je vous en supplie !

— Votre adresse ? demanda calmement l'opératrice.

— 417 Barkley Road ! Vite, vite ! hurla-t-elle.

— Nous avons deux voitures dans votre secteur, madame. Des hommes sont en route. Ne raccrochez pas jusqu'à leur arrivée. Votre nom ?

Haletante, la voix entrecoupée de sanglots, Vanessa espéra avoir l'air assez hystérique.

— Vanessa MacKenna. Il faut qu'ils arrivent le plus vite possible, il va la tuer !

— De qui parlez-vous, madame ? Qui va tuer qui ?

— De Kate MacKenna ! Ewan MacKenna, mon beau-frère, la tient prisonnière. Il veut la tuer !

Il restait une minute. L'opératrice continuait à poser des questions.

— Où êtes-vous en ce moment, madame ? Vous êtes-vous éloignée de la maison ?

— Oui, j'ai réussi à m'échapper pendant qu'il détournait

les yeux. Je suis près de la grille, à côté de ma voiture. Ah !
Dieu soit loué, j'entends les sirènes, ils arrivent.

— Ne raccrochez pas jusqu'à ce qu'ils soient avec vous,
d'accord ?

— Oui, oui. Mon Dieu, il faut qu'ils l'empêchent de
commettre ce crime !

Elle éloigna le téléphone de son oreille, regarda la
maison, compta les dernières secondes. Cinq, quatre, trois,
deux, un...

Le temps s'était écoulé. Et rien ne se produisit.

## 41

Dylan fut sur le point de se trouver mal. Comment avait-il pu laisser perpétrer cette abomination ? Grand Dieu, Kate enlevée...

Il avait à peine digéré la nouvelle qu'une voiture stoppa devant l'immeuble dans un hurlement de pneus martyrisés. Dylan savait qu'il devait attendre l'agent Kline, mais celui-ci bloqua l'avertisseur sans descendre de voiture. Le garde qui avait quitté son poste n'eut que le temps de s'écarter pour ne pas être laminé par Dylan, qui bondit vers la porte et jaillit littéralement sur le trottoir.

— Montez ! cria Kline par la vitre ouverte. Vite !

Dylan sauta dans la voiture, qui démarra en trombe avant qu'il ait eu le temps de refermer la portière.

— Kate..., commença-t-il.

— Je sais. Et je crois savoir où elle est. J'ai été averti par la police de Savannah. Vanessa a quitté l'hôpital en invoquant une raison urgente. Elle devait rejoindre Ewan à la maison de Compton et j'en ai déduit que Kate est avec elle. Elle a pu tomber dans un piège.

Il tourna à gauche en grillant un feu rouge. Aucun des deux n'émit l'hypothèse qu'ils arriveraient peut-être trop tard et que Kate serait déjà morte.

— Oui, approuva Dylan, Kate doit être avec Vanessa. Sinon, je ne vois pas où ils l'auraient emmenée. Je n'aurais jamais dû la laisser seule. J'aurais dû rester avec elle.

Kline essaya de se montrer rassurant.

— Nous approchons. Toutes les unités sont en alerte, nous arriverons à temps.

Il prit un virage sur deux roues, accéléra. Dylan vérifia le chargeur de son pistolet, le remit dans son holster.

— S'ils touchent à un cheveu de Kate, je les tuerai, gronda-t-il. Et ce ne sera ni propre ni rapide.

— Du calme, mon vieux ! Je suis agent du FBI, ne l'oubliez pas. Si vous m'annoncez que vous allez tuer quelqu'un, ce sera un meurtre avec préméditation. Vous êtes du métier, vous devriez le savoir.

Dylan haussa les épaules, fit un geste évasif.

— Vous ne pouvez pas rouler plus vite ? grommela-t-il.

Kline avait réquisitionné une voiture de police dont il avait laissé la radio allumée. Entre des rafales de parasites, Dylan entendit l'appel au secours de Vanessa. Le mot « bombe » le frappa comme un coup de poing. Le central envoyait déjà dans le secteur voitures, ambulances et camions de pompiers. Kline saisit le micro, donna sa position et son heure approximative d'arrivée sur les lieux tout en louvoyant entre les files de voitures avec la virtuosité d'un pilote de formule 1. Dylan ne put toutefois s'empêcher de se dire qu'il aurait conduit mieux et plus vite.

— Vanessa disait qu'Ewan avait une bombe, n'est-ce pas ? demanda Kline.

— Oui, mais ce n'est pas lui qui l'avait.

— Je sais, vous m'avez convaincu. Ce que je voulais dire, c'est qu'elle n'a sans doute pas encore explosé. Si elle était similaire aux deux précédentes, nous en aurions déjà été avertis.

Dylan distingua dans ces paroles une lueur d'espoir.

— C'est exact. Je m'en veux de ne lui avoir jamais dit…

— Jamais dit quoi ? insista Kline.

Dylan préféra ne pas répondre.

— Vous ralentissez, mon vieux.

— Pas du tout ! De toute façon, nous sommes bientôt arrivés. L'équipe de déminage doit être juste derrière nous.

Encore une bombe ! Jamais deux sans trois. Il faut coincer ce salaud.

Kline vit dans le rétroviseur une ambulance se frayer à grand-peine un passage entre les files de voitures à grand renfort de sirène.

— Plus qu'un virage. Après, c'est la dernière ligne droite, pas plus d'un kilomètre, reprit-il. Dans ce quartier, il n'y a que des grandes propriétés très éloignés les unes des autres. Tant mieux, parce que...

Il s'interrompit. Dylan compléta la phrase :

— ... parce que si les maisons étaient à touche-touche et si la bombe explosait, il y aurait beaucoup de victimes. Vous croyez que je ne suis pas conscient du problème ?

— Je ne veux surtout pas que ce soit *vous* qui me posiez des problèmes ! Vous êtes amoureux de Kate, n'est-ce pas ? Je l'entends dans votre voix et je le lis sur votre visage. Cela fait de vous un risque, un trop gros risque. Dominez-vous si vous voulez vous rendre utile.

Kline prit son dernier virage si vite qu'il partit en dérapage, mais il réussit à le contrôler et à reprendre sa trajectoire.

— Quand l'affaire sera bouclée, Kline, vous devriez suivre des cours de pilotage. Vous conduisez comme une vieille dame.

— Je roule à plus de cent à l'heure dans un quartier résidentiel ! protesta Kline. Qu'est-ce qu'il vous faut de plus ?

Le carrefour suivant était protégé par des stops. Deux voitures de police y arrivaient de deux directions opposées. Kline grilla le stop en évitant les autres de justesse.

Des véhicules convergeaient déjà vers la maison de Compton MacKenna. Deux voitures de police barraient la rue et des agents en tenue dévidaient des rubans de plastique pour interdire la circulation. L'un d'eux fit signe à Kline de s'arrêter, mais celui-ci l'ignora et força le passage en montant sur le trottoir. Dylan aperçut la maison à travers les arbres. Une ambulance était arrêtée devant la grille au bout de l'allée, à côté d'une autre voiture qui cachait un groupe de gens. Du volant, Kline avait un meilleur point de vue.

— Hallinger est déjà arrivé. C'est sa voiture, je crois.

— Je ne vois pas Kate. Vous la voyez, vous ? demanda Dylan en posant la main sur la poignée de la portière.

— Attendez au moins que j'arrive à la grille, bon sang ! Tiens, voilà Vanessa, à droite. Vous me laisserez m'en occuper, compris ?

— Je ne vois pas Kate, répéta Dylan.

— Les démineurs sont prêts à intervenir... Dylan ! Qu'est-ce que vous foutez ?

Kline bloqua les freins, mais Dylan avait déjà sauté à terre et courait vers la grille. Avec une bordée de jurons, Kline serra le frein à main et se lança à sa poursuite.

— Dylan, Dylan ! Attendez, bon Dieu !

Dylan n'écoutait pas. Il cherchait désespérément Kate dans la petite foule rassemblée devant la maison tandis que Kline ne pensait qu'à l'empêcher de céder à un coup de folie.

Dylan contourna la fourgonnette des démineurs. Deux policiers encadraient Vanessa qui sanglotait en montrant la maison. L'un d'eux se précipita vers Dylan pour l'intercepter.

— Avez-vous vu Kate MacKenna ? lui demanda-t-il.

— Nous venons d'arriver, nous sommes les premiers sur les lieux. Une ambulance nous suivait et l'inspecteur Hallinger est déjà arrivé.

Kline les rejoignit, hors d'haleine.

— Vanessa MacKenna nous a dit qu'il y avait du monde dans la maison, poursuivit le policier. Cet imbécile de Hallinger est entré en courant en disant qu'il voulait les faire sortir avant que la bombe explose. Nous n'avons pas réussi à l'arrêter.

Dylan était déjà parti. Il sauta au-dessus du capot d'une voiture et remonta l'allée à la vitesse d'un champion olympique.

Kate est encore à l'intérieur, se répétait-il. Si la bombe explose... Non, il a dû se passer quelque chose, la maison est toujours debout. Vanessa a pu mal calculer son temps ou appeler trop tôt. Qu'est-ce qu'ils ont manigancé ? Ce n'est pas fini, ils doivent avoir un plan en cas d'échec du premier...

Il atteignait la porte de la maison quand il entendit un coup de feu. Dylan s'empara de son arme, débloqua le cran de sûreté et entra sans bruit. Personne en vue dans le vestibule...

Nate était à la porte de la bibliothèque, à l'arrière de la maison. Ayant dans sa précipitation coincé la clef dans la serrure, il la fit sauter d'un coup de pistolet avant d'enfoncer la porte d'un coup de pied. Du seuil, il balaya la pièce du regard. Ewan était étendu par terre, les yeux clos, mais Kate n'était nulle part. La vue du panier de fleurs sur le bureau le fit hésiter, car il savait qu'il pouvait exploser d'une seconde à l'autre.

Il ouvrait la bouche pour appeler Kate quand le son s'étouffa dans sa gorge. Le canon d'un pistolet était appuyé sur sa nuque.

— Lâche ton arme ou tu es mort.

Nate sursauta. Dylan était derrière lui.

— Qu'est-ce que vous faites ? Vous êtes cinglé ? J'essaie de faire sortir Kate et Ewan avant que...

— Lâche ton arme, salaud.

— Vous perdez la tête ou quoi ? rugit Nate.

— Où est Kate ?

— J'en sais rien ! Je veux lui sauver la vie...

— Tu ferais mieux de dire que tu veux la tuer. Avec quelle arme, la tienne ou celle d'Ewan ? Net et sans bavure, hein ? Faire croire qu'Ewan tue Kate et que c'est toi qui descends Ewan ? Ç'aurait fait de toi un héros, fumier !

— Arrêtez vos conneries ! Pourquoi j'aurais voulu ?...

— Tu as commis une grosse erreur, salopard, l'interrompit Dylan en pressant plus fort le canon du pistolet sur sa nuque. Tu étais au courant des millions avant même d'en avoir parlé avec l'avocat. Où est Kate ?

— Combien de fois faut-il répéter que vous vous trompez ?

— Je suis là !

La porte s'ouvrit derrière eux et Kate entra en brandissant une paire de ciseaux.

— Je croyais que Vanessa revenait, expliqua-t-elle avant d'abaisser son arme improvisée.

Profitant de la diversion, Nate braqua son pistolet sur le panier de fleurs.

— Je ne me laisserai pas piéger, Dylan ! J'appuie sur la détente et nous y passons tous, compris ? Si vous me donnez gentiment votre flingue, personne n'aura de bobo. Kate sera mon assurance vie. Elle sortira d'ici avec moi. Je n'ai rien à perdre. Réfléchissez vite, la bombe peut exploser d'une seconde à l'autre.

Dylan ne détourna pas le canon de son arme.

— Kate, file. Vite !

— Mais, Dylan…

— Ne discute pas ! Pars !

Kate ne bougea pas.

— Écoute, Dylan…

La porte d'entrée de la maison s'ouvrit avec fracas. Nate tourna la tête une fraction de seconde, assez pour que Dylan lui applique sur le bras une manchette qui lui fit lâcher son arme. D'un coup de pied bien appliqué, Dylan le fit tomber à plat ventre et l'immobilisa en lui posant un pied sur le dos, le pistolet braqué sur sa nuque.

Au même moment, les démineurs en combinaison protectrice firent irruption dans la pièce. Dylan releva Nate par les cheveux pour le mettre à genoux.

— Emmenez Kate d'abord ! cria Dylan. Emmenez aussi Ewan !

Kate put enfin placer un mot. Elle arrêta d'un geste deux démineurs qui se précipitaient vers elle.

— C'est inutile, voyons ! Je…

— Je t'ai dit de filer, Kate ! l'interrompit Dylan en poussant Nate vers la porte.

— Tu ne comprends pas !

Elle s'approcha du bureau, y posa les ciseaux et ouvrit son autre main pour montrer au creux de sa paume un petit morceau de fil électrique bleu.

— La bombe n'explosera pas, déclara-t-elle.

— Comment le sais-tu ? demanda Dylan, ahuri.

— Tu ne devineras jamais qui m'a appelée tout à l'heure au téléphone, dit-elle en souriant.

## 42

Adossée à une voiture de police, trop lasse pour bouger, Kate observait l'agitation qui bourdonnait autour d'elle. Dylan, qui parlait à un lieutenant de la police de Savannah, lançait constamment dans sa direction des regards inquiets, comme s'il craignait qu'elle disparaisse une fois de plus.

Les ambulanciers sortaient Ewan sur un brancard. Il était toujours inconscient, mais Kate entendit un policier dire qu'il reprendrait bientôt connaissance. Quand il rouvrirait les yeux, il se trouverait dans la section carcérale de l'hôpital. Plusieurs chefs d'inculpation étaient retenus contre lui, en premier lieu desquels figurait le fait d'avoir fourni à son frère un pistolet volé ayant servi à commettre un crime.

Un important détachement de journalistes et de cameramen de télévision était contenu derrière la grille par la police. Les objectifs étaient braqués sur la maison dans l'attente de l'apparition du suspect. De son côté, Vanessa retenait elle aussi l'attention. Elle était hystérique et, cette fois, sa crise n'était pas feinte.

— Vous commettez une épouvantable erreur ! sanglotait-elle. Je suis une victime, une victime ! J'essayais de sauver des vies quand j'ai appelé les secours ! Je n'ai rien fait de mal, je suis une victime !

Le policier qui lui avait passé les menottes lui lisait ses droits, parmi lesquels celui de garder le silence. Elle se calma le temps de lui dire qu'elle avait compris avant de se remettre à hurler. Ses cris perçants créaient une atmosphère d'énervement pénible à supporter par tous ceux qui l'entouraient.

Un inspecteur vint récupérer auprès de Kate le portable qu'il lui avait prêté. Elle le lui rendait en le remerciant quand Dylan la rejoignit.

— Tu as pu avoir Isabel ? lui demanda-t-il.

— Oui, elle va bien. J'en étais sûre, mais je voulais entendre sa voix. J'en ai profité pour appeler Kiera, elle va bien elle aussi. Quand Nate a fait irruption dans la salle de conférence chez Smith & Wesson pour me dire que Reece avait kidnappé Isabel et qu'elle était blessée, j'ai paniqué. Je l'ai suivi à la porte de derrière sans réfléchir. Je me rappelle seulement être montée dans sa voiture avant de me réveiller par terre dans la bibliothèque.

Dylan la prit par la taille, la serra contre lui.

— Je suis content de savoir que tes sœurs vont bien, mais toi ? Comment te sens-tu ?

— Ça va, rassure-toi. Pourquoi mettent-ils aussi longtemps pour sortir avec Nate ? demanda-t-elle en regardant la maison.

— Ils suivent la procédure à la lettre et ils y sont depuis moins longtemps que tu le crois. Tu as hâte de partir, n'est-ce pas ?

— Oui. Pouvons-nous nous éclipser maintenant ?

— Non, pas encore.

Dylan vit que deux infirmiers accouraient vers elle.

— Ils vont t'examiner, lui dit-il.

— Pourquoi ? Je vais très bien !

Un des infirmiers entendit sa protestation.

— Nous devons vérifier si vos fonctions vitales ne sont pas affectées, déclara-t-il d'un ton sévère.

— Vas-y, Kate, tu seras rassurée et moi aussi, dit Dylan. Je t'attends ici.

En répétant que c'était inutile, elle alla quand même jusqu'à l'ambulance. On lui prit sa tension, on contrôla son rythme cardiaque, et elle dut bien s'avouer qu'elle ne se sentait pas très bien. La nausée qu'elle éprouvait était moins due à la drogue qu'on lui avait administrée qu'à la découverte de la vérité sur Nate Hallinger. Elle s'abstint toutefois de signaler son malaise.

Quand tout fut terminé, l'infirmier qui l'aidait à descendre de l'ambulance tourna les yeux vers la maison.

— Ils font sortir le suspect ! s'écria-t-il sans dissimuler sa curiosité. Oh ! l'inspecteur avec qui vous étiez a l'air de l'attendre, et d'après son expression il risque d'y avoir du sport ! On va avoir encore besoin de nous.

Kate ne put voir le visage de Dylan, car il avait tourné la tête. Elle courut à sa rencontre dans la crainte qu'il ne commette une folie. Mais il n'avait pas posé la main sur la crosse de son pistolet, ce qui était bon signe. Les bras croisés, il paraissait même détendu – ce qui n'était pas bon signe.

— Dylan !

— Reste où tu es, Kate.

Elle le rejoignit quand même.

— Je t'ai dit de rester où tu étais, ordonna-t-il sans la regarder.

— Depuis quand est-ce que je fais ce que tu me dis ? répliqua-t-elle.

— Kate ! gronda-t-il d'un ton menaçant. Retourne à l'ambulance.

— Tu ne feras rien de stupide, j'espère ?

— Non.

— Ne lui adresse même pas la parole ! insista-t-elle.

— Il voulait te tuer, lui rappela-t-il.

Kline cria quelque chose à Dylan, qui se retourna.

— J'y vais. Ne bouge pas d'ici, Kate. Je t'en prie.

— Bon, d'accord, dit-elle avec résignation.

Dylan s'arrêta à deux pas de Nate, que Kline tenait fermement par le bras. L'agent du FBI avait passé les menottes à l'inspecteur félon avec une grande satisfaction. Des agents en tenue et en civil formaient autour d'eux un cercle qui se déplaçait du même pas en direction des voitures de police.

— Vous n'avez rien contre moi ! lâcha Nate à Dylan. Votre fable ne tiendra pas.

— Nous en avons largement assez, affirma Kline avec un plaisir évident.

— Rien de probant, vous devriez le savoir ! insista Nate.

— En avez-vous eu des problèmes ! dit Dylan avec un sourire glacial. Et vous pensiez que ce serait facile, n'est-ce pas ? Une bombe et le problème est résolu. Kate disparaît avant même d'apprendre l'existence du testament.

— C'est faux !

— Combien de temps êtes-vous resté dans la police de Savannah ? demanda Kline.

— Assez longtemps pour rencontrer Vanessa et devenir son amant, répondit Dylan à sa place. Tout le monde savait qu'elle trompait son mari. Il suffisait de trouver avec qui. Moi, j'ai trouvé.

— C'est pendant que vous étiez à Savannah que vous avez mis votre plan au point et que vous avez demandé votre mutation à Charleston, enchaîna Kline. Il valait mieux prendre vos distances d'avec Vanessa et, surtout, vous renseigner à fond sur Kate.

— J'ai demandé ma mutation parce qu'il y avait un poste disponible et que je voulais changer d'air ! se défendit Nate.

— Ce que vous vouliez, fumier, c'était mettre la main sur quatre-vingts millions de dollars, déclara Dylan. C'est Vanessa qui a filmé la vidéo à la demande de Compton, parce qu'il lui faisait confiance. Elle a dû être folle de rage quand il a dit à la caméra qu'il laissait toute sa fortune à Kate. Comme il avait déjà modifié son testament, il était inutile de le tuer, cela ne vous aurait avancé à rien.

— C'est elle qui vous a appris l'histoire du testament, n'est-ce pas ? demanda Kline.

— Vous n'avez aucune preuve de…, commença Nate.

— Comme c'est vous qui avez prétendu vérifier son alibi

le jour où la vidéo a été tournée, l'interrompit Dylan, je ne pouvais pas me douter que vous mentiez, n'est-ce pas ? Avez-vous directement contacté le Fleuriste, ou avez-vous proposé à Jackman un marché assez juteux pour qu'il ne puisse pas le refuser ?

— Vous ne pouvez rien prouver ! Vos hypothèses ne tiennent pas debout !

— La situation s'est quand même compliquée, n'est-ce pas ? enchaîna Kline. Kate n'a pas voulu coopérer à votre beau projet. Elle a survécu à deux explosions. Pas de chance pour vous... Avez-vous acheté les trois bombes en gros ou une par une au détail ?

— Vous saviez que Kate irait au vernissage de Carl, poursuivit Dylan en prenant le relais. Vous le saviez avant même que les invitations soient lancées et que l'avis paraisse dans le journal. C'est de Carl lui-même que vous teniez le renseignement, à son insu, d'ailleurs. Il fait toujours la promotion des produits de Kate et participe à beaucoup de bonnes œuvres à Savannah. Dans sa vidéo, Compton indique que les activités caritatives de Vanessa ont permis de donner une bonne réputation au nom de MacKenna. Vanessa a été assez habile pour ne pas rencontrer Carl en personne, mais il suffisait qu'elle tende l'oreille, n'est-ce pas ? Vous étiez donc prévenus assez longtemps à l'avance pour bien préparer votre coup.

— Vous vous êtes trouvé « par hasard » à proximité quand la première bombe a explosé, enchaîna Kline. Le premier sur les lieux, le premier à trouver Kate. Constater qu'elle respirait encore a dû vous causer une grosse déception.

— C'est grotesque ! clama Nate.

Une fois de plus, Dylan et Kline ne relevèrent pas.

— Mettre le nom de Reece Crowell dans les papiers de Roger était un peu excessif, vous ne croyez pas ? dit Dylan. C'est vous qui avez tué Roger et arrangé les preuves pour incriminer Ewan. La troisième bombe était censée le tuer en même temps que Kate. Mais, comme elle n'a pas explosé comme vous l'espériez, vous avez dû entrer dans la maison pour finir le travail vous-même.

— Nous avons trouvé le pistolet et le téléphone portable d'Ewan dans votre poche, fit observer Kline.

— Je peux l'expliquer !

— Pouvez-vous aussi expliquer pourquoi vous avez dit à Kate que Reece Crowell avait kidnappé sa sœur ?

— Je croyais que c'était vrai. Ewan m'avait téléphoné…

— Ses contorsions me donnent le tournis, dit Kline à Dylan. À vous aussi, je pense ?

— Vous êtes un immonde salaud, Nate, mais vous avez commis une grossière erreur, dit calmement Dylan. Souvenez-vous de ce que vous m'aviez dit : « Il paraît que Kate a tout refusé. » C'est ce qui m'a fait réfléchir. Voyez-vous, Nate, je veille à ce que ma montre soit toujours très exacte. Il ne s'est pas écoulé plus de dix minutes entre le moment où nous avons quitté les bureaux et celui où nous nous sommes parlé. Anderson se souvient très bien de votre appel, mais il jure qu'il lui a fallu plus d'un quart d'heure pour achever les formalités avec la police, venue confisquer le pistolet de Roger. C'est après seulement qu'il a été rappelé à son bureau pour prendre votre appel. Et vous savez quoi ? Anderson en a la preuve parce qu'il fait tenir par le standard un registre de tous les appels reçus, avec le jour et l'heure.

— Vous avez de l'imagination, Dylan. Mais vos élucubrations ne tiennent pas la route.

— Je crois que si, au contraire. Vanessa vous a déjà lâché. Regardez-la, dit-il en la montrant du doigt. Elle vous épie et vous seriez déjà mort si les regards pouvaient tuer. Disons, si vous préférez, qu'elle fait partie de vos groupies pour le moment. Quand elle se rendra compte de ce qui l'attend, elle craquera.

Encadrée par deux inspecteurs, Vanessa était sur le point de monter dans une voiture de police. Comme si elle avait entendu l'observation de Dylan, elle poussa un hurlement de rage :

— Je n'ai rien fait, moi ! C'est lui qui en a eu l'idée et qui a tout manigancé ! Je suis innocente ! Je suis innocente !

Personne, dans un rayon de cent mètres, ne manqua la moindre de ses paroles.

— Hein, qu'est-ce que je vous disais ? commenta Dylan.

Son sourire, cette fois, n'avait rien d'affecté.

## 43

Assise dans le bureau du capitaine entre Kline et Dylan, Kate était soumise à un déluge de questions.

*Comment avait-elle su quel fil couper ?* Parce qu'il le lui avait dit. *Qui, il ?* Le Fleuriste. *Comment avait-elle su qu'un coup de feu dans le panier ne provoquerait pas son explosion ?* Parce qu'elle l'avait désactivé. Après avoir coupé le fil bleu, elle avait soigneusement démonté le panneau du fond, qu'elle avait rangé dans un tiroir du bureau. *Pourquoi l'avait-elle fait ?* Parce qu'il lui avait dit qu'il fallait l'enlever ; elle ignorait pourquoi.

On lui demanda ensuite de rapporter mot à mot sa conversation avec le Fleuriste depuis le début. Elle répéta au moins cinq fois la conversation, sans jamais manifester le moindre signe d'impatience. Dylan était stupéfait de son calme et de sa maîtrise.

*Avait-elle essayé de sortir de la bibliothèque ?* Oui, bien sûr, mais elle n'était pas arrivée à ouvrir la porte fermée à clef. Elle avait tenté de la forcer à coups de pied, mais le bois était trop solide pour céder. Elle avait pensé s'échapper par la fenêtre et s'éloigner avant l'explosion de la bombe, hélas, impossible de soulever Ewan – qui pesait au moins cent kilos – afin de le mettre à l'abri. Le temps passait, elle n'avait pas eu d'autre choix que de désamorcer le panier.

Ils avaient déjà tous compris qu'elle aurait pu choisir de sauver sa vie en prenant la fuite. Qu'elle n'ait pas même envisagé d'abandonner Ewan en disait long sur son caractère.

Dylan ne l'avait pas quittée, afin de la soutenir et de veiller à ce que l'interrogatoire se maintienne à un niveau supportable. Quand il estima que la police et le FBI avaient recueilli toutes les informations dont ils avaient besoin, il décida de mettre fin à la séance et d'emmener Kate. Soulagée, reconnaissante, elle savait cependant que l'éprouvante journée qu'elle venait de vivre n'était pas encore terminée.

À dix-neuf heures précises, Dylan et Kate arrivèrent aux bureaux de Smith & Wesson. Deux heures durant, Kate écouta poliment les conseillers et les comptables de Compton débiter leurs rapports avec condescendance. Assis à côté d'elle, silencieux et les bras croisés, Dylan ne faisait aucun commentaire mais n'en pensait pas moins.

Le comportement de ces hommes en complets sombres, chemises blanches et cravates de soie était pour le moins déconcertant. Ils semblaient persuadés que cet argent leur appartenait et qu'ils daignaient se donner la peine d'informer Kate de ce qu'ils en avaient fait dans le passé et de ce qu'ils comptaient en faire à l'avenir. Pour le principe, ils lui demandaient de signer quelques formulaires les autorisant à poursuivre leur gestion, en lui assurant toutefois qu'ils lui communiqueraient des rapports annuels afin de la tenir au courant de l'état de sa fortune.

Leur exposé terminé, ils voulurent bien servir de témoins à la signature des actes préparés par Anderson, en vertu desquels Kate acceptait la succession. Cette formalité accomplie, Anderson déclara qu'il n'y avait pas d'autres conditions à remplir et que les dernières volontés de Compton MacKenna étaient satisfaites.

Les hommes se préparaient à prendre congé quand Kate leur fit signe de se rasseoir et se leva pour leur adresser la parole. Elle les remercia d'abord de leur dévouement aux intérêts de son oncle et de la parfaite exécution de leur travail. Elle leur déclara ensuite qu'elle se passerait désormais de leurs services.

Ils en restèrent bouche bée, au point que l'on put craindre de voir leurs mentons tomber sur le plancher. Anderson réussit à se contenir, mais il était évident qu'il réfrénait à grand-peine son envie d'applaudir.

Le premier conseiller à se remettre du choc se leva d'un bond.

— Qu'allez-vous faire de tout cet argent ? demanda-t-il d'une voix étranglée par l'angoisse et l'indignation.

— Compton n'aurait jamais voulu que vous dilapidiez le fruit de sa vie de travail ! protesta un autre. Je suis, euh... nous sommes inquiets de votre inexpérience dans le domaine de la finance. Vous allez vous ruiner, c'est certain !

Ils se mirent à parler tous en même temps. Anderson leur imposa silence d'un geste.

— Ce que Mlle MacKenna décide de faire de son héritage ne vous concerne plus, messieurs. Il vous reste à me faire parvenir vos dernières notes d'honoraires, que j'examinerai avant de procéder à leur règlement.

Les traits tordus par le désespoir, l'un d'eux se tourna vers Dylan.

— Vous avez sûrement conscience qu'elle commet une tragique erreur ! Parlez-lui, expliquez-lui !

Les bras toujours croisés, Dylan se borna à répondre par un sourire évasif et un haussement d'épaules. Le visage du conseiller vira à un rouge assorti aux rayures de sa cravate club.

— A-t-elle au moins idée de ce qu'elle va faire de...

— Oui, l'interrompit Kate en ramassant les documents étalés devant elle. Cet argent, je le donnerai.

— Tout ? s'étrangla-t-il.

— Mais, voyons..., bafouilla un autre.

— Le donner ? À qui ? voulut savoir un troisième, livide et au bord de l'évanouissement.

— J'envisage plusieurs possibilités. J'en discuterai avec

mes sœurs avant de prendre ma décision, mais je pencherais pour une fondation de recherche médicale. Ma mère est morte d'une terrible maladie. Je pense aussi à financer un service de cancérologie à l'hôpital de Silver Springs. Quelle que soit la solution définitivement adoptée, l'établissement portera le nom de ma mère, Léah MacKenna.

Les visages des conseillers exprimèrent l'horreur.

— Compton considérait qu'elle ne faisait même pas partie de la famille, cracha avec mépris l'homme à la cravate club.

Kate se dirigeait déjà vers la porte. Ces derniers mots l'arrêtèrent, la main sur la poignée. Elle marqua une pause, se retourna.

— Merci, monsieur. Ces propos sont dignes de vous.

## 44

Jamais Kate n'avait été aussi heureuse de rentrer chez elle. Vieille et fatiguée, la maison avait un besoin urgent d'un bon coup de peinture et de nouvelles persiennes. Malgré cela, elle restait toujours aussi belle aux yeux de Kate.

Il était une heure du matin quand elle se glissa enfin dans son lit, à côté de Dylan, qui dormait déjà à poings fermés. Après une longue douche qui l'avait détendue, elle était sûre de s'endormir dès qu'elle poserait la tête sur l'oreiller. Mais elle venait à peine de trouver la position idéale que des tremblements la saisirent. En quelques secondes, ils se firent violents au point de secouer le lit.

Dylan se réveilla en sursaut. Il prit appui sur un coude, la regarda avec inquiétude et l'attira vers lui. Kate se blottit au creux de son corps, la tête sous son menton. Son contact la réconforta un peu.

— Excuse-moi de t'avoir réveillé, dit-elle en claquant des dents. Je ne peux pas arrêter de trembler. Je n'ai pourtant pas froid.

— C'est la journée qui te rattrape, dit-il en lui massant le dos. Tu carburais à l'adrénaline et à la peur. Ta réaction est normale.

— Tu n'as jamais peur, toi ? murmura-t-elle après un long silence.

— Si.

Penser à Kate enfermée seule dans cette maison avec une

bombe et un tueur lui donna un frisson de terreur rétrospective.

— Dylan...

— Oui, Pickle ?

— Je pensais...

L'entendant bâiller, elle hésita à poursuivre.

— Tu ne devrais pas penser.

— Je lui ai fait confiance, poursuivit-elle d'une voix mal assurée. Il le fallait. J'étais obligée de croire ce qu'il me disait...

— Tu n'avais aucune raison de te méfier de Nate, dit-il d'un ton rassurant. Ce misérable salaud était flic. Tu aurais dû pouvoir lui faire aveuglément confiance.

— Non, je ne parle pas de Nate, mais du Fleuriste. Je l'ai cru. Il fallait que je le croie.

Dylan l'observait en attendant la suite.

— J'ai suivi à la lettre les instructions d'un homme qui venait de m'avouer qu'il prenait plaisir à faire sauter des maisons, des bâtiments... Grand Dieu !...

L'énormité de ce qu'elle avait vécu la frappa de plein fouet.

— Tu n'avais pas le choix. C'est bien ce que tu as dit, n'est-ce pas ? Tu étais forcée de lui faire confiance. C'est logique, non ?

Elle ne se sentait pas encore mûre pour la logique et la raison.

— Oui, je sais, j'ai dit à la police et au FBI que je n'avais pas le choix. Tu veux savoir ce que je ne leur ai pas dit au sujet du Fleuriste ?

— Quoi ?

— Eh bien... il me faisait de la peine. Est-ce que je suis folle ?

— Un petit peu, dit-il en posant un baiser sur son front. Tant mieux, d'ailleurs, un grain de folie te va bien.

Elle repensa au panier de fleurs, à la terreur qu'elle avait éprouvée en coupant le fil bleu. Cette pensée en amenant une autre, elle fut soudain furieuse contre Dylan, qui essayait de l'embrasser et qu'elle repoussa sans douceur.

— Espèce d'idiot ! Tu as foncé dans cette maison en sachant qu'il y avait une bombe près d'exploser d'une seconde à l'autre ! Tu aurais pu te faire tuer ! Pourquoi as-tu commis une bêtise pareille ?

— Tu étais à l'intérieur. Voilà pourquoi.

Elle sentit les larmes lui monter aux yeux.

— Les démineurs étaient déjà là. Tu aurais dû...

— Tu étais à l'intérieur, répéta-t-il.

— Tu prenais un risque absurde !

— J'ai déjà entendu ce reproche sortir de ta bouche.

Il essaya encore de l'embrasser, mais elle se détourna.

— Quand ai-je bien pu te dire ?... commença-t-elle.

— À Boston, à l'hôpital, le jour de mon opération. Ou peut-être le lendemain. Je t'ai vue à mon réveil et je me suis tout de suite senti mieux en te sachant là. Je n'ai jamais compris pourquoi tu avais toujours été une telle enquiquineuse...

— Ce n'est pas vrai !

— Chaque fois que tu venais à Nathan's Bay, tu t'ingéniais à me jouer des tours pendables.

Si elle ne pouvait pas voir son sourire, elle l'entendit dans sa voix.

— Lesquels, par exemple ?

— Quand tu décrochais le téléphone et que l'appel était pour moi, tu inventais des histoires invraisemblables.

— Pas du tout ! protesta-t-elle.

— Ah oui ? Tu as raconté à Jane Callahan que j'étais parti en France m'engager dans la Légion étrangère.

— Je le lui ai peut-être dit une fois, parce qu'elle était assez idiote pour le croire. De toute façon, tu n'aurais jamais dû sortir avec cette fille-là.

— J'ai perdu des tas de petites amies à cause de toi, dit-il en lui mordillant le lobe de l'oreille. Mais ce que tu faisais de pire...

— Quoi donc ?

— Tu me snobais, ça me rendait cinglé, dit-il en bâillant avec affectation. Crois-tu que tu dormiras mieux après ?

— Après quoi ?

Il n'eut pas besoin de préciser, il la prenait déjà dans ses bras.


Le lendemain matin, Dylan entra à dix heures précises dans le bureau du chef Drummond, qui le reçut avec empressement.

— Fermez la porte et asseyez-vous, ordonna-t-il. Dites-moi tout ce que vous savez. Et d'abord, Hallinger se doutait-il du fait que vous l'aviez démasqué ?

Avant de s'asseoir, Dylan commença par poser sur le bureau son badge et son arme de service.

— Non, répondit-il. Il ne se doutait de rien.

Il relata ensuite le déroulement de l'affaire sans omettre un détail.

— Je n'aurais pas découvert la vérité à temps si vous ne m'aviez pas aidé, conclut-il. Je ne pouvais pas m'adresser à la police de Savannah sur de simples présomptions puisqu'il en avait fait partie.

— En effet, approuva Drummond. Quand vous m'avez demandé ce que j'en pensais en me citant la curieuse remarque de Hallinger…

— … qui prétendait avoir entendu dire que Kate avait refusé la succession, compléta Dylan.

— Vous le soupçonniez déjà, enchaîna Drummond, mais vous hésitiez à en tirer les conséquences. Je n'ai fait que vous donner le coup de pouce nécessaire. En quarante ans de métier, j'ai appris deux ou trois choses utiles, parmi lesquelles la manière d'obtenir rapidement des informations. Il ne m'a pas fallu remuer ciel et terre pour qu'un de mes vieux copains vérifie les relevés téléphoniques et les justificatifs de cartes bancaires prouvant que Vanessa MacKenna et Hallinger étaient aux mêmes endroits aux mêmes moments. Ils ont passé de belles vacances ensemble à Cancún il y a six mois.

— La preuve qu'ils couchaient ensemble a planté le dernier clou dans leur cercueil, opina Dylan.

— Et Jackman ?

— Ils ont dû le relâcher.

— Faute de preuves, j'imagine ?

— Oui.

— Quel dommage ! soupira Drummond.

Après quelques derniers commentaires sur l'affaire, Drummond changea de sujet.

— Je vais bientôt prendre ma retraite, déclara-t-il en s'étirant comme un gros chat.

— Je l'ai entendu dire, en effet.

— Mais je compte rester dans la région. Elle est trop belle pour qu'on la quitte de gaieté de cœur.

— Vous avez raison. Ici, au moins, on n'a pas la hantise des embouteillages. À Boston, c'est une autre affaire.

— Vous aimez la pêche ?

— Oui, beaucoup.

— Entre les rivières et la mer qui n'est pas loin, on a l'embarras du choix. Avez-vous jamais pensé à quitter la police ?

— Non.

— Tant mieux. On a besoin d'hommes comme vous, ici. Que diriez-vous d'un changement de rythme ? Nous n'avons pas tellement d'homicides, encore moins d'attentats à la bombe. Les mésaventures de Kate alimenteront les conversations pendant des années. Un sacré numéro, Kate, vous ne trouvez pas ?

— Oui, approuva Dylan, un sacré numéro.

— Comme je viens de vous le dire, je vais prendre ma retraite. Je peux tenir le coup encore six mois avant de passer la main. Cela devrait vous laisser le temps de vous organiser. Qu'en pensez-vous ?

Dylan était parti ! Kate entendit la porte d'entrée se refermer et une voiture démarrer quelques secondes après avoir ouvert les yeux. La fureur la saisit. Comment osait-il la quitter sans même laisser un petit mot pour lui dire au revoir ? Au revoir ? Plutôt adieu ! se corrigea-t-elle avec amertume.

Elle repoussa le drap et se leva d'un bond, prête à lui courir après pour lui jeter à la figure ce qu'elle avait sur le cœur. Heureusement, elle recouvra ses esprits avant de quitter sa chambre. Elle était nue comme un ver ! Quel souvenir à lui laisser, celui d'une ex à moitié folle s'exhibant dans la rue en tenue d'Ève et hurlant des imprécations !

Il a quand même dû m'écrire un petit mot, pensa-t-elle en se calmant. Mais elle n'était pas pressée de le lire, il ne ferait que la rendre un peu plus malheureuse. Elle prit donc le temps de faire sa toilette et de s'habiller avant de descendre. En passant devant le sac de voyage de Dylan dans le vestibule, elle s'arrêta et se sentit complètement idiote. Si son bagage était encore là, c'est qu'il n'était pas parti pour Boston.

Pas encore, du moins, car il partirait aujourd'hui. Tout était prêt, ainsi qu'une feuille de bloc-notes dans la cuisine le lui confirma. L'heure, le numéro du vol et même le numéro de téléphone de la compagnie aérienne y étaient inscrits de la main de Dylan.

— Tu savais pourtant que cela finirait comme ça, soupira-t-elle.

Oui, elle le savait, mais il n'y avait rien de plus pénible que de s'y résigner. Qu'allait-elle lui dire au moment des adieux ? Rien que d'y penser, ça la mettait hors d'elle. Pleurer serait trop humiliant. Mon Dieu, faites que je ne pleure pas. J'aurai bien le temps, ensuite…

Se ronger les sangs à l'avance est stupide ! décida-t-elle. Dylan s'en allait, point. Elle ferait mieux de préparer son petit déjeuner comme une personne normale. Et quand elle l'aurait pris, elle commencerait une nouvelle journée de sa nouvelle vie… Une vie solitaire et pitoyable qui ne vaudrait pas la peine d'être vécue.

Elle prit une boîte de céréales dans le placard, l'ouvrit et, sans se donner la peine d'en verser dans un bol avec du lait et du sucre, en grignota une poignée, plantée devant la fenêtre, en contemplant son jardin envahi de mauvaises herbes. Comment Dylan allait-il prendre congé ? Avec élégance, sans doute. C'était un pro qui ne manquait pas d'expérience dans ce domaine. Au fil des ans, il avait eu d'innombrables occasions de mettre son numéro au point.

Et Kate était la dernière en date.

Comment avait-elle pu être aussi bête ? Si elle avait le cœur brisé, elle ne pouvait s'en prendre qu'à elle-même. Dylan ne l'avait pas forcée à tomber amoureuse de lui. Elle connaissait trop bien sa réputation et ses exploits. En avait-elle passé des week-ends à Nathan's Bay avec Jordan et les Buchanan ! Et chaque fois que Dylan et ses frères étaient là, le téléphone n'arrêtait pas de sonner. Au bout du fil, des voix de filles qui demandaient toujours Dylan. Elle en était exaspérée alors. Elle l'était toujours, maintenant.

Elle ferait mieux de garder ses forces pour maîtriser ses émotions jusqu'à ce qu'il soit parti. En cherchant un peu, elle trouverait sûrement à lui dire quelque chose de spirituel ou d'amusant. Mais il fallait que l'inspiration lui vienne dans la seconde, car la porte d'entrée s'ouvrait.

— Kate ? Tu es là ?

Et il apparut sur le pas de la porte, trop séduisant pour être montré en public. Pas étonnant que toutes les femmes se jettent sur lui, il était littéralement irrésistible.

— Tu t'en vas ? bafouilla-t-elle.

Question inspiration, c'était un peu court.

— Oui, tout à l'heure, mais…

— Inutile de t'expliquer, je t'en prie, l'interrompit-elle. Je te suis très reconnaissante de l'aide que tu m'as apportée pour, tu sais, cette affaire invraisemblable, mais il est temps que tu rentres chez toi. Ta vie est à Boston.

Elle vit son regard pétiller. À quoi diable pouvait-il bien

penser ? Et de quoi s'amusait-il ? Les adieux n'ont rien d'amusant.

— La mienne est ici, enchaîna-t-elle. Je ne transférerai pas mon affaire à Boston. Ma place est à Silver Springs, pas ailleurs. Depuis que j'ai vu la vidéo de Compton, je sais que je n'ai rien de commun avec lui, mais j'ai pris conscience de ne pas vouloir devenir une femme d'affaires obsédée par l'expansion et les bénéfices. Je ferai grandir mon affaire, bien sûr, mais à mon rythme. J'irai quand même de temps en temps à Boston rendre visite à Jordan, ajouta-t-elle. Nous serons donc amenés à nous revoir, c'est évident, mais je ne veux pas que ce qui s'est passé entre nous puisse... Pourquoi souris-tu bêtement ?

— Comptes-tu me resservir ton petit speech sur le thème de « demain est demain et hier reste hier » ?

Elle n'en avait pas du tout l'intention.

— Au revoir, c'est tout ce que je voulais te dire.

Elle envisagea un court instant de lui donner un petit baiser sur la joue et de lui dire qu'il allait lui manquer, mais elle se retint. Si elle s'en approchait de trop près, elle ne résisterait pas à l'envie de se jeter dans ses bras et de fondre en larmes.

— Je peux parler, maintenant ? demanda-t-il.

Et voilà, nous y sommes. Le numéro de charme. La pilule dorée.

— Bien sûr, dit-elle en se préparant à encaisser le coup.

Dylan restait nonchalamment adossé à la porte, comme s'il avait devant lui tout le temps de faire comprendre à sa énième conquête qu'il allait devoir la plaquer.

— Quand j'étais gamin, je détestais les cornichons. Les pickles, si tu préfères. Depuis, j'y ai pris goût. Je les adore.

Pour une entrée en matière, admit-elle, c'était plutôt inhabituel.

— Et je t'ai surnommée Pickle, précisa-t-il.

Elle lui lança un regard perplexe. Il s'approcha d'un pas.

— Allons, Kate, tu es bouchée ou quoi ?

— Non, je comprends. Mais tu aimes des tas d'autres

choses. Les olives noires, les bretzels, le maïs, les pizzas et...

— Non. C'est bon à manger, d'accord, mais il n'y a rien que j'aime plus que les pickles.

— C'est l'adieu le plus bizarre que...

— Je ne te dis pas adieu, bon sang ! Je te dis que je t'aime.

— Tu... tu quoi ?... Non, ce n'est pas vrai... Tu ne peux pas...

Elle agitait la boîte de céréales, qui volèrent dans tous les sens.

— À chaque fois que je tombais sur toi à Nathan's Bay, tu semais le trouble dans ma vie sentimentale. Comme empoisonneuse, tu n'avais pas ta pareille. Quand tu ne me cassais pas les pieds, tu faisais comme si je n'existais pas. J'étais furieux contre toi et pourtant je ne m'en lassais pas. Un jour, je me suis rendu compte que je demandais toujours quand tu viendrais pour venir en même temps que toi. Oui, je t'aimais déjà et il m'a fallu un bout de temps pour l'admettre. Et quand je m'y suis résigné je t'ai appelé Pickle rien que pour t'agacer.

— Tu savais que je n'aimais pas ce surnom.

— Oui. Et alors ? Je ne tenais pas tellement à être amoureux de toi. J'ai longtemps cru que tu me snobais et... ça m'exaspérait.

— Tu croyais que je te snobais ? Qu'est-ce que ça veut dire ?

— Tu m'aimes aussi, Kate. Il m'a fallu un moment pour le comprendre. Je crois même que tu m'aimais depuis long-temps, mais que tu n'en avais pas encore pris conscience.

— Non !

— Si ! Je t'aime, dit-il en faisant un nouveau pas vers elle.

Devait-elle le croire ? Elle avait peur.

— As-tu l'habitude de dire à toutes tes petites amies que tu les aimes avant de les laisser tomber ? Si c'est vrai, c'est méchant.

— Jill Murdock.

Kate recula vers la salle à manger.

— Qui ?

— Jill Murdock, répéta-t-il en continuant d'avancer. Le jour où elle a appelé, tu lui avais dit que je n'étais pas encore sorti de prison.

— Je ne me souviens pas de...

Il s'avançait à mesure qu'elle reculait.

— Heather Conroy. À elle, tu lui avais dit que tu étais ma femme, mais que nous gardions le secret parce que nous étions cousins germains.

Le rappel de ce souvenir oublié la fit sourire.

— En réalité, c'est Jordan qui en avait eu l'idée.

— Stephanie Davis.

— Je l'ai complètement oubliée, celle-là.

— Je n'ai pas pu sortir avec elle un certain samedi soir parce que j'avais attrapé la peste bubonique et que j'étais en quarantaine.

— Écoute, ces avalanches de coups de téléphone indisposaient tout le monde !

— Qui, par exemple ?

— Ta mère, entre autres.

Son expression incrédule fit place à un éclat de rire.

— Ma mère ?

— Oui. Moi aussi, peut-être, admit-elle du bout des lèvres. De temps en temps.

Il avait l'air tellement content de lui qu'elle ne se domina plus et provoqua une nouvelle pluie de céréales qui atterrirent dans le lustre au-dessus de la table, d'autres dans ses cheveux. Elle ne s'était jamais conduite comme cela, mais elle n'avait jamais non plus rien éprouvé de semblable. Dylan la coinça dans un angle de la pièce. Pour se dégager, elle devrait lui passer à travers, ce qui était hautement improbable.

— Et pourquoi donc étais-tu « indisposée », Kate ?

Elle avait encore peur de le croire. Il ne pouvait pas l'aimer vraiment, l'aimer aussi fort qu'elle l'aimait... Mais si c'était vrai ? Il n'y avait qu'une seule manière de s'en assurer. La vérité le ferait disparaître en un éclair. Sinon… On verra bien, se dit-elle en se jetant à l'eau.

— Parce que je t'aime, Dylan.

Au lieu de se volatiliser dans un nuage de fumée, il sourit.

— Je t'aime, répéta-t-elle.

Il l'emprisonna en appliquant les mains sur le mur de chaque côté d'elle et se pencha en avant. Sa bouche n'était qu'à quelques millimètres de ses lèvres quand il murmura :

— Marions-nous, Kate.

# Épilogue

Par une belle journée de vendredi, en début d'après-midi, Kate et ses sœurs, Kiera et Isabel, entrèrent à la First National Bank de Silver Springs, prêtes à briser avec jubilation la vie de trois personnes.

Une bien belle journée, en vérité.

Selon les instructions de Kate, Anderson Smith avait eu une longue conversation avec Andy Radcliffe, le nouveau président de la banque, afin d'organiser la réunion qui allait avoir lieu. Les participants étaient déjà rassemblés dans le bureau de Radcliffe. L'ancien comptable de Léah MacKenna, Tucker Simmons dit la Fouine, et son insipide épouse, Randy, attendaient leur jour de gloire, c'est-à-dire le transfert officiel à leur profit de l'entreprise de Kate. Censé les assister dans cette fructueuse opération, Edward Wallace était aussi présent. C'est lui qui, fondé de pouvoir de la banque pour l'attribution des prêts, avait jugé subtil et sans risque d'ajouter quelques lignes au contrat après que Léah l'eut signé.

Le chef Drummond attendait les trois sœurs dans le hall de la banque et se rendit avec elles au bureau directorial. Kiera et Isabel restèrent debout près de la porte avec Drummond pendant que Kate prenait place en face d'Andy Radcliffe.

Kate ne se donna pas la peine de se présenter aux autres, encore moins de les saluer. Elle se contenta de tendre un dossier au président.

— Voici la copie du contrat de prêt consenti par la banque à ma mère, Léah MacKenna. Vous voudrez bien la comparer à l'original archivé dans votre établissement.

— Vous avez osé fouiller les archives de la banque ? s'indigna Wallace. C'est illégal !

— Illégal ? répéta Kate. Vous avez entendu, chef Drummond ?

D'un geste impérieux, Radcliffe fit taire Wallace, qui rouvrait déjà la bouche.

— C'est moi qui ai sorti le dossier pour Mlle MacKenna. Et maintenant, que puis-je faire pour vous, mademoiselle ?

— Veuillez regarder les quelques lignes ajoutées sur la copie détenue par ma mère. Celui qui a altéré le document ne s'est même pas donné le mal d'imiter son écriture.

— « Ainsi que mes autres éléments d'actif, y compris l'entreprise de Kate MacKenna dont je détiens des parts », lut Radcliffe. Il est incontestable que ces mots ont été ajoutés.

Tous les regards se tournèrent alors vers Wallace, qui se leva d'un bond.

— Oui, je m'en souviens, maintenant. J'avais oublié d'inclure ces précisions. Après quelques recherches, je m'étais en effet aperçu que Léah MacKenna détenait la majorité des parts de l'entreprise.

— Excusez-moi d'interrompre la discussion, mais j'aimerais savoir qui vous êtes, dit alors Randy Simmons en se tournant vers Kate.

Kate refusa de la regarder. Ce fut Drummond qui répondit à sa place.

— Nulle autre que Kate MacKenna.

Randy pâlit, empoigna son sac et se leva.

— Allons-nous-en, Tucker. Nous n'avons plus rien à faire ici.

— Rasseyez-vous, ordonna Drummond d'un ton sans réplique.

— Puis-je jeter un coup d'œil à ces documents ? demanda Tucker Simmons.

Il prit ses lunettes dans sa poche, se pencha pour lire le texte dactylographié et les ajouts manuscrits de Wallace. La preuve de ses malversations devait être évidente, car il sursauta et intima à Wallace, par des signes désespérés, de ne plus ouvrir la bouche. Des gestes trop discrets, sans doute, car Wallace n'en tint pas compte et reprit sa plaidoirie, persuadé que personne ne serait capable de prouver l'escroquerie dont il s'était rendu coupable.

— Tout cela n'est qu'un simple malentendu. J'ai ajouté l'entreprise de Kate MacKenna à la liste des actifs, ce dont j'ai avisé ensuite Mme MacKenna, cela va sans dire.

— Vous en avez avisé ma mère ? voulut savoir Kate.

Simmons se racla bruyamment la gorge en faisant de la tête des signes de dénégation, que Wallace une fois de plus ne remarqua pas.

— Bien entendu. Je lui ai téléphoné pour l'informer de ces légères modifications et elle est passée à la banque apposer son paraphe. Je me suis toujours efforcé d'être méticuleux, poursuivit-il à l'adresse du président. Vous pouvez d'ailleurs constater que j'ai inscrit au bas de la page la date et l'heure de ma conversation avec Mme MacKenna.

— Vous avez parlé à ma mère à cette date-là ? demanda Kate.

Tucker poursuivait en vain ses efforts désespérés pour le faire taire.

— Oui, sans aucun doute, affirma Wallace.

— Cela a dû vous poser des difficultés.

— Pas le moins du monde ! Pourquoi ?

— Parce que, si j'en crois la date que vous avez inscrite, vous avez parlé à ma mère trois semaines après son décès. Elle était mourante et vous le saviez, poursuivit Kate en perdant son calme. Elle était venue vous demander un prêt pour faire face à ses dépenses médicales. Vous, vous y avez vu une chance de l'escroquer et vous avez sauté sur l'occasion. Vous avez tout manigancé avec Simmons et sa femme. Il vous a fallu vous y mettre à trois pour dépouiller une mourante !

— Pensiez-vous sérieusement que Kate allait se laisser faire sans rien dire ? intervint Kiera.

— Ou espériez-vous qu'elle s'en rende compte trop tard pour qu'elle puisse réagir ? enchaîna Isabel. C'est honteux ! Jamais notre mère n'aurait mis en danger l'entreprise de Kate. Jamais !

— Combien d'autres emprunteurs de bonne foi avez-vous escroqués ? demanda Kate.

— Soyez tranquille, Kate, intervint Drummond. Nous le saurons.

— Si je perds ma situation à cause de vos accusations mensongères et calomnieuses…, commença Wallace.

— Je doute que vous puissiez exercer vos fonctions depuis une cellule de prison, l'interrompit Drummond.

— Tucker, rentrons chez nous, je t'en prie ! gémit Randy.

— Vous ne rentrerez pas chez vous avant un bon moment, déclara Drummond. Le procureur a passé sa matinée à examiner les preuves, il aura sûrement quelque chose à dire au sujet d'une complicité d'escroquerie, sans parler du reste. Pour commencer, vous allez tous les trois m'accompagner au poste.

Lorsque Drummond eut escorté vers la sortie les suspects accablés et que le calme fut revenu, Radcliffe s'adressa à Kate.

— Je puis vous assurer, mademoiselle, que la banque coopérera pleinement à l'enquête du chef Drummond. Nous avons en outre fait le nécessaire pour effectuer le remboursement de l'emprunt de votre mère par un autre prêt, sans garant, préciserai-je. Si vous voulez bien passer à nos bureaux demain dans la journée, vous pourrez signer les documents correspondants.

— Je vous en remercie, dit Kate.

— C'est plutôt moi qui dois vous remercier. Ma banque s'estime honorée par votre décision de lui confier, sous le contrôle d'Anderson Smith bien entendu, les sommes que vous destinez à votre fondation.

Kate et ses sœurs souriaient en quittant la banque. Isabel éclata même de rire dès qu'elle en eut franchi la porte.

— Tu viens d'emprunter de l'argent et tu fais cadeau de millions de dollars ! Tu aurais quand même pu te servir d'un peu de ton héritage pour rembourser l'emprunt de maman.

— Elle ne l'aurait sûrement pas voulu, lui rétorqua Kate.

— Qu'est-ce que je dois faire de ces terres en Écosse, à ton avis ? demanda Isabel.

— Finis tes études, va les voir et tu décideras ensuite. Et toi, Kiera, que comptes-tu faire de ton paquet d'actions ?

— Je n'ai encore rien décidé. Tout ce que je sais, c'est que, quoi que j'en fasse, ce sera au nom de maman.

Elles attendaient devant la voiture de Kiera que celle-ci déniche enfin ses clefs au fond de son sac.

— Oh, tu sais quoi ? s'exclama Isabel. J'ai appris que Reece Crowell est fiancé. Avec une Européenne, je suppose.

— Pauvre fille ! soupira Kiera.

— Dépêche-toi de trouver tes clefs ! la rabroua Kate. Dylan arrive tout à l'heure.

— Avez-vous fixé la date de votre mariage et serai-je demoiselle d'honneur ? voulut savoir Isabel.

— Non en ce qui concerne la première question et oui à la deuxième.

— Tu étais destinée à épouser Dylan, je l'ai toujours su.

— Bien sûr, tu en sais plus que tout le monde sur les garçons.

Kiera trouva enfin ses clefs et elles reprirent toutes trois le chemin de la maison.

— C'est vrai, insista Isabel, j'en sais long sur les garçons !

— Tu voulais que je sorte avec Nate Hallinger, dit Kate. Si tu crois que c'est une preuve de ton flair...

— Moi, au moins, je lui ai poliment offert à boire quand il est venu la première fois, protesta Isabel.

Quand elles arrivèrent à destination, Kate n'écoutait plus

la conversation de ses sœurs. Elle voyait déjà Dylan qui l'attendait devant la porte. Son vol avait dû arriver en avance. Une onde de bonheur la parcourut de la tête aux pieds.

Délaisser des millions de dollars en contractant de nouvelles dettes n'avait désormais plus aucune importance. Devant elle, Dylan lui souriait, la saluait de la main.

La vie ne pouvait rien lui offrir de plus précieux.

*Composition et mise en pages :* FACOMPO, LISIEUX

Achevé d'imprimer
en janvier 2008
par Printer Industria Gráfica
pour le compte de France Loisirs, Paris

Numéro d'éditeur : 50477
Dépôt légal : février 2008